科学でかなえる世界征服

ライアン・ノース　吉田三知世訳

早川書房

JN046898

科学でかなえる世界征服

HOW TO TAKE OVER THE WORLD

Practical Schemes and Scientific Solutions for the Aspiring Supervillain

by

Ryan North
Copyright © 2022 by
Ryan North
Translated by
Michiyo Yoshida
First published 2023 in Japan by
Hayakawa Publishing, Inc.
This book is published in Japan by
arrangement with
Project Sinister in care of The Gernert Company, New York
through Tuttle-Mori Agency, Inc., Tokyo.

本文イラスト：© 2022 by Carly Monardo
装画：川原瑞丸
装幀：杉山健太郎

レックス、ヴィクター、エリク、そしてアイズレー博士に

「社会のなかでは生きていけない、あるいは自分自身で充足しているために
その必要がないので社会に参加しない者は、獣か、さもなければ神である」

——アリストテレス、『政治学』（紀元前350年ごろ）

目　次

訳注は小さめの 〔〕 で示した。

　しょっちゅうやったのは、墓から死人を掘り出して、
　親類縁者の家の戸口に突っ立たせておくことだ、
　連中が悲しみを忘れかけたころを見計らってな、
でもって、立ち木の皮に彫るように、ナイフを使って
　死体の皮膚にラテン語でこう刻みつける、
「我死すとも、汝らの悲しみを死なせてはならぬ」。
ちぇっ、これまで俺はものすごい悪事を何百何千とやってきた、
それも大はしゃぎで、ちょうど人がハエを殺すみたいにな。
　いま俺が心底残念に思うことは一つしかない、
　何千何万て悪事がもうできないってことだ。

　　　　——名高い劇作家ウィリアム・シェイクスピア

（はい、そうです、「名高い劇作家ウィリアム・シェイクスピアが書いた
　　『タイタス・アンドロニカス』の登場人物エアロン」です）

〔『タイタス・アンドロニカス』松岡和子訳　筑摩書房〕

おことわり

　これは、科学の限界と、科学の未解決問題についての本だ。つまり、人間がこれまでに発明した技術や、現在発明中の技術のおかげで今すでに可能になっていることには、どんな限界があるか、そして、もしも解決できたなら、今はまだ不可能なことが可能になるはずの未解決問題にはどんなものがあるかを紹介する本である。本書は、私たちの世界文明に潜む、まだ利用されたことのない弱点――文化的、歴史的、そして技術的な盲点――を洗い出す。このような盲点がある限り、これらを好機に転じ、人類そのものの運命を変えようという意欲に燃える人物に、人類は無防備なままだ。

　別の言い方をすると、本書は本物のスーパーヴィランになり世界を征服することを指南するノンフィクションである。

　普通なら、ここで「これをおうちでは試さないでください」と書き添えるのだが、私は念には念を入れ、「これをいかなるところでも試さないでください」と記そう。

はじめに

こんにちは。そして、世界征服について私が書いた
本をお読みくださり、ありがとうございます。

才能があるだけじゃだめだ……努力せねばならん。高い知能は特権ではな
く、天から与えられたものだ。だから人類の利益のために使え。

──ドクター・オットー・オクタビアス、またの名をドクター・オクトパス
『スパイダーマン2』（2004年）

　　スーパーヴィランは普通悪人だと思われている。私にはよくわかる。何
しろ、私自身いろいろなスーパーヴィランの物語を書いてきたのだから。
　　マーベル・コミックやDCコミックスなどでの私の仕事で最も重要なこ
との１つが、ヴィランのために新しい陰謀をひねり出すことだ。私が書い
ているのがワイルドで気まぐれな古代の神であれ、アンデッドの魔法使い
であれ、邪悪な異星人、はたまた、腹黒い武将、天才的頭脳を持った億万
長者、人間狩りをする者、あるいは、最高のスーパーヴィラン（すなわち、
ドクター・ドゥーム*）であれ、彼らはみんな、毎月毎月一層大胆不敵な
新たな非道の高みに達しなければならないのだ。そして、読者に彼らの話
に共感してもらうためには、彼らが企む陰謀に真実味がなければならない。
実際、真実味以上のものが必要だ。彼らが実施する強引な策略は本当にう
まくいかなければならないのだ……ある瞬間に、突然うまくいかなくなる

---

* タイムトラベラーであり、科学者であると同時に魔術を使う。ドクター・ドゥームに並ぶ偉
大なレックス・ルーサーでさえ、魔法の呪文は使えない。

まで。

じつのところスーパーヒーロー・コミックスでは——誰もが知っていることだが——ヴィランがどんなにがんばろうが、いかに成功寸前——ヒーロー危うし——まで行こうが、土壇場になると彼らは必ず失敗するのである。ヒーローが懸命にがんばって、それまで知られていなかった力や知恵や思いやりやロボットスーツを見出す、その最後の瞬間に。あらゆる物語を支配する唯一の普遍的な法則にしたがってこうなるのである。ヒーローが敗北に近づけば近づくほど——今度こそヴィランが本当に勝ちそうに思えれば思えるほど——ヒーローの勝利は一層痛快なものになるというのがその法則だ。この法則の威力は相当なもので、フィクションのみならず、現実にも当てはまる。アイスホッケーでも、一方的な試合は退屈だが、決勝戦の最後のピリオドで、自分が応援するチームが形勢を逆転、２回の延長戦の末にドラマチックなシュートを１本決めて勝利するのは何ものにも代えがたい喜びだ。

さっきも言ったように、誰でも知っていることだ。

だが、あまり知られていないこともある。それはこの「物語の普遍法則」を、ある事実と結び付けたときに浮かび上がってくる恐ろしい真実である。その事実というのはほかでもない、マーベルとDCがそれぞれ、ウォルト・ディズニー・カンパニーとAT&T傘下のワーナーメディア社〔2022年にAT&Tからは離れ、ディスカバリー社と経営統合した〕によって所有されていることだ。つまり、地球最強の多国籍企業２社が数十年にわたって堂々と、現在生きている最も独創的な人々に金を払って、ますます効果的な世界征服の陰謀を立案させている——しかも、これらの陰謀は、偶然によって、周囲の状況によって、つまり、我々ライターが我々の手榴弾に周到に挿入したピンによって阻止されているだけなのだ。それを知ったなら、こんな疑問が心に浮かぶまで大して時間はかからない。「スーパーヴィランが負けなくてもいいならどうなるだろう？　あまりに巧妙で、大胆不敵で、前例がないため、予測できず、ましてやくじくことなど不可能な陰謀にヒーローが直面したらどうなるだろう？　そしてこれが、フィクション

のなかでスーパーヴィランに可能なら、現実の世界で誰かほかの人がそうすることを、何が阻止できるだろう？」本書はそもそも、こんな疑問から生まれたのだ。この疑問が思い浮かんだとき、私は、世界征服の方法をいくつも考案してこれまでの歳月を過ごしたのみならず、科学の知識と経験があったおかげで……実際に、その方法を実施する具体的な詳細まで把握できたのだ。

　そして、大半のスーパーヴィランとは逆に、私はそれを喜んでみなさんと共有したい。

待って、世界征服の方法を人に教えるなんて、倫理的に問題はないのかな？　だって、これって、倫理にうるさい人が「本当に、絶対に間違ってます」って言いそうなことなんだもの。

　これは筋の通った質問なので、今のうちに片付けてしまおう。地域や国家の法律や、さらに国際法の、条文と精神を破るための詳細な手順を教え、読者が地球とその上に住むみんなの運命を己の手中にできるようにすることは、本当に「非倫理的」（かつ「潜在的に危険」）なのだろうか？

　ええっとですね……ひょっとしたらそうかも？　高額の弁護料を取る、一流の弁護士や倫理学の先生たちは、この種の問いに「イエス」と答えてきたけれど、私はもうこの本を書き上げてしまったし、この問いには「そんなあほな」と応じたい。というわけで、残念ながら、どこに真実があるかはまったくわからないのである。

　ありがたいことに、「正しいこと」と「間違ったこと」について、そして「著者の重大な法的責任」についての言い古されたこれらの議論をすべてまとめてかわすことができる。「これは架空の話ですよ」と取り繕えばいいのだ！　つまり、こう言えばいいのである。「これらはすべて、人類

＊　スーパーヒーロー・コミックスの分野で仕事を始める前、私はトロント大学で理学修士号を取得した。正真正銘の理学修士号で、私の科学の知識と経験はお墨付きなわけだ（確かに、取得したのは計算言語学の学位だが、修士課程では研究論文を読みこなす訓練もみっちり受けた）。

のテクノロジー、歴史、発明の限界を探るための単なる知的訓練として説明しているだけです！　このなかに示されているすべての陰謀は、完全に架空のもので、私はただ、あなたの心のなかで世界を征服するにはどうすればいいかを教えているだけです（ただし、恐竜のクローン作成方法を除いて。率直に言って心配症でしかない、『ジュラシック・パーク』にかぶれた人たちがあなたに信じ込ませたかもしれないこととは裏腹に、この陰謀は客観的に見ても素晴らしい。そして、あなたはこれを、できるだけ早く実施すべきである）」

　というわけで、ご安心を！　本書をお楽しみください！　私たちはみんな、楽しく過ごすためにここにいるのだし、もしも私たちのうち何人かが、本書を読み進めるうちに、いくつかの（架空の）国の運命を（頭のなかで）その手に握ることになったとしても、それは単に、そういうこともときどき起こるというだけのことだ。

では、今すぐ世界を征服しよう。

　ねえ、キミ、世界征服しようよ。
　私たちには、まずもって１つ強みがある。コミックブックのスーパーヴィランの陰謀が、現実の世界で実際に起こるなんて誰も思っていない、というのがそれ。おかげで、いわゆる「ヒーロー」が、こういう陰謀を土壇場で台無しにしようと準備したり、意気込んだり、最後の瞬間に飛び出してきたりする可能性は非常に低い。そして、現実の世界では、洗脳ヘッドギアやシュリンク・レイ〔浴びたものを小さくするという架空の光線〕などの途方もない空想科学を利用することはできないが、それはじつのところ、私たちの２つめの強みになる。つまり、ほかのみんなだって、この種のものは使えないのである。スーパーヒーローのいない世界は、スーパーヒーローのおかげで物事を手際よく進められない世界よりも、スーパーヴィランにとって扱いやすい。映画『アベンジャーズ／インフィニティ・ウォー』では、サノス〔マーベル・コミックに登場する究極のスーパーヴィランで、宇宙の

あらゆる悪の背後に存在し続けてきた最凶最悪のヴィラン〕が最終的な勝利を収めるまでに、彼の前に立ちはだかるスーパーパワーを手に入れた愚か者数名——スーパーソルジャー1名〔同コミックに登場する、第二次世界大戦中に米軍の最高機密生体実験に身を捧げて国家の究極の兵器となったキャプテン・アメリカのこと〕、怒りでモンスターに変身する天才科学者〔マーベル・コミックのハルクというキャラクター〕、億万長者のプレイボーイで慈善家だが飛行能力のある鋼鉄製のアーマーに身を包むと生きたハイテク・ウェポンとなるアイアンマンことトニー・スターク、そしてクモが人間のサイズになったのに匹敵する身体能力を獲得し、手首から強力なクモの糸を発射する高校生〔マーベル・コミックのキャラクター、スパイダーマンこと天才的高校生ピーター・パーカー〕など——と対決しなければならなかった。

そんなナンセンスにかかずらう必要は、私たちにはない。

だが、こういう「愚か者」とか「最終的な勝利」の話はちょっと先走り過ぎだったようだ。まずはスーパーヴィランとは実際に何なのかを詳しく見て、みんなが同じ認識に立てるようにしよう。スーパーヴィランという言葉は、一見単純明快だ。「スーパー」は、「より優れた」という意味だし、「ヴィラン」は「悪人」のことだ。したがって「スーパーヴィラン」は「より優れた悪人」という意味だ。説明終わり、でしょ？

しかし、次に「スーパーマン」を見てみると、どうか。

スーパーマンは飛べるし、高層ビルをひとっ跳びで越えることができる（飛ぶのに比べれば大したことないが、そのことは当人もしょっちゅう言っている）。スーパーマンは機関車よりも強く（世界最大最強の機関車たちと比べると〔中国の神24電気機関車が4万馬力弱とされているが、一般的には1万数千馬力が最強クラス〕、彼は約1万2000馬力のパワーを使うことができるということ）、高速で飛ぶ弾丸よりも速く（つまり彼は少なくとも秒速120メートルで移動可能。高速カートリッジ使用時には、彼の速度は秒速1700メートルにはねあがる）、さらに両目からレーザービームを出すことができ、息を吹きかければ何でも凍ったように静止させられる。パワーと能力に関して、スーパーマンは私たちのような普通の人間のはるか上をいく。

私たちが１匹のアリの上をいっているのと同じぐらい。ここで「スーパー」は、ただの「より良い」という意味ではないことは明らかだ。「超える」という意味である。スーパーマンは単に「力が強くなった私たち」ではない。普通の人間にはできないことができるのだ。したがって、スーパーヴィランも、私たちが邪悪なアリを超えた悪人であるのと同じぐらい、並みのヴィランの邪悪さをはるかに超えた存在でなければならない。つまりスーパーヴィランは普通の悪人にはできないことができなければならないのである。

　たとえば、世界をより良い場所にするとか。

　そうなのだ。「そんなばかな」と思われるかもしれないが、最も偉大なヴィランたちは、罪もない人を線路に縛り付けて、自分のあくどさ加減にカラカラと高笑いするなどの、悪のために悪であることはとっくの昔にやめたのだ。がらりと変わって、最近のヴィランは共感できるやつらになった。彼らがやっていることは、誰もが理解できる動機に基づいている。彼らが懸命に努力して世界征服を成し遂げようとしているのは、きっとあなたも美味しい紅茶を飲みながら新聞でニュースを読んでいたときにじっくり考えたことがあるようなあれこれの理由——つまるところ「自分だったら、もっとうまくやれたのに」という単純な事実に帰着するさまざまな理由——による。この愚か者たちが耳を傾けさえすれば、世界は本当に今よ

＊　アリが集団主義社会——「超個体」と呼ばれることもある。ここにも「超（スーパー）」が頭についている——をなしていることはよく知られている。アリ社会では、労働を役割分担することでメンバーが互いに協力し合っているので、個々のアリは集団なしには長くは生き残れない。そのため、スーパーヴィランのアリはおそらく猛烈に個人主義で、女王アリを殺し、巣を乗っ取ろうとするだろう。女王が２匹以上いる巣では、実際に、一方の女王が支配権を確立するためにこれを企てることがある。しかし、ただの働きアリ（すべて雌だが、不妊である）が自ら巣を征服しようとしたという記録はない。ちなみに、ときどき、近隣の複数のアリのコロニーが、戦うのではなく協力して、数百万匹のメンバーからなる「超コロニー」を作ることがある。2009年、人間によって日本、アメリカ、ヨーロッパに持ち込まれたアルゼンチンアリの超コロニーの数個が、じつは１つの地球規模のメガコロニーであることが発見された。再び１カ所に集められたとき、違う国から運ばれたアリどうしが互いに戦うことを拒否したのだ。このことから、アリは、人間を除いて、地球で最も個体数の多い社会をなしていると言える。アリについてのじつに興味深いこの脚注は、これで終わりである。

りいい場所になるのになあ。これこそ私が「見識のあるスーパーヴィラン」の精神と呼ぶものであり、これが生まれるのは、野心に燃え、能力を持った賢明な人物が、既存の権力構造の外側で、放っておいては片付かないことを解決するために画策するときだ。「危ないなあ」とか、「そりゃ邪悪だね」と思われるだろうか？　だが、この説明は多くのヒーローにも当てはまる。スーパーマン、バットマン、ワンダーウーマン、スパイダーマン、キャプテン・マーベル、スクレイルガール、そして他の大勢の、史上最高のヒーローたちも、みなそうだ。

　こういう人たちは、誰もが大好きだよね！

私たちはこれにどう取り組むか

　いろいろな悪巧みの話を書く際に、そういう悪事が成功すると私自身が確信していることをみなさんに納得してもらうのは容易い——容易すぎる——ことだろう。その結果あなたは、私のことを哀れなエゴイスト、自分の想像力の毒気に酔った、地獄に行くに違いない魂の持ち主だと思うに違いない。それは当然だ。だからそれはやめて、私はもっと困難だがやりがいのある方法を選んだ。私にはこれらの悪事を計画通り成功させられるとみなさんを説得したりはしない。

　みなさんにそれが可能なのだと納得してもらおう。

　本書はみなさんにスーパーヴィラン教育を受けてもらうためのテキストだ。それは今まさに始まる。あなたは今日、ポピュラーサイエンス本の読者としてスタートするが、すぐに物理学、生物学、歴史、テクノロジー、コンピュータ、宇宙——宇宙における人間の状況、宇宙のなかの森羅万象、そして私たちが宇宙で占めている地位——について、これまでよりもさらに多くのことを学ぶ。あなたがいつもなりたいと思っていた自分になれるよう、私は全力を尽くそう。大胆な者、いまだかつてなかったような者に、あなたがなれるように。

　スーパーヴィランと呼ぶにふさわしい者に。

　たいていの犯罪はちっぽけでくだらない軽犯罪だ——独創性がなく、自分本位で、面白みがない。そこで私は、その種のつまらない陳腐なものはここでは論じないことにする。本書では、最も大規模で、最も大胆で、最も大きく世界を変えるようなスーパーヴィランの計略を９例挙げて、みなさんに注目していただこうと思う。それらはすべて、コミックや大衆紙の連載小説にヒントを得たものだが、どれも実際の科学とテクノロジーだけに基づいており、反重力装置や不安定なプロト分子などのコミックブックの定番は一切不要である。いずれも、発案、調査、戦略設計すべてを私——科学の専門教育を受けたプロのヴィラン向け陰謀作成者——が、科学的正確さと達成可能性を期して行なった。そして、そのような大胆な野望にふさわしく、どれも困難なものばかりだ。どの１つを取っても、強靭な精神、世界をありのままに見るのみならず、そのあり得る姿でも捉えられる能力、そして、その新しい世界を、蹴りを入れ、どやしつけても実現させるという決意と覚悟が必要だ。言い換えれば、それらの計略には、スーパーヴィランの意志、駆動力——そして、もちろん財源——が必要なのである。

　この最後のやつがネックだ。つまり、ここでご紹介するどの陰謀も、実現するにはある程度の資金が必要となる。だが、恐れるなかれ！　たとえあなたが本書に載っているすべての計略を行なうのに必要な資金（たったの554億8555万1900ドルというお買い得だが）を確保できなかったとしても、９例のうちの多くは、単独でならずっとお手頃な値段である。1000年先の未来にメッセージを送るという慎ましい計略は、１万9000ドル以下で実施可能だ！＊　だが、万一のために、９つの計略の目論見書〔投資判断に必要な重要事項の説明書〕である本書には、１度の投資をほぼ永遠に続く流動資本〔すぐに現金化できる資産〕の供給源に変える方法も記されている（第５章を参照のこと）。

＊　気になる方のために。2021年時点で、本書の陰謀すべてを実施するのに必要な560億ドルを全額支払える人間は地球にちょうど20名しかいないが、１万9000ドルなら、10億人以上の人々がそれを賄うに十分な資産を所有している。

　これに続くページで、悪事や計略をじっくり読んでいただくわけだが、どの計略でも、モチベーションを上げるのにふさわしいヴィランの言葉が最初に掲げられ、続いて計略に必要な背景の説明へと進む。この部分は、「必読箇所」というよりむしろ「下見」と考えてほしい。それに続いて、私たちが今目指している成功を成し遂げようとした過去の劣った試み――あなたのようなスーパーヴィランにはほど遠い他の者たちが挑戦したもの――が挙げられている。その後に、私が提案する策略を詳細に伝授する。そして結びとして、策略の実施中に注意しておくべきマイナス面をすべてチェックする――必要な精査を私がきちんと行なったとお示しするためだ。それと同時に、あなたが万一当局に逮捕された場合に直面し得る良くない事態についてもすべてお知らせしておこう。こうして、ご提案するすべての陰謀について、事業計画概要（エグゼクティブ・サマリー）を最後に提示し、必要な投資、予想利益、そして陰謀が完了するまでの予測期間を詳細に述べる。私の同僚のカーリー・モナルドによるイラストが本書の全体にちりばめられている。それは、本を支配するのはイラストだからだ。自分の著作にイラストを一切入れない著者は、直感的で刺激的で、ズバリはるかに魅力的なイラストという視覚的媒体を少しでも近づけると、自分が書いた中身の薄い言葉が、霞んでしまうのが怖い臆病者でしかない。

　本書に載っている順に陰謀を読んでいただいてもいい――その場合には、秘密基地とあなた独自の国家を立ち上げ、それに続いて恐竜のクローンを作り、天気をコントロールし、そして最後の、決して死なないという、もっと大胆な計略に進むことになる。だが、詳しく知りたい特定の陰謀があって、待てないなら、お引き止めはしない。参照すべき他の章が文中に明示されているので、必要な関連情報はすぐに見つかるだろう。

　では、先へ進みましょうか？　この世界が自らを征服しようとすることはないのだから。

トマス・ミジリー・ジュニア

　1 人の人間が本書のすべての策略を本当に成し遂げ、その桁外れの影響を世界に及ぼすことができるのだろうか？　およそありえないと思えるかもしれないが、そんな気がするのは、1889年5月18日生まれのトマス・ミジリー・ジュニアなる人物の例をあなたがまだご存じないからに過ぎない。

　その短い生涯のなかで、ミジリーは「有鉛ガソリン」（数えきれない人間を鉛中毒にした原因物質で、記者会見でこの物質の安全性を証明するために、これを手に付着させ、鼻から吸い込んだ結果、彼自身も鉛中毒となった）と、オゾン層を急激に破壊する性質を持つため、のちに地球の大半の国が団結して、地球を居住可能な状態に保つためにその製造を中止することに同意しなければならなくなった「クロロフルオロカーボン」〔日本ではフロン類と呼ばれる〕の両方の発明に貢献した。1944年、ミジリーの発明の1つが、ついに彼の命を奪ってしまう。ベッドから起き上がる際に使うロープと滑車を組み合わせたじつに凝った装置で首が絞まってしまったのである。ミジリーが自分の発明によって誰かに危害を加えようとしていたという、信頼性のある説明を提案した者はいまだかつてない。つまり、彼の存命中に始まった、有鉛ガソリンによる死亡やオゾン層の破壊がもたらす苦しみはすべて、偶然の産物だということだ。だとすると、1つ疑問が浮かぶ。もしもミジリーが本気で試していたなら、彼はどれだけのことを達成していたのだろう？　というのがそれだ。

第1部

スーパーヴィランの
超基本《スーパーベーシック》

スーパーヴィランには秘密基地が必要だ

3人が秘密を守れるのは、そのうち2人が死んでいる場合だけだ。

——ベンジャミン・フランクリン（1735年）

　どのヴィランにも、生活し、働き、計略を練るための場所が必要だ。一般市民なら「家」、「オフィス」、あるいは「ホーム・オフィス」で満足だろうが、あなたはこれから、まるで宮殿のような自分自身の「秘密基地」を拠点にし、そこでカッコよく計略を練ってスーパーヴィランの夢を生きるのだ。

　秘密基地を作る候補地をチェックする際に留意すべき制約がいくつかある。「秘密基地」の「秘密」とは、それが隠れた場所である、あるいは、少なくともアクセスが極めて困難な場所であるという意味だ。おせっかいに干渉してくる輩に、何の苦もなく偶然見つけられたくない。「基地」とは、持続可能かつ自給自足的で、あなたを（そして理想的には、さらに忠実な部下たち数名も）数年間とまでいかなくても、数カ月間は支えられなければならない。忘れないでほしい、そのなかに長い間潜んでいられなければ、あなたが持っているのは秘密基地ではなく、別荘に過ぎない。

　そして、誰かが秘密の別荘から世界を征服することなど絶対にない。

背　景

　まず、あなたが今すでに考えていることを断念するよう説得させていただきたい。こう考えておられるに違いない。

　　秘密のスーパーヴィラン基地を作るのに最善な場所といえば火山の内部に決まってるよ。そんなの簡単さ。この本に書いてあることなんて前から知ってることばかりだ。なんでこんな本買ったんだか、もうわからないぐらいだ。

——あなた（今）

　活火山の内部に何らかの建物を作るなど、まずい考えだ。火山は、予告もなしに噴火する恐れがあるし、そうなれば空気は毒ガスでいっぱいになり、まさに溶岩と化した床の上に雨のように石が降り注ぐなかで、あなたは生きたまま焼かれるだろう*。たとえそれが休火山だったとしても、あなたは他人に丸見えの、まったく秘密ではない穴、つまり観光名所のなかに住んでいることになる。

＊　だからといって、人々が火山内部に何かを建築するのをやめたわけではない！　日本の小さな孤島、青ヶ島は、火山によって形成され、現在も火山にすべてを支配されているが、それでも約170名の人々が暮らしており、風が強く雨が多い気候と、火山性の天然温泉（島民は食品を蒸すなどの調理に使っている）を楽しんでいる。1785年に起こった青ヶ島で最後の火山噴火では、300名強の島民のうち逃げ遅れた130から140名が死亡した——しかし、50年ほどで島の人口は回復した。

この計画、なぜか逆効果だったわ！

なぜか逆効果に終わった計画

　ここでのあなたの最大の問題は自給力だ。外界に頼る必要なしにあなたと部下を生かし続けるために必要な最小限のサイズが基地にはあるはずだ。その最小限のサイズが厳密に言ってどのくらいなのかは、「えっと、1人の人間をいつまでも生かし続けるには、一体どれだけのスペースが必要なんだ？」という問いに、あなたがどう答えるかによる。

　歴史を通じて、さまざまな権威がこの問いに答えようとしてきた。西暦700年代のイングランドでは、土地面積は「ハイド」という単位で測定された。ハイドは、1軒の農家の家族を養うのに必要な土地面積という意味だ。したがって、土地の生産性に応じて約24万から72万8000平方メート

ル）の範囲でばらついていた[*]。だが、西暦1066年のノルマン征服〔フランスのノルマンジーに定住していたノルマン人がイングランド王国を征服しノルマン朝を開くに至った一連の事件の総称〕のころにハイドは約48万5000平方メートルに標準化された。1平方キロメートルの半分弱である。当時の「家族」というのが、肉親だけを指すのか、親戚たちも含むのかは今ではわからないが、4人だけからなる小さな家族を考えると、この数値から、1人当たりの土地面積は12万1250平方メートルと割り出せる。

この1000年間に開発された近代的な農業テクノロジーを考慮に入れ、ごく最近に当たる1999年について計算すると、多様化した持続的なヨーロッパの肉食の食習慣では、1人当たり5000平方メートルの農地が必要であった。さらに、ほぼ菜食で、土地の劣化・浸食・食品の無駄が皆無で、十分な灌漑が行なわれ、しかも神のような農業従事者たちが彼らの作物を完璧に植えて世話をしたとの仮定で計算すると、その数値はおそらく1人当たりたったの700平方メートルにまで下げることができるだろう。ここでは、数値が小さいほどいい。なぜなら、それだけあなたの基地をお手頃な大きさに抑えられるし、世界全体も餓死を免れやすくなるからだ。国連の食糧農業機関によると、1人当たりの耕作可能な土地の面積はこの数十年間縮小の傾向にあることからすれば、それはいいことだ。世界の耕作可能な土地は、1970年には1人当たり3200平方メートル、2000年には2300平方メートル、そして2050年には1人当たり1500平方メートルまで低下すると推定されている。

しかし、これらの計算でさえ、ただの見積りであり、知識に基づく推測に過ぎず、事実ではない。スーパーヴィランは熟考し、計画を立て、綿密

---

* もちろん、ハイドはメートルでは定義されていなかった（メートル法はまだ生まれていなかった——それどころか、ヤード・ポンド法すらまだ生まれていなかった）。ハイドはエーカーで定義されており、1ハイドは60〜180エーカー（エーカーの語源は古英語の「野原」を意味する言葉）だった。今日エーカーは固定された面積（約4047平方メートル）で定義されているが、当初は、くびきでつながれた2頭の雄牛が1日に耕せる面積と定義されていた。つまり、空間ではなく、時間によって定義されていたので、1エーカーの広さは——したがってハイドの広さも——、土地の状態と雄牛のたくましさによって変化した。

に細部まで計略を練る。もちろんそのとおりだが、彼らはさらに、大胆で断固とした行動に出る段階に到達するのだ。人間が実際に生き延びるにはどれだけの場所が必要かを科学的に見極めるスーパーヴィランの手法は単純明快である。

1．人間を何人か見つける。
2．彼らをある大きさの囲われた場所に閉じ込め、彼らもほかの人々もそこを出入りできないようにその場所を封鎖する。
3．手出しはせず、ゆったりと構え、ときおりその場所をチェックして、人間たちが死んでいないか確認する。

この実験の極端な例の図。
右端の人については気にしないように。彼は眠っているだけだ。

そして、まだ第1章が始まったばかりなのに、本書ははやくもみなさんのお金を大幅に節約している。なぜなら、この実験はすでに行なわれているからだ！　それは1991年に、「バイオスフィア2」〔人間が地球というバ

イオスフィア（生命圏）1から、将来月や火星におけるバイオスフィア2で存続するための実験施設として建設された巨大人工閉鎖生態系〕の最初の実験だった、2年にわたる人工的閉鎖生態系での生活実験で、自ら参加を希望した8名の科学者を対象に行なわれたのである。その実験にかかった費用は2億5000万ドルで、現在の通貨に換算すると5億ドル近い。君のお金は君のポケットのなか。自由に使えるよ、わが友よ。

一体何がバイオスフィア1に起こったのか？

バイオスフィア2が建設される前には、概念実証実験のための試作品がいくつかあった。なかには、たくさんの植物（一部は食用、ほかの一部は酸素源として）を封入した試験モジュールもあり、そこに人間が滞在する実験も行なわれた。人間たちは最初に参加したときには72時間滞在し、その後は最長で21日間滞在して、閉ループのバイオ再生型の自律的な孤立生活を送った。ところが、これらの試作品のどれも、「バイオスフィア1」とは呼ばれなかった。その理由は、このプロジェクトのメンバーたちがバイオスフィア2を、自分たちがそれまでに経験した自然環境の続篇と考えており、その視点から見れば地球こそが真のバイオスフィア1となるからである。したがって、「バイオスフィア1には一体何が起こったのか？」という問いの答えは「実際、めっちゃいろいろあってさぁ、どこから話せばいいかもわからんよ」だ。

アリゾナに建設されたバイオスフィア2は、総床面積1万2700平方メートルの、コンクリート、鋼鉄、ガラスでできた複合施設で、その資金は資産家のエド・バスが個人的に提供した。1991年9月26日、男性4人、女性

４人の計８名の科学者が、丸２年滞在する予定で、気圧調節室〔気圧の異なる場所に出入りする際に通過する、その圧力差を調節する機能を持った装置〕を通ってこの複合施設に入った。その２年間、彼らは完全にバイオスフィア２内部の環境だけを頼りに生き続けるという計画だ。その期間にバイオスフィア２に外から入るのは電力だけであり、そこから外へ出るのは情報だけのはずだった。その密封された敷地は、いくつかの生物群系に分かれている。具体的には、熱帯雨林（ベネズエラのテプイ〔太古に隆起してギアナ高地となった地域が浸食作用を受け、硬い岩石部だけが卓状台地として残った、テーブルトップマウンテンの一種。熱帯雨林のなかに台地が垂直に切り立った珍しい地形〕がモデル。高地であり平地であり、かつ孤立した山頂の特異な生態系）、サバンナ（南米の草原がモデル）、砂漠（陸地は乾燥しているが空気は湿っている、沿岸部にあるため海霧が頻繁にかかる砂漠地帯がモデル〔チリのアンデス山脈と太平洋のあいだに広がるアタカマ砂漠の一部など〕）、沼地（フロリダのエバーグレーズに着想を得たもの）、そして「海」（塩水、バハマの砂、熱帯サンゴ礁）である。バイオスフィアの下には、それを支える機械類が並ぶ地下室があり、バイオスフィアの住人、「バイオスフィリアン」たちはそれらに触れることができたが、それは彼らが機械類のメンテナンスと修理の責任を負っていたからだ。

　それぞれの生物群系に、その環境に固有の動植物の種が収容されていた。植物は、人間が吸う酸素を生み出してもらうために、そして動物は、生物多様性を高めるためと食糧源として必要だった。「食べ物に少しでも似たものは何でも肉と脂肪に変えてくれる」能力が買われて、オサボー島豚のつがいが収容されていた。ニワトリとヤギも同様の理由で飼われていた。これらの動物たちは、肉、卵、ミルクの供給源であると同時に、人間が食べないものを食べて消費してくれるものでもあった。すべてのものを自給自足することになっていたので、バイオスフィア２内だけの水および炭素の循環が存在していた。じつのところ、バイオスフィリアンたちは同じ水を何度も繰り返し飲んでいたわけだ。これは、人間が地球の自然のバイオスフィアからこれほど長いあいだ切り離されて生きた史上初の事例だった。

　だが、この実験はさまざまな困難に見舞われた。たとえば次のようなことだ。

・施設が思いがけず注目を浴び、群がる観光客がバイオスフィリアンを写真に収めようとして、施設を囲んでいるガラスを叩いた。実際のところ、バイオスフィア2の内側で、住人がプライバシーを保てる場所はほとんどなかった。

・メンバーのなかには、十分な衣類を外から持ち込まなかった者もいて、ブーツなどの必需品は、最終的にはダクト・テープでかろうじてつなぎあわせて使うことになってしまった。

・バイオスフィア2が密閉される前に毒サソリが侵入していたため、バイオスフィリアンはサソリを探して捕らえ、バイオスフィア2から排除しなければならなかった（このような行為を指す言葉がある。「駆除」だ）。

・一部の穀物は不作となってしまった。彼らの唯一の主食源だったジャガイモも、ダニが発生して全滅した。代わってサツマイモが主食となり、彼らはこれを大量に食べ——1日のカロリーの半分がサツマイモだけから摂取された——、おかげでβカロテンの取りすぎで皮膚がオレンジ色になってしまった〔柑皮症の症状〕。

・オーストラリア原産のゴキブリの1種もこっそり入り込んでいて、爆発的に増殖したが結局封じ込めて全滅させることができた。全盛期には夜間にゴキブリの大群がキッチンの床やテーブルを覆いつくし、真っ白な調理台を茶色にした。人間たちは大量のゴキブリを電気掃除機で吸引してニワトリのエサにすることで対抗した。つまり、厄介者のゴキブリをおいしい卵に変換したのである。

・二酸化炭素スクラバー〔空気中の二酸化炭素を吸収する装置〕が1台あったにもかかわらず、バイオスフィア2の内部では、二酸化炭素濃度が安全とされる上限を超えていないことを確実にするために、毎日モニターする必要があった。サバンナの草を刈り取り、一種の手動炭素隔離システムとして地下に蓄えた。

・内部の酸素濃度が危険なレベルまで下がり、結局バイオスフィア２には２度の酸素注入が行なわれた。そのうち１回は、２周年記念日までたった１カ月のときに行なわれたのだった（のちに、建物内部のコンクリートが二酸化炭素を吸収していたことが明らかになり、それが原因で、バイオスフィア２から酸素が失われたように見えていただけだったと判明した。その後の実験のためにそのコンクリートは密封され、問題は解決した）。

・実験開始後12日目にバイオスフィリアンのジェーン・ポインターが脱穀機に中指をはさまれて指先を切断してしまった。彼女は手の手術のために６時間半バイオスフィア２を離れなければならなかった*。

しかも、食糧が十分に存在することはついぞなかった。

バイオスフィア２内の農地はたった2500平方メートルしかなく、１人当たりに換算すると300平方メートル強にしかならなかった。1999年の１人当たりに必要な農地の最善のシナリオにおける見積り値の半分以下である。さらに、バイオスフィア２内での食物繊維が多い菜食中心の食事は栄養学的に完全（ビタミンB_{12}とDを除いて。これらはサプリで補った）になるよう計画されていたが、１日に１人当たり約1790キロカロリーしか供給し

---

* ジェーンが戻った際に、バイオスフィア２プロジェクトの管理当局が彼女と一緒にダッフルバッグをひとつエアロックに入れた。その中身は、コンピュータの部品やその他の些細な補給品だった。一部のマスコミは、これらの品物が内部にこっそり持ち込まれたことを知ると、ルールが破られ、バイオスフィア２の実験はもはや損なわれてしまったので無効だと主張した。しかし、バイオスフィア２の内部にいるメンバーのほとんどが、そうは思わなかった──小さな「ごまかし」があったとしても、実験を完全に放棄してしまうよりはいいと考えたのだ。ジェーン自身は、外にいたあいだ、口にしたのはグラノーラ・バー１本とコップ１杯の水だけであり、さらに彼女は切断された指先を生物群系内に置いたままにしていた。彼女はのちに次のように記した。「私の小さな一部は、２年の期間が終わってもバイオスフィアを去ることはないだろう」

ておらず、推奨されるレベルに達していなかった。食事がこれほど低カ
ロリーだったせいで、実験期間中にバイオスフィア２内の女性と男性はそ
れぞれ平均10パーセントと18パーセント体重を失った。あるとき、１人の
バイオスフィリアンが、自分の体重がその時点までのペースで減り続けた
らどうなるかを試算したところ、実験終了時には体重がマイナス40キログ
ラムになるはずだという結果が出たという。彼らはピーナッツを殻付きの
ままで食べており——殻は少なくとも胃を膨らませてくれたので——、ま
た、一部のバイオスフィリアンは交代で双眼鏡を覗いて近隣のホットドッ
グの売店を眺めることに慰めを見出していた。

　２年目に入ると、バイオスフィリアンたちは緊急時のための備蓄穀物と、
食糧として保管していたのではない余剰の種子を食べるという挙に出た。
２年の実験期間の終了後もバイオスフィア内に留まるよう強いられたとし
ても、それを可能にする翌年蒔く分の種子がない状況にしておこうという
短期的な対策だった。実験後の解析で明らかになったのだが、バイオスフ
ィリアンたちが最善の努力をしたにもかかわらず——時折集まって手作業
で害虫を穀物から取り除くという人手がかかる作戦によって穀物を守ろう
としたのもその一例だ——、バイオスフィア内の農地は８人分ではなく、
７人分の食糧しか十分には賄えなかったのである。

　しかし、おそらく最大の、そしてまったく予測されていなかった問題は、
人間そのものからやってきた。実験開始時には８人全員が友好的で、深刻
な問題が起こりそうな気配などこれっぽっちもなかった——メンバーの多
くが長年の友だちどうしで、バイオスフィア内での生活で絆が深まり、ほ
とんどユートピア的な社会が生まれると期待していた——のに、仲たがい
が生じ、急激に悪化した。１年も経たないうちに、８人は４人ずつの２つ

＊　2500平方メートルの農地には、家畜を囲った約135平方メートルのエリアは含まれていな
かった。宴会もときどきあったが、肉がバイオスフィリアンの食事の中心になることは一度も
なかった。２年間の実験期間を平均すると、動物の肉は１人当たり１日たった43キロカロリー
だった（最後の３カ月になると——終わりが見えてきたので——より多くの食物が消費される
ようになり、ついに１日当たり2200キロカロリーに達した）。

の敵対するグループに分裂し、公式の会議以外では、一方のグループのメンバーが他方のメンバーに話しかけるどころか、目を合わそうとすらしなくなった。バイオスフィリアンのジェーン・ポインター──指を切断してしまったメンバー──は、自分が属するグループを「私たち」、もうひとつのグループを「彼ら」と名付けた。雰囲気は険悪で、敵対的、一触即発だった。あるときなど、「彼ら」の２人のメンバーが、ポインターの顔に実際に唾を吐きかけた。１人は一言もしゃべらずに立ち去り、もう１人は、ショックを受けて、「私が何をしたっていうの？」と叫んだ彼女に対して、「自分で考えろ」と応じた。バイオスフィア２での経験を綴った回想録『ザ・ヒューマン・エクスペリメント』で彼女は、「私たちはみな、言葉にならないほど苦しみ、傷ついていた」と記し、最後の２、３カ月は、「私は空気が発火し、炎をあげて爆発しそうに感じた。徹底的に抑圧された怒りが、過酷なスケジュールであおられて、自然発火しそうだと。今この瞬間にも、誰かが誰かを傷つけそうで気が滅入った」と述べている。２年と20分過ごしたバイオスフィア２を去ったのち、ポインターは10年以上にわたり、「彼ら」だった４人にはまったく話しかけなかった。2020年に放映されたこの実験に関するドキュメンタリー映画『宇宙船地球号（Spaceship Earth）』のなかで、かつてのバイオスフィリアンの１人が、「私たちの８人組が互いにけんか腰になってしまった理由の１つは、みんな息が詰まりそうで、しかも空腹だったからですよ」と述べた（バイオスフィア２で行なわれた２回目の、実験期間が６カ月に短縮された７人による実験では、食糧自給が達成され、さらに常時対応できる心理学者が１名待機していた）。

　とにもかくにも。これだけの経費、すったもんだ、空腹、そして傷心から私たちが結論できるのは、あなた自身と部下６名──あなたへの忠誠心と、仲間割れしたり、悲観的になったり、精神に異常をきたしたりということはなさそうだという観点から厳選した──のための持続可能な基地には、少なくとも１万2700平方メートルの広さ──そのうち250平方メートルは農地専用──が必要だということだ。もっと大勢手下が欲しければ、

もっと広い農地を準備し、酸素濃度を高めにしておくこと。こうすればあなたは無類のスーパーヴィランに一歩近づける。

親密そうな人たちの間に生じる疎外感とは？

　過去の実験でバイオスフィリアンが示したような、世間から孤立した場所に封じこめられていることに対する反応には、前例がなかったわけではない。プライバシーがほぼ皆無の空間に一緒に閉じ込められて、社会的交流を持てと強制され、おまけに、人間関係のごたごたを免れる可能性はほとんどない状況で、人間はちょっと変になりうる。

　1970年、T-3ステーション（北極海に浮かぶ60平方キロメートルの広さの氷山の上に設置された小さな研究基地。当時19名の科学者が外部から遮断された状態で駐在していた）で、自家製の干しブドウワインが注がれたジョッキの盗難を巡る諍いで、1人のメンバーが散弾銃で別のメンバーを射殺してしまった。1980年には、ソビエト連邦のサリュート6宇宙ステーションでの滞在から帰還した宇宙飛行士ヴァレリー・リューミンは自分の日記にこう記した。「オー・ヘンリーは彼が書いた物語の1つのなかで、殺人を焚きつけたければ、2人の人間を5.5メートル×6メートルの部屋に2カ月間閉じ込めればいいと書いた。当然ながら、こう書かれればユーモラスに感じる。しかし正直言うと、たとえ感じのいい相手とでも、長期間一緒に過ごすのはそれ自体試練である」。さらに2018年、ロシアの南極基地にいたある科学者が、気に食わない同僚をナイフで刺した罪で訴えられた。初期の報告では、刺された男が再三にわたって、いろいろな本の結末を暴露してしまったことに腹を立てたのが原因とされた。面白い話ではあるが、殺人

の動機としては悲しい作り話だ（2人はのちに和解した）。

だが、成功した事例もいくつか存在する！　NASAの出資でハワイに作られた基地（「ハワイ宇宙探査アナログおよびシミュレーション」）は、6名のボランティアからなるクルーを丸1年、111平方メートルのドームの内部に閉じ込め、火星へのミッションがどのようなものになるかをシミュレートするのが目的だった。このミッションでも、6名はやはり2つに分かれた（メンバーの1人トリスタン・バッシングスワイトは後にこう述べた。「それは2つの家族という感じで、2つの派閥ほどの対立関係すらなかった。ほどなく、自由時間はすべて、イライラしない相手とだけ過ごすようになった」）ものの、1件の暗殺未遂すらなかった！　ある2名のボランティアのあいだで恋愛関係も生まれた──が、ドームでの1年が終わってすぐにこの関係も終わった。2人とも、恋の相手になり得る人間が、最大でもほかの5人のメンバーしかいないという状況ではなくなったからである。やれやれ。

しかし、真の自給にはエネルギーの自給が欠かせないが、この値には発電に必要な土地は含まれていない。そんなわけで、小型モジュール原子炉──またの名をSMR──を2、3基設置できるように、あなたの基地を少し拡張しよう。SMR──小型の自己完結型原子炉で、ごく少量の核物質しか使用せず、出力が350メガワット以下*のものと定義される──は、新しく登場したばかりの技術だが、その普及は、核拡散防止条約のほか、さまざまな規制（より大型で危険な原子炉を念頭に作成されている）によって阻まれてしまっている。アメリカのニュースケール・パワー有限会社（NuScale Power LLC）が設計したニュースケール小型モジュール炉

---

*　とはいえ、350メガワットにしても、ものすごい量の電力だ！　その規模を実感していただくために申し上げると、常時1メガワット──100万ワット──を発電している発電所は、電力使用状況に応じて欧米式の家庭400〜900戸分の電力を賄える。

（NuScale SMR）は、高さ25メートル、直径4.6メートルしかない単一の
シリンダーで60メガワットの出力を保証している。この小型モジュール炉
なら、保守も最低限で済み、十分な受動安全策〔事故を未然に防ぐのではなく、
万一事故の場合、人体への影響を最小限に抑える対策〕が取られており、可動部
はごくわずかなため、「事実上メルトダウンの影響は受けない＊」と謳っ
ている。寿命が尽きて廃炉されるSMRは、容易に設置場所から廃棄場所
へと移動できる設計になっている。

　しかし、私たちは慎重なスーパーヴィランになることにして、すでに製
造されているSMRだけを使うことにしよう。

　2019年、ロシアは世界初の自己完結型の水上原子力発電所の稼働を開始
した。「アカデミック・ロモノソフ」と名付けられた船舶型原発で、電力
を最も必要としている地域に移動できるように設計された＊＊。２基のKLT-
40S SMR原子炉（それぞれが35メガワットの発電能力を持ち、生じた電
力は電線を経由して届けられる。さらにこの２基によって60メガワットの
熱も発生する。その熱は送水管を経由して移動させる）が搭載されている。
これらのSMR原子炉は、燃料補給なしで３〜５年間連続稼働し、緊急時
には人間の介入がなくても自ら停止するよう設計されている。ロモノソフ
は全長144メートル、幅30メートルと小型である。したがって、あなたの
基地を4320平方メートル広げれば、このような原子炉２基を設置できるわ
けである。そうそう、あなたがとことん小さな原発をお望みなら、軍事用
原子力潜水艦用に、もっと小さな原子炉が製造されている。なにしろ原子
力潜水艦の内部というのは、メンテナンスがあまり必要ではなく、信頼で
き、自給自足可能な電源が非常に望ましくなるような環境である。アメリ
カ海軍がこれまでに運用した最小の原子力潜水艦NR-1は、全長45メート

＊　この文章において「事実上」という言葉にどの程度の意味があるのかはっきりするまで問い
ただすには時間がかかりすぎると思われるので、やめておこう！
＊＊　アカデミック・ロモノソフは2022年現在、ロシア北東部の北極海の港町ペヴェク沖に停
泊中。その場所で2019年12月に電力供給を開始した。2020年５月22日に営業運転開始が宣
言された。

ル、幅4.8メートルで、乗組員はたった13名だった。

だが私たちは、もう少し大きくて、耐久性があり、安全性が高いとされるロモノソフ型のものを最有力候補としよう。ロモノソフは、約70名の乗組員が稼働と保守を担当している。そう、新たにこんな大勢の人間に食糧と水を提供しなければならない。そんなの賄いきれないというのなら、太陽光発電、風力発電、あるいは、しょぼい原子炉を2、3基まったく自分1人で維持管理するなどの方法を検討して、ともかくどれかやってみて様子を見るのがいいだろう。もしも、まっとうな原子炉だけで発電する道を行くのなら、バイオスフィア2の12倍の大きさの生物圏を準備すれば、あなた自身、あなたの部下、そして発電スタッフのための食糧、空気、水を十分に確保できるだろう。

まとめると次のようになる。

7人分の食糧自給	7人分の空気と水の自給	原子力発電機	原子力発電機支援要員	最小サイズ近似値（m²単位）	何に相当するか
✓				2500	非常に効率のいい大型温室
	✓			10200	バイオスフィア2で内部の全員が餓死した状態
		✓		4320	船舶型水上原子力発電所
✓		✓		6820	なぜか原子力稼働で非常に効率のいい大型温室
✓	✓			12700	バイオスフィア2
	✓	✓		14520	原子力稼働のバイオスフィア2で内部の全員が餓死した状態
✓	✓	✓		17020	あなたと6人の部下を維持できる、究極の秘密基地の次に優れた秘密基地
✓	✓	✓	✓	144020	あなたと6人の部下と原発支援要員を維持できる究極の秘密基地

あなたの秘密基地の秘密の大きさに関する秘密の選択肢を示した秘密の表

　今、あなたに聞こえているのは、「絶好の機会」が扉をノックしている音だ──ほらほら、「機会」が「科学」と一緒にやってきたのだ！──「機会」と「科学」はこう言っている。「真に自給型の原子力を動力源とする、あなた自身と、その76名の親友たちのための秘密基地を、1平方キロメートルの15パーセント以下の敷地内に作ることが実際にできるんですよ。すべてを農場風の平屋で作るのではなく、秘密の敷地内に垂直に積み上げて作るなら、それよりはるかに狭くもできるかもしれませんよ」と。「機会」と「科学」は、自分たちのノックの音に負けじと大声でそう叫んでいる。彼らはそれほどこの話に興奮しているのだ！

　さあ、あなたに必要なのは、この秘密基地を作る場所だけだ。どんな選択肢があるか見てみよう。

扉をノックした「絶好の機会」

小悪党の間抜けなプラン

地上の基地

　近くにいる人に丸見えなら、秘密基地にするのは非常に難しい。しかも、地球にあるほとんどの陸地は、どこかの国がすでに所有権を主張している（これを回避する方法は第２章参照のこと）。他国の権威の支配下になるなら、真の独立を得ることも、真の秘密基地を持つことも、決してできないだろう。ましてや、その国の当局に監視されていたなら、とうてい無理だ。これは、実現可能だが基地としては初級レベルの案で、あなたはもっといい基地を持つことができる。*

地上に作った、あまり秘密でない基地

---

* 　2020年後半まで、ライオットシェッド社（Riotsheds.com）は、高炭素鋼板で覆われ、ピストルなどものともせず、暴動に耐え得るにもかかわらず、情勢不安の昨今、できるかぎり退屈でつまらなく見えるように設計された小屋を販売していた。これは、秘密基地生活の雰囲気を味わいたいだけの人には１つの選択肢だ。価格は2万9999ドルで、内部にベンチまたは銃架が付いたものは、それぞれ208ドルあるいは180ドルが料金に加算された。しかし、アラスカ州とハワイ州を除く米国48州への配送は無料だった。残念ながら、私が本書の校正をしていたあいだに廃業してしまったようだ。まったく残念だ！　この脚注で無料の宣伝ができたのに、彼らはチャンスをふいにしてしまった！

　地上の基地を実現することに決めたなら、必ず、自分が実際に行けるところに作るようにしよう。COVID-19が大流行したあいだ、アメリカ人のジェームズ・マードック（フォックス・ニュースのメディア王ルパート・マードックの息子）は、カナダにある彼の「世界の終わり」のための小屋──1.8平方キロメートルの土地に建てられた、独自の給水設備とソーラーパネルを完備したキャビン──に、持ち主である彼自身が行けなかったと公表した。「国境が封鎖されたので、それ以来行ってません。どうしてもっとよく考えなかったんだろうと思います」と彼は語った。

地下の基地

　地下に潜ることで、基地が長いあいだ発見されずに済む可能性が出てくる。しかし、他人に気づかれずにそれだけ大量の土を掘るのはやはり難しいだろうし（後出のコラム「誰かが本当に造った大規模地下基地の話」参照）、さらに日光なしの農牧業は最良の条件がそろっていたとしても試練だ。それでも、サバイバリスト〔将来起こり得る緊急事態や、社会的あるいは政治的秩序の混乱に常に備えて万一の際に生き延びることを最重視し、積極的にその態勢を整える人々のこと〕の多くはこの選択肢を採用している。ただし彼らはこれを「基地」ではなく「掩蔽壕」と呼び、文明を壊滅させる大惨事の直後に身を隠す場所として考えている。彼らは、限られた量の備蓄品の乾燥食品や缶詰をそこでの食糧源とするつもりであり、真の自給を目指して努力する腹はない。

　何らかの理由であなたが自分のバンカーをゼロから作りたくない場合は、サバイバル用で、特権階級専用の──非常に高価な──地下高級コンドミニアムの一部を、「備品完備で購入者はただ入居すればいいだけの」マンションとして提供している企業がいくつかある。そのような「億万長者バンカー」の一例がカンザス州にあるサバイバル・コンドだ。核爆発に耐えるよう建設された昔のミサイル倉庫を改装した、総床面積5000平方メートルの14戸の豪華な邸宅である。ジム、バー、図書室、教室、ヘルス・スパ、映画館、25メートルプールの3分の1ぐらいの小さなプール、ラウンジ、

水耕農地、ドッグパーク、クライミング用の壁、エアホッケーの台、武器庫３つ、射撃練習場、そして５年分の食糧備蓄が完備されている。１フロア１戸の家具付き特別住居は<ruby>たったの300万ドルだ<rt>・・・</rt></ruby>（だがこの情報は、地球規模の大災害時に最低２、３年地下で生き延びる、非常に簡単で、非常にヴィラン的な方法を１つ教えてくれる。つまり、この種のコミュニティのどれか１つに、誰よりも早くサッと忍び込み、扉をロックしてしまうのだ。一瞬にしてヴィラン道を達成し、一瞬にして数百万ドルを節約できるし、しかも、一瞬にして核爆発に耐える倉庫に満杯の乾燥食糧を頂戴できるわけだ）。

　しかし、たとえそんな豪華で、ある意味退廃的な掩蔽壕（バンカー）のなかで、まったりとくつろぎ、しかもその大半を何らかの方法で農牧に転用したとしても、停電になったなら、真っ暗闇の状況に追い込まれるほかない。それは作物にとっては間違いなく致命的だし、さらに、驚かれるかもしれないが、人間にとっても最適とは言えない。1962年、フランスの洞窟探検家ミシェル・シッフルは、暗い氷河洞窟のなかで２カ月間過ごした。自分の体にどんな影響が出るかを見るための実験として、意図的に行なったことだ。彼が気づいたのは、懐中電灯が唯一の灯りである生活では、自分の体以外に時間を知る手段がないということだった。実験開始後すぐに、彼は時間の経過を見失い（彼は独自に、何日経ったかを数えていたが、実験終了時に確認すると、彼が数えあげた日数は25日少なかった）、また、自分自身の過去もおぼつかなくなってしまった。「夜に囲まれていると……記憶が時間を捉えなくなる。忘れてしまうのだ。１日か２日後には、１、２日前に自分が何をやったかを覚えていない……まるで長い１日のような気がしてしまう」と、数年後に行なわれたインタビューで彼は語った。10年後にテキサス州の洞窟で同様の実験を再度行なったときには、半年以上洞窟生活を送ったが、開始後80日目にレコードプレーヤーが壊れると、繰り返し自殺を考えたという。

秘密の地下基地

あなたはもっと大きな夢を持てるし、ぜひそうすべきだ。

誰かが本当に造った大規模地下基地の話

　地下基地を作るのは難しいが、不可能ではない！　1950年代後半、アメリカ政府は「ギリシャ島プロジェクト」を開始した。ウェストバージニア州のあるホテルの下に密かに1万400平方メートル地下基地を建設するという大胆な計画で、そのホテルの改修を装って進められた。上下両院の議員全員が収容できる広さで、万一核戦争が勃発した際には、連続で最長6カ月間、彼らが非公開だが安全な場所で生活し、法律を制定できるように配慮した設計になっていた。ところが1992年、《ワシントン・ポスト》紙がこのプロジェクトのことを嗅ぎつけ、報道したことから、その目的には使えなくなり、施設は廃止された。この話はこれでおしまいというわけだ。

　民間でも地下基地がある程度成功した例がある。1975年、元保険募集人のオベルト・アイラウディは、当時24名だった自分の信者を引き連れて、イタリア北部のピエモンテの谷にやってきた。その際、自分の名前を「ファルコ」に改めた。彼らは協力し合って共同体（コミューン）を建設しはじめた。そのひとつが地下30メートルに造られた「人類の神殿」という秘密基地兼礼拝施設だ。砂利や土がバケツに入れられ、手作業で秘かに運び出され廃棄された。さらに、建設が進んでくると、町の外に秘密の大規模神殿が建設されているといううわさが広まるのを防ぐために、地表に目くらましのための神殿までもが造られた。人類の神殿は、高さ12メートルの金箔を施した天井、青銅の像、巨大なフレスコ画を備えた、5階構造の8500立方メートルの複合神殿施設として完成した。

　その共同体（コミューン）そのものが、自給に主眼を置いており（現在もなおそうである）、彼ら独自の憲法、通貨、学校、税法、新聞を作った。しかし、食物はいまだにすべて地上で育てられている。この共同体（コミューン）の正式な「Aクラス」市民になりたいメンバーは、自分が所有する世俗的な持ち物をすべて共同体（コミューン）に譲渡することになっている。このやり方でうまくいっていたのだが、1992年、あるメンバーが退会し、自分の所有物の返却を求めたときに困った事態となった。彼はこの件で訴訟を起こし、その過程で地下神殿の存在が公に知られることになった。その直後、イタリアの警察がやってきて、違法な掘削現場を封鎖したが、地下施設への入り口がどこなのか、彼らにはわからなかった。入り口を見つけるために、その丘全体をダイナマイトで爆破すると脅されてはじめて、ファルコは警察が内部に入るのを許した。イタリア警察当局は、その神殿施設の見事さに感銘を受け、過去にさかのぼってこの施設の建設許可を与えた。現在、共同体（コミューン）の600名強のメンバーが、70ユーロの料金で地下基地を3時間で回る見学に応じている。

　ちょっと厚かましいが、あなたの夢を方向づけさせてもらえるとしたら、せっかくの基地なので、可動式にしてはどうだろう？　そうすれば、発見されそうになったり、攻撃されそうになったりした際に、どこか新たな場所に移動させることができる。そして、夢の話なのだから、ついでにその場所はどの国家の権威も受け入れず、ほぼ完全に無人で、すでに何世代にもわたって神話化されていると仮定しよう。つまりその土地は、広大で、人間には知ることはできず、危険で気まぐれで、おまけに命を失いかねないところだということにするのだ。実際、その場所にまつわる、こんな効果的な死のうわさを広めてしまおう。「その地域を訪れた人が、姿を消してしまい、死体すら決して見つからないことがあり、それはそこでは少しも珍しくなく、話題にもならないのだ」と。えい、ここまできたなら、星に願いをかけるついでに、この地域に行って生きて帰ってきた人は、何の前触れもなく人間を襲ってズタズタに引き裂く、あり得ないほど奇怪な恐ろしい獣の物語を持ち帰るという話が数千年前から続いているのだという、おどろおどろしい伝説を創ってしまおう。

　おや、この流れは自然に次のセクションにつながるぞ。

海の基地

　海は基地づくりの場所として魅力的だ。地球の表面の70パーセント以上が海であり（したがってたくさんの場所から選ぶことができる）、その大部分は人間がほとんど暮らしていない国際水域にあたる（したがって、あなたにはどんな国の権威も、法律も、監督も及ばない）。ほら、このセクションに入ってたった２文だが、海っていいね、って気がしてきたでしょう！

　海の秘密基地の初めの一歩として理に適っているのは、水上都市として企画され、その謳い文句で販売もされている、クルーズ客船だ。だが実際には、クルーズ客船はむしろ水上ホテルに近い。大半は一時滞在でしかない客が、彼らの快適さを最優先とする常駐のスタッフに支えられているわけだから。私たちが望んでいるものに最も近いのは、おそらくクルーズ客船ザ・ワールドだろう。全長196メートル、乗客デッキ12層は各層が約

5000平方メートルの広さがあるこの客船は、超富裕層向けに地球で最大の住居型客船として分譲マンションのように販売されている。宿泊施設としてレンタルするのではなくマンション方式で、165あるレジデンスのそれぞれが個人によって所有されている。スイートルーム形式のレジデンスの購入価格は100万から800万ドル（維持費別途）で、所有者は少なくとも1000万ドルの純資産があることを証明しなければならない。船内では、「乗客の要望を先読みしたサービスと、乗客ごとのオーダーメイドの体験の提供」に重点が置かれており、ノーベル賞受賞者の講演、19カ国の1100種類のワインが保管されたワインセラー、船の現在地に応じて常に更新されるカクテル・リスト、寄港地ごとのエキゾチックな食材を使った料理を提供する多数のレストラン（輪番制営業によって十分な数の常連客を確保し、ゴーストタウンめかないようにする）、コロッセオという名のフルサイズ映画館、ジャイロ装置付きで自動水平化機能を備えたビリヤード台、図書館、スパ、そして他にも多くの施設が整っている。だが、これだけの大きさと豪華さを誇るこの船にしても、自給型ではない。乗客（ペットなし、年齢中央値60代半ば）を楽しませるために永遠に世界を周航するのに必要な、数百万ドル相当の燃料、食糧、そしてエンターテイナーを補給するために、一定の間隔で停泊しなければならないのだ。さらに、COVID-19禍が世界を襲った2020年3月には、ザ・ワールドも運航中止となり、その乗客である裕福な高齢者たちは下船させられ、イギリス南部の沿岸部の停泊地で宿泊することになったのだった。

　この最後の点は強調しておくべきだろう。乗船者のなかでCOVID-19に感染した人は誰もいなかったが、それでもなお乗客たちは、感染症の世界的流行という現実を前に全世界と歩調を合わせて隔離措置に従わざるを得なかったのである。もちろんこれは、秘密基地にとっては大問題だが、自

＊　この記録は、競合相手となる全長296メートルのクルーズ船「ユートピア」が竣工した暁には挑戦を受けることになるだろう。ユートピアのレジデンスは約400万ドルから3600万ドルで、世界の超富裕層のみを対象とする、永住もしくは短期滞在型の海の私邸という謳い文句で売り込みをかけている。

給型ではない共同体の宿命だ。補給を外部に頼るしかないということは、その外部と同じ問題、法律、そして病気にしょっちゅう影響されるということだ。この船が提供できる秘密基地といったら、せいぜい、空気と水の独自の循環がなく、ごく限られた燃料と電気しか供給されず、日光が降り注ぐ最上層デッキのたかだか14名分の食糧しか賄えない狭い農地しかないようなしろものでしかない。

　私たちにはもっと大きな船が必要だ。

　あなたに必要なのは、実際に自給自足が可能になるほど大きく、万一感染症が世界的に流行した際にはあなたと部下を乗せて海の沖へと出ていって、狂乱状態にあったり感染していたりする群衆から遠く離れ、病気の流行が終わるまで待つだけでいいのだと十分信頼できる船だ。そのような船を売り込む話が以前からある。その1つが、名前はちょっと鼻につく、「フリーダム・シップ」だ。これは、全長1.4キロメートルの巨大な船で（実際には8艘の平底の「はしけ」を接続して、1艘の船とするもので、各デッキの面積は約15万平方メートルとなる）、1つの都市として機能することになっている。マンション型の分譲住居、ホテル、病院、学校、船

の端から端まで移動するための交通システム、そして世界最大の免税ショッピングモールが含まれるという話だ。船そのものが、屋上に仮設滑走路を置くのに十分な大きさで、一度に10万人が乗船できるという。この船を居住地とする入居者4万名、宿泊客1万名、常勤クルー2万名、日帰り客3万名だ。だが、1999年にプロジェクトが構想されて以来、フリーダム・シップは建造開始の目途すらついておらず、現在公式ウェブサイトはフリーダム・シップ画像プリント入りのマグカップ、ステッカー、Tバックショーツを CafePress.com で注文生産方式で販売して資金を稼いでいる。また、そこまで野心的でない企画——たとえばフランスの建築家ジャン‐フィリップ・ゾッピーニのAZアイランドという10万平方メートルの水上都市——にしても大して進展していない。AZアイランドに関しては、受注があればすぐに建造を開始するという提携造船所まで発表されたが、資金不足で実現には至っていない。

楽しい暮らしを送る

　AZアイランドは、ジュール・ヴェルヌの1895年の小説『動く人工島』にインスピレーションを得たもので、楕円型をした、海上を移動する島兼ホテル兼都市になるはずだった。小説では——聞き覚えのある話だと思うが——、巨大な都市ほどの大きさの船が建造され、そこには億万長者だけが暮らす。どういうわけか、AZアイランドのプロジェクトの宣伝活動ではヴェルヌの本の結末には注目されていなかった。その結末とは、船が崩壊して沈没し、多くの人命が失われるというものだった。

　ヴェルヌ自身は、1833年に出版されたジョン・アドルフ・エツラーという人物〔ドイツ出身の技術者・発明家で1831年に技術に基づくユートピアの実現を夢見て渡米〕の『万人の手が届く、労働を必要としな

い、自然力と機械力によるパラダイス』というタイトルの展望の書に触発されたのではないかと推測される。この本のなかでエツラーは、「無意味な夢想ではない」と主張するものを記述した。海に浮かぶ島々、丸太で造られた数千の家族の家々、波の動きそのものを動力源とするいくつもの強力なエンジン。これらのものがすべて、「互いに絡み合って全体を強化するようにと育てられた」生きた木々によって一体に保たれている。これらの人工島は肥沃な菜園、邸宅、快適さ、そして豪華さに覆われており、「どんな危険にもトラブルにも無縁」で、時速60キロメートルで海上を移動していく。エツラーは、当時の価格で30万ドル（現在の960万ドルに相当）さえあれば、10年以内にこれを実現し、世界を「あらゆる思考を超えた」豪華なパラダイスに変貌させることができると主張した。株式公開（宝くじ１枚と同じぐらいの価格の）による資金集めを提案し、自分の本をアンドリュー・ジャクソン大統領に送って資金を得るためのロビー活動を試みたが、資金を作ることはできなかった。

　エツラー自身も、ベネズエラでユートピア的な共同社会を開始したあと、歴史の記録から姿を消す。ベネズエラでは、病気の不安のない、生涯を余暇として過ごす人生を提唱し、彼のユートピアの入植者たちは、純粋な砂糖を満喫できるのだとした。砂糖は「最も重要な食品」で、彼によれば、それは十分暖かい気候のもとでは、自然に地面に堆積していくのだった。彼に引き付けられて41名が入植したが、15名が５カ月以内に死去した。のちに作成されたリポートは、「ヨーロッパからの入植者は誰も、このような窮乏と悲惨の状態に自らを見出したことはなかっただろう」と断言した。だとすると、エツラーが海上を動く都市国家の責任を取らされずに済んだのは、おそらく彼にとってはよかったのだろう。

　たとえフリーダム・シップの建造費が100億ドル強までいかなかったとしても、そのような船をどうやって建造し、維持し、航海に適した状態を長期にわたって保てるのかについて、多くの課題がある。海水は（そして海辺の空気も）腐食性があるし、この規模の船（または一組の船）を扱えるドライドック〔船の底などの重要な部分の検査や修理を行なうため水を抜くことのできるドック〕は存在しない。UN国際標準規格では、船舶は少なくとも５年に２回はドライドックで船体検査を受けなければならないと規定されている——もしもあなたがこれに従うなら、基地を存続させるには地上のインフラも建造し、維持しなければならないということだ。自給性に関しては、フリーダム・シップの最上階デッキは11の異なる生物圏に相当する面積を持つはずで、それは完全に封鎖された環境のなかで77名分の空気と食糧を生みだせるはずだ。また、食糧になるものは育てるが空気と水の再生利用はしないなら420名分は可能だろう。

　だが私たちの場合は、必要条件をさらに緩めてもいいだろう。航海中は、海の豊富な食糧源に頼ることができるし、発電は太陽光と風力に頼ればいいじゃないか。もっと小さくて単純な海上基地を作って、いつまでもそこで暮らせばいい。そうすれば、陸地からも、陸地にいるのろまな人たちからも、ついにおさらばできるのに、そうしないなんてどういうことだ？

秘密基地

　シーステディングは、それを実行しようという、ユートピア主義的（かつリバタリアン的）な色合いが濃い活動である。どんな政府、法律、支配からも自由という、本物の徹底的な自由の状態で海上で生活することを目指すのだ。これまでに、その実現に最も近づいた例は、2019年にタイのある海岸の約20キロメートル沖に設置された小さなひと家族用の浮島（シーステッド）である。じつは当時、まったく同じ形の浮島住居を多数建造する計画があり、これはその最初の１つだった。この、差し渡し６メートルの、２層の八角形構造の浮島は、タイ政府への届け出も、政府の許可もなしに海に浮かべられた。「これまで私たちは、外部に気づかれないようにやってきましたが、タイのすべての法律にちゃんと従ってますからね、国にとって、うちは船で海上で暮らしてるのと同じってわけですよ」と、浮島の住人チャド・エルワルトフスキーは、パートナーのナディア・サマーガールとそこで暮らし始めた直後に《リーズン》誌に語った。ところが、

彼らが浮島に移って数週間のうちに、タイ政府がこれに気づき、彼らの浮島邸宅を次のようなものだと決めつけた。

・航海への脅威
・領土の不法な占拠
・国の領海のなかに独立国家を形成しようとする反逆罪的な企て
・タイ国家の安全を脅かす攻撃

　今や指名手配人となった浮島の住人たちは、海軍が浮島を接収し破壊する直前に、わずかな所持品だけを手に逃亡したが、反逆の嫌疑がかかったままであるため、タイ当局に捕らえられ、有罪となれば死刑の恐れもある。[*]
　というわけで、これもまた少々難ありだ。
　水上都市建設を目指すほかの試み——こちらは、近隣諸国の全面的な関与と許可を得た——も、同様の問題にぶつかっている。シーステディング協会（その出資者の１人でペイパルの共同創業者であるピーター・ティールは2009年のブログ記事に「私はもはや自由と民主主義が両立するとは信じない」と書いてシーステディングを賛美した[**]）は2008年以来海での暮らしを模索している。海岸から遠く離れた国際水域に居住場所を建設して住むのは極めて困難で高くつくと断じたのち、シーステディング協会は

---

[*]　タイ当局からの逃亡中、エルワルトフスキーとサマーガールは「自分たちはこのプロジェクトの熱心な支持者で、幸運にも最初の浮島に住むことになった」に過ぎず、浮島の設計と建設の実際の責任者である企業はオーシャンビルダーズという謎の組織だと主張した。彼らが身を潜めたのち、２人の友人でシーステディング協会の会長で共同創業者であるパトリ・フリードマンはCBCの取材で、「（エルワルトフスキーとサマーガールは彼らの浮島を）設計もしなかったし、その購入費も支払いませんでした」と話し、「では、この浮島の本当の責任者は誰なのですか？」という質問に対して、「それは謎です」と答えた。タイから逃亡しシンガポールに移動したあと、くだんの夫妻は現在パナマに亡命しており、《ザ・ガーディアン》紙によれば、新しい改良型の浮島をパナマ沖に建設する計画でオーシャンビルダーズ社を再建したという。オーシャンビルダーズ社のウェブサイトは一連の出来事を「タイにおける成功した試作品」と呼んでいる。

[**]　その同じブログ記事のなかでティールは、さらにこう記している。「没収税、全体主義的共同体、そしてすべての人間は死を免れないというイデオロギーに反対である」と。これについては、第8章「不死身となり文字通り永遠に生きるには」を参照のこと。

2016年に仏領ポリネシア政府と交渉し、タヒチ沖のアティマオノ・ラグーンにおける海上都市のプロトタイプの建設に関する覚書を締結した。それはモジュラー方式の半自律的な海の浮島の自給性に関する実験で、風力と太陽光を動力とし、仏領ポリネシア当局の税は免除されるはずだった。計画では、海上都市は一連のプラットフォームを接続して建設される予定で、各プラットフォームの建設費は1500万ドルから3000万ドルだとされた——もちろん、各プラットフォームの所有者が進行状況に不満を感じる場合、所有者はプラットフォームを切り離して、どこか別の場所で浮かぶことができるとの但し書き付きである*。ところが、タヒチの住民たちの抗議——彼らは自分たちのサンゴ礁が植民地化され、外部の、しかも免税の特権までもつ人間たちによって汚されることを恐れたのだ——のあと政府は、交わされた覚書は、実際は法的文書や契約書ではないこと、そしておまけに、その覚書は2017年に失効していると2018年に発表した。

　完全な海上都市に比べてはるかに控えめなプロジェクトにしても、致命的な障害にぶち当たっている。シーステディング協会が2011年に打ち出した、移民法をかいくぐり、アメリカの企業がアメリカ以外の国の技術者を使えるようにしようという計画があった。アメリカの領海の外に停泊させた巨大な船にこれらの技術者を住まわせ、ビザなしで働かせようというものだったが、資金調達が難航して頓挫した。それはしかも、廃船になったオーパス・カジノという全長67メートルのクルーズ船が協会に寄贈されたあとのことだった。

---

*　より野心的なものとして、「政府の市場」に関するシーステディングの展望があった（現在もある）。統治をひとつの製品（であって、その点で他のあらゆる製品と何ら変わらないもの）と見なし、市民は自分が最も気に入る浮島を求めて自由に物色でき、たとえば社会主義的な島、自由主義的な島、そして宗教によって支配された島のあいだを自由に移動できる。これによって各浮島は試験的な「スタートアップ憲法」、「スタートアップ国家」、『バイオショック』スタイル〔『バイオショック』はアクションロールプレイングゲームのひとつで、独裁者が支配する架空の水中都市を舞台とする〕のスタートアップ独裁政権」を作ることが可能になる。

国家の支配は海岸線から
どれくらいの距離まで及ぶのか？

　国連は、ある国の海岸から沖に離れた海の領域について、その国の権力がどの程度及ぶかに応じて、３種類の水域を定めている。「領海」が最も海岸線に近く、海岸線から12海里（約22キロメートル）までの範囲だ。これは沿岸国の固有の水域と認められる。それに続くのが「接続海域」で、さらに12海里外まで続く範囲である。ここでは、沿岸国には領海ほどの支配権はないものの、移民、密輸等に関する法律を課すことができる。そして、海岸線から200海里（約370キロメートル）までという最も遠方までの範囲が「排他的経済水域（EEZ）」だ。EEZは沿岸国の利益のためにのみ使われるべき水域で、許可なしに漁獲や採鉱を行なうことはできないものの、この水域にずうずうしく浮かべた海上住宅に住んでゆっくり過ごすことを禁じる法律は（まだ）存在しない。

　だが、少なくとも個人レベルでは成功例もいくつかある。キャサリン・キングとウェイン・アダムズは1992年以来、カナダのブリティッシュ・コロンビアの海岸沿い、入り江のなかに浮かぶ「フリーダム・コーブ（「自由の入り江」の意）」と名付けられた人工浮島に住んでいる。元々単独の海上住宅として始まったものだが、今では12のプラットフォームが、彼らの住居、屋外菜園、温室４つ、美術館、ダンス・スタジオ、ロウソク工場、ボートハウス２つ、そして炉を支える複合建築になっており、船でしか近づくことはできない。総面積1600平方メートルのこの浮島は、当初は廃棄された木材を集めて手作りされていたが、やがて友人たちからの寄付や、彼らが制作した絵画や彫刻の代価として入手した、より頑丈な材料を使っ

て建造されるようになった。キングもアダムズも菜園でできたものを食べるが、さらにアダムズは、釣った魚、カニ、小エビを、種類を問わず食べて食糧を補っている。リビングルームにしつらえたプレキシグラス〔ガラスに比べ軽量で高強度の透明アクリル板〕でできた落とし戸を開けて、ソファでくつろいだままで釣りをすることもある（キングはベジタリアンなので魚介類は食べない）。近隣の小さな滝から重力で自然に流れてくる真水と、太陽光および予備の発電機からの電力で、2人は30年近くここで──うまい具合に、そして持続可能なやり方で──暮らしている。アダムズは、作品を売ったり、郵便物を取りに行ったりするために、そして「ソーダ水やポテトチップや甘いお菓子が欲しくなったとき」に、たまに一番近い町へと30分かけて出かける。だが、定期的なメンテナンスと嵐で壊れた箇所の修復のために、やるべき仕事が常にある。2019年のYouTubeチャンネルの『エクスプロアリング・オールタナティブズ』〔多数派とは異なるライフスタイルを採用している人たちを紹介するプロジェクト〕の収録時、キングは「［メンテと修復は］きつい仕事だけど、やらないわけにいかないわ。やらなきゃ、このやり方で暮らせないもの」と語り、アダムズも「私たちは、すべての人にこうやるように勧めたりはしませんね。自分自身の夢を実行しなさいと勧めます」と言い添えた。水のせいで住居部分がすっかり腐食しているため、2人は建て替えの必要に迫られている。

　どうやら私たちは行き詰まってしまったようだ。ある極端な例では、芸術家たちが小規模な海上生活は実行可能だと実感しているが、それは入り江のなかという守られた環境で、すぐそばに無料の飲料水源があり、時折芸術制作の時間が──そしてもちろんヴィラン的策略の時間も──持てるように、2人の人間が非常に高い一貫性で働いているからこそ可能なのだ。しかし、この対極に当たる例では、世界的大富豪に数えられる人々の財力をもってしても、海上での自給自足生活はまだ可能になっていない。

＊　アダムズとキングはさらに、彼らの基地を隠そうとしたことはないし、カナダからの独立を宣言したこともないし、税金は一貫して納め続けている。

この2つの極端な例のどちらも、海上秘密基地を作りたいという私たちのビジョンに大して希望は与えてくれない。

だが私たちは、おそらく常識にとらわれすぎているのだ。きっと、私たちはまだ、十分限界に挑んだと言えるところまでがんばっていないのだ。もしかして、海上で暮らすのはやめて、単純に……海の中で暮らせばいいだけなのでは？

海中基地

残念ながら、そのほうがはるかに難しい！　海中なら、一層人目につかなくなり秘密性が増すのは間違いない——海底の80パーセントは調査されたこともなく、ましてや詳しいマップが作成されたこともなければ、写真撮影さえされておらず、十分深くまで潜ってしまえば、人工衛星だってあなたを密かに監視することはできなくなる——しかし、海中に住むことには桁違いの難題が多数伴うのだ。

海中生活には、海上生活のあらゆるマイナス面に、適切な防護措置なしに基地の外に出た際に溺死や圧死、あるいはそれらを同時に被る危険が加わる。環境が常時あなたを死なせようとしており、日光はごく少ないか皆無で、空気はリサイクルするか外部から取り込むしかなく、海中農牧業はあきらめるしかない。陸上の植物は数千年にわたって人類が選択交配した結果栄養豊富になっているが、海中でそれほどの栄養価を持つ植物を育てることはできない。人間がこれまでに家畜化した最大の水生動物はフナやコイである（フナやコイの交配は西暦1000年ごろの中国で始まり、やがて金魚とニシキゴイが生まれた）。というわけで、シャチに鋤を引かせているあいだにホホジロザメにまたがって華々しく戦闘に出陣するというような妄想は、それがいかにあなた個人のヴィラン的美学に合致しようが、頭のなかから振り払ってしまうのがいいだろう。

＊　しかも、その危険はこんなものでは言い尽くせていない！　たとえば、あまりに急に海面まで浮上すると、血中に溶けていたガスが急激に減圧されて突如気化し、気泡となって血液から抜け出す減圧症でも命を落とす恐れがある。

　1963年、探検家で自然保護活動家のジャック・クストーが、妻のシモーヌ、ペットのオウムのクロード、そして４人の海洋学者と共にプレコンチナンⅡという海中住居で30日間暮らした。プレコンチナンⅡは、小型水中基地が数個集まった構造物で、「ビラージュ」と呼ばれていた。しかしこの実験は、空気、食糧、電力を水上からの供給に依存したままであり、居住空間はかなり窮屈でもあった。おまけに、中心となる居住用構造物は海面からたった10メートルの深さでしかなかった。さらに1964年、アメリカ海軍の「シーラブ」という海中住居は、バミューダ沖で水深59メートルというかなりの深さまで沈められ、そこで潜水士たちが11日間過ごした（その後継となったシーラブⅡでは、30日間の水中居住が達成されたが、３作めのシーラブⅢは予算を数百万ドルもオーバーしたあげく解体された）。現在、研究目的の水中基地はいくつか存在するし——NASAのNEEMO（極限環境ミッション運用）研究基地は、フロリダ沖の水深19メートルの海中で宇宙遊泳を疑似体験する目的で使われている——また、誰でも訪れられる水中レストランやホテルもあるが、そのいずれも自給自足ではないし、そもそも自給自足に至るのに十分な大きさのものは皆無だ。これらの場所は、訪問するところであって、住むところではない。

残念ながら、深いところ、水の多いところが、必ずしも暮らしやすいわけではない。

　ここまでですでに、陸地も海中も（そしてミステリアスな両者の深部も）望ましい候補地でないと突きとめてしまったが、あなたに使える場所がまだひとつ地球上に残っている。

　あなたの基地は空に作りなさい。

宇宙についての残念なニュース

　もしもあなたが、「待って、月面基地はどう？」と考えておられるなら、次の点を指摘させていただきたい。月面で生活することは、水中生活のあらゆる問題に、さらに命に関わる危険な環境と、百万ドル単位の費用がかかる再補給ミッションが加わった困難なことで、月面生活こそ「ロマンチックだが私的な用途には現実味無し」という概念そのものと言っていいのだと。残念ですね、私だって月面生活が合理的な秘密基地オプションであってほしかったんだ。

　火星の基地は、なおさら非現実的だ。各国が力を結集して試みているが、5460万キロメートルの距離を越えて火星まで、たった1人の人間ですら運び損なっているし、ましてやその人間のために、そこそこ心地よい基地を建ててやることすらできていない。地球上の居住可能性が最も低い場所ですら、月、火星、金星のどんな場所よりも、命の危険は小さい。ほかの天体は魅力的に思えるかもしれないが、地球以外のどんな天体でもずっと住み続けるのはとてつもなく厳しい。だからこそ、私たちのなかでも最もスーパーヴィラン的な者たちでさえ、この地球の上で、すなわち、ごまんといるごますり屋や、バカや、超大バカどもの近くで、住み続けざるを得ないのだ――当面のあいだは。

あなたの計画

　国際水域と同じように、どの国家の法律も及ばない国際空域というもの

がある。そして、おっと、誰かが領有権を主張している土地の上を飛んでるよ、と気づいたときでも、たいていの場合、十分上まで行けば、下界の国家が監視できない、あるいは、しない空域に入る。そうすれば、あなたほどスーパーヴィランでないパイロットが悩まされるような厄介な手続きや国の支配を逃れることができるはずだ。一例としてアメリカの場合、海抜5.5から18.3キロメートルの範囲＊——大半の航空機が飛ぶ範囲——を飛ぶ際、飛行機は常に航空管制の指示に従い、しかも、その空域に入っていいという明確な許可を取っていなければならない。ところが、18.3キロメートルより上まで逃げおおせたなら、あなたは違った扱いを受ける。その空域では、無線通信はまったく使えず、航空管制の許可もまったく必要ない。そこは歴史的に、恒常的には大して何にも使われてこなかった空域なのだ。つまり、私たちが好き勝手に使い放題ということだ。

　というわけで、やったね！　海抜18.3キロメートル以上の高度を保つかぎり、私たちはアメリカの上空を好きなだけ飛べるのだ。あとは、いつまでも、どこまでも、無限に飛ぶという古代からの人類の夢を実現すればいいだけだ。そして嬉しいことに、思ったよりもずっと、私たちはその成功に近いのだ！

空域についての嬉しいニュース

あなたがアメリカに土地を持っているなら、アメリカ合衆国対コーズビー裁判に興味を持たれるのでは？　農場を経営するコー

＊　端数のある変な数値になっているのは、もちろんアメリカがヤード・ポンド法を使っているからだ。18.3キロメートルは6万フィートに相当する。18.3キロメートルがどんな高さかというと、人間はこの高さではヒーター付きの高圧酸素カプセルがないと生きられず、また、もしもこの高さから落下したとすると、時速200キロメートル以上の速度で地面に衝突するだろうが、その前に数分間、こんなことになるなんてばかなことをしたなあと反省する時間があるだろう。

ズビーは、農地の上空を爆撃機その他の米軍機が飛行していることに関して合衆国政府に対して訴訟を起こした。とりわけ、近くにある飛行場に軍用機が着陸する際、突然の騒音に飼育していたニワトリが驚き、その恐怖のあまり暴れまわって自ら納屋の壁に頭をぶつけて首を折って、毎晩10羽が死んでしまった。この訴訟は最高裁まで争われた。

　1946年の判決で、最高裁はコーズビーの、自分の土地の上にあるすべてのものは、宇宙の果てまで自分のものだという主張を退け、彼が引用した「土地を所有する者は、上は天国まで、下は地獄までを所有する」という法学の成句は「現代世界では意味がない」と断じた。だがその一方で法廷は、建造物の建設、木の育成、あるいは柵の設置にさえも、空域の一部が必要だとして、政府側の、合衆国政府は地表に至るまでの空域をすべて所有するという主張も退けた。判決は、土地所有者は自分の土地の上の空域のうち、下は地表から、上は所有地内の最高の建造物の365フィート、つまり111メートルと少し上までの範囲に対して、独占権を有すると規定した。

　人類が初めて飛行したのは熱気球を使ってのことだったが、熱気球は単純な1つの原理に基づいて機能している。つまり、気球外の空気よりも、そして、気球に取り付けられた籠と人間よりも、気球内の空気を軽く保ち続ければ飛ぶことができる……その相対的「軽さ」を維持できる限りいつまでも、というものだ。残念ながら、空気は冷えやすく、ヘリウムは漏れるという欠点があり、気球飛行は、燃料の補給（浮力を維持するために使う）か、あるいは砂袋の使用（地面にいる間抜けたちに向かって投げ捨てて、重量を軽くし、長時間飛行を可能にする）によって制約を受けざるを得ない。史上最長の気球飛行は、ブライトリング・オービター3というヘリウムおよびプロパンを動力とする熱気球によって達成された。1999年、

熱気球として世界初の無着陸での地球一周を果たし、19日21時間47分のあいだ燃料無補給で飛行し続けるという飛行時間の世界記録を達成した。*
しかし、この気球のパイロットたち（ベルトラン・ピカールとブライアン・ジョーンズ）さえもが、成功は幸運のおかげだと述べた。具体的には、風が目的地に向かって吹いてくれたという幸運、着陸まで燃料がもったという幸運、酸素供給システムが加圧カプセル内で故障したあとも彼らが一酸化炭素中毒で死ななかったという幸運、無許可でイエメン領空を横切ったときも、侵入を厳禁されている中国領空の端をかすめた際も、彼らが撃ち落とされなかったという幸運、そして最後に、気球の各部に着氷して重くなりすぎたときにも海に墜落しなかったという幸運である。この最後の幸運に、同時に世界一周を目指していたライバルの熱気球チームは恵まれず、彼らは墜落してしまったのだった。

それは１カ月の連続飛行ですらなかった。また、20日間近い飛行ができたのは、万事順調だったからだ。

気球に気球入れちゃいました

　ブライトリング・オービター３はロジェ気球と呼ばれるもので、１枚の外皮のなかに、２つの気球が内包されている。その１つは、空気よりも軽い気体（ヘリウムなど）で満たされており、揚力の大半を常に供給する役目を担っている。もう１つは、空気で満たされており、これを加熱したり自然冷却させたりして、気球全体

* 本書印刷の時点で、これはなおも世界記録である。ジェット・ストリームを主な推進力源としていたので、その気流内に留まり続けるために、10キロメートルの高度で飛ばなければならなかった（空になったプロパンガスのボンベをバラスト代わりに投げ捨てる際には、まず地面が見えるまで高度を下げて、ボンベを投下するときには、「空からの殺人」を実行しようとしているわけではないことを確かめてから行なった）。

の浮力を調整する。この方式なら、加熱した空気だけを揚力源とするよりも、はるかに少ない燃料で済むので、当然ながらより長時間の飛行の可能性が出てくる。

この複合方式の気球は、ジャン・フランソワ・ピラートル・ド・ロジェという飛行の先駆者の1人にちなんで名付けられた。彼がこの気球を発明したのは、1785年、英仏海峡をフランス側から越えてイギリスまで飛ぼうという計画の一環としてであった。だが、彼の設計では、ヘリウムではなく、引火して爆発する恐れがある水素ガスを使っていたため、飛行開始30分後に――ヒンデンブルク号の事件を知っている私たちには必然的な結果だが、当時は運命のいたずらとされ、おそらくロジェ自身にも驚きだったであろう展開で――気球に火がつき、水素に引火し、気球は約1.5キロメートル上空から地面に落下し、ロジェと同乗者は（飛行可能な）空飛ぶ機械の墜落で亡くなった最初の2人となった。

身の毛もよだつような事故だったに違いない。《ダービー・ポスト》紙に掲載された当時の記事は、彼らは「……こっぱみじんに砕かれていた。私は半時間遺体の傍にいたが、これほどショッキングなものは見たことがない」と記し、さらに、「この国でも、ほかのどの国でも、（空を飛んでの移動が）試みられるという話は二度と再び聞きたくない」と続けた。そして最後に、気球乗りたちの思い上がりと、不可知と言っていいぐらい変わりやすい空というものの危険性を重視し損ねた「舞い上がりすぎた考え」について、警鐘を鳴らして結んでいる。でも、気にしないで！　あなたはたぶん大丈夫ですよ！

　飛行機は気球よりも一層まずい。飛行機による無補給の最長飛行記録は9日と3分で、ジーナ・イェーガーとディック・ルータンが特別に設計されたルータン・ボイジャーという飛行機で1986年に世界一周した際に達成

された。飛行時再補給という裏技を認めるなら、最長連続飛行記録は1958年に小型のセスナ機によって達成された64日間だ。ラスベガスのハシエンダ・ホテルというカジノ付きホテルの宣伝活動のひとつとして、砂漠の上空で円を描いて何周も飛んだわけだ。だがこの場合も、飛行中の燃料再補給──1日に2回行なうのだが、その際には飛行機が地表からたった6メートルの距離まで高度を下げ、燃料タンクを積んだトラックにスピードを合わせて飛行機を追跡させて、タイミングを合わせたところでホースを空に向かって上げて実施した〔飛行機から下ろしたフックにそのホースを引っかけて飛行機まで引き上げ、飛行機の燃料タンクにつないで、トラックに積んだポンプを使って給油した。約3分間の作業だったという〕──のおかげで、陸上からの自由もなければ、秘密性もまったくなかった。それに、2カ月間小さな飛行機に乗りっぱなしというのは、快適でもない。数年後、このセスナ機の2人のパイロットの1人、ジョン・クックは、「今度長時間耐久飛行したい気分になったときには、バキュームクリーナー付きゴミ箱のなかに閉じこもってクリーナーをオンにしておくことにするよ……朝になって掛かりつけの精神科医が診療を始めるまでのあいだだけね」と語っている。

　しかし、太陽エネルギーはどうなのだろう──それを使えば、燃料再補給なんてまったく要らなくなるんじゃないの？　もしかしたらできるかも。太陽エネルギーを利用した永続飛行が可能な飛行機に最も近い既存のものは、ソーラー・インパルス2という太陽エネルギーを動力とする1人乗り用の飛行機だ。日中は高度をかせいでバッテリーに充電しておき、夜間は徐々に高度が下がるなかで、このバッテリーを頼りに飛行し続ける。2015年には、実際に世界一周飛行を行なったが、じつはこれは、飛行コースを17区間に分けたものをつないで達成したものだった。そのうち飛行時間が最長となったのは日本からハワイまでの区間で、117時間52分の継続飛行

だった。*　条件がそろっていて、天候に恵まれ、運もよければ、この飛行機は理論上いつまでも飛ぶことができるが、これまでのところ、連続5日間よりも長く飛行した実績は皆無だ。しかもそれはつらい5日間である。ソーラー・インパルス2の自動操縦装置は洗練されておらず、せいぜい飛行機が正しい方角に向かって飛んでいることしか保証してくれない。なので、その小さなコックピットに閉じ込められているパイロットは、一度に最長20分しか眠れない。おまけに、何を食べるのかという問題もある。この手の飛行機はどれも、1人の人間ですら長期間食べていけるだけの広さがないのである。

　これよりも小型の自律無人航空機（UAV）のほうが、もっと長時間の連続飛行を成功させている。地上にいるときに拘束されているうっとうしい人間関係は捨てられるし、笑いに染まった翼で空を踊り回れるし、太陽に向かって空を昇れるし、合間から日の光がこぼれるたくさんの雲たちのバカ騒ぎに参加できるし、それに、厄介な人間たちと彼らの食糧や酸素など運ばなくていいなら、神の顔に触れることだって以前よりはるかに簡単になるだろう〔第二次世界大戦時のカナダ空軍のパイロット、ジョン・ギレスピー・マギー・ジュニアの詩『High Flight』による〕——とはいえ、せっかくの秘密基地も、あなたがそこに滞在できないなら、大して役に立たないのだが、この手のUAVは人間を乗せて飛ぶことはできないのである。というわけで、そう遠くないうちに、18.3キロメートル上空をいつまでも飛び続ける秘密の格納庫に軽いものを多少は保管できるようになるかもしれないとしても、私たち自身がそのなかで無期限に隠れていられるようになるのはまだまだ先のことだ。

　ということは、飛行機がダメで、UAVがダメで、気球がダメで、その

＊　これはまた、任意の種類の飛行による最長単独飛行の記録も樹立し、その記録は現在もなお破られていない。そうなっている理由のひとつは、この種の記録を管理している当局である国際航空連盟が有人飛行による連続長時間飛行の新記録の承認を停止したからだ。明々白々な安全性についての懸念からの措置である。ソーラー・インパルス2の世界一周飛行の際は、アンドレ・ボルシェベルクとベルトラン・ピカールが区間ごとに交代で操縦桿を握った。ピカールはブライトリング・オービター3にも乗船した。

どれを取っても、あなたと空気と水と農地とあなたに必要な手下を支える
のに十分な大きさがないということなのだから、これはつまり、すべての
希望は失われたということなのだろうか？

　そうとは限らない。あなたにはもう1つ、味方になってくれる物理法則
が残っている。1638年にガリレオ・ガリレイが発見した秘密兵器、すなわ
ち、強力で、ほぼ誰にも止めることができない、「2乗3乗の法則」だ。

　2乗3乗の法則は、ある物体が形を保ったままで拡大されるとき、その
表面積は、拡大率の2乗で大きくなるのに対し、体積は3乗で大きくなる
というものだ。言い換えれば、物が大きくなるとき、その内側の空間は、
その表面積よりもずっと速く大きくなるということだ。そうだとすれば、
気球を十分大きくすれば、ある時点で、気球内部の空気の体積が非常に大
きくなって、それを保持している気球の袋の材質の質量がほとんど無視で
きるほど小さくなるわけである。建築家のバックミンスター・フラーは
1981年の著書『クリティカル・パス』のなかで、1958年に彼が提唱したク
ラウド・ナインという特殊構造の空中都市を取り上げ、2乗3乗の法則の
観点から再び論じている。基本的なコンセプトは単純なものだった。フラ
ーが特許を取得したジオデシック・ドーム（早くも1925年にドイツで発明
していたが、アメリカで特許を取得したのは1954年のことだった）を1つ
持ってきて、それとまったく同じものをもう1つ作って反対側にくっつけ
て、「ジオデシック・球（スフィア）」を作れというのである。

　そしてそれを、とことん大きくするのだ。

フラーの人生

　バックミンスター・フラー（愛称バッキー）は自分の人生を、
「世界を変えて、全人類に貢献するために一個人がどんな役に立
てるのかを見極めるための1つの実験」として送っているのだと

自ら語った——バッキーが放射する強力なスーパーヴィラン的エネルギーが伝わってくる言葉だ。しかも彼は巨大技術プロジェクトをよく知っていた！　彼はバイオスフィア2を早くから支持しており、バイオスフィア2がフラー流のドームコンセプトを色濃く反映した構造をしているのは、彼の元アシスタント、ピーター・ジョン・ピアースがそれを設計したからだ。

　1960年代、フラーは海洋基地の可能性を模索しはじめ、トリトン・シティと名付けた海上都市（とその縮尺模型）の試案を作った。それは、住居、店舗、オフィス、そして学校のすべてを、1つの巨大なビルに収めた、5000戸を擁する高密度プラットフォームであった。このような「海上コミュニティ」——1万6000平方メートルの基盤の上に構築された19万5000平方メートルの居住可能なスペース——をいくつか結合すれば最高で人口12万5000人の都市ができる。トリトン・シティは、既存の都市を補うべく陸の近くにいつまでも停泊させるものとして計画されたが、フラーは、必要なときには移動させてもいいと述べ、また、「海上都市は、地主に地代を払ったりはしない」とも口にした。じつに素晴らしいのは、トリトン・プロジェクトの外壁は斜面になっているという点だ。そのおかげで、窓やバルコニーから落ちた人は斜面をゴロゴロと海まで転げ落ちるので、船のデッキに真っ逆さまに落ちて命を落とさずに済む。

　フラーは計算によって、直径30メートルのジオデシック・スフィア1つは重さが約3トンで、内部に含まれる空気の重量は約7トンだと突き止めた。続いて彼は、仮にジオデシック・スフィアの直径を2倍、さらにその2倍と大きくしていったときに、そのサイズのジオデシック・ドームに必要な材料の量がどれぐらいになるかを見積もった。次の表がその結果をまとめたものだ。

ジオデシック・ ドームの直径	ドーム重量	ドーム内の 空気の重量	空気重量に対する ドーム重量の比
30m	3トン	7トン	0.42
60m	7トン	56トン	0.12
120m	15トン	500トン	0.03

警察権力が問題にする必要などまったくない、とりとめもない数の羅列に過ぎません！

　この表でおわかりのとおり、ジオデシック・ドームが大きくなるにつれ、ドームの構造自体の重さは——内部の空気の重さに比べて——無視できるほど小さくなる。彼の計算によれば、直径0.5マイル（約800メートル）のジオデシック・ドームは、内部に含まれる空気の量が非常に大きくなり、それに比べてドーム自体の重量が非常に軽くなるため、日光によって内部の空気が周囲の空気より0.5℃ほど上昇するだけで、ドーム全体が浮かんで飛べるようになる可能性があるという（温室のなかが冬でも暖かくて心地よいのは、太陽光をとらえて熱に変換するというこの技法のおかげだ）。ドームの直径を２倍にしてちょうど１マイル——直径1.6キロメートル——にすると、ドーム内の人間や構造物の重量も、ドーム自体の構造の重量と同じく無視できるほどになって、空に浮かんで動き回るドーム型都市の内部で何千人もの人々が生活したり働いたりできるようになると期待できる。フラーは、このようなドーム都市は、世界中を自由にプカプカ動き回ることもできるし、どこかの山頂に固定することもできるのではないかと提案した。小型飛行機を使えば、人々は好きなように、いくつもの浮遊都市の間を行き来できるし、また、浮遊都市から地面に降りることもできるだろう。

空に浮かぶスーパーヴィラン基地。浮遊都市を着想してくれたバックミンスター・フラーは、大統領自由勲章も受章した。フラー、ありがとう。

　この考え方全体、信じ難いし、実際に信じられないが、計算上はちゃんと辻褄が合っている。直径1.6キロメートルのドームの内部には2.14立方キロメートルの空気が入る。空気の密度は気圧と湿度によって変わるが、20℃――室温――の乾燥した空気の密度は、約1.204キログラム毎立方メートルだ。このドームの内部を20℃に保ち、ドームの外部はこれより0.5℃下げて19.5℃にしてやると、この外部の低温の空気は密度が1.206キログラム毎立方メートルとなる。たったこれだけの密度差で、ドームには400万キログラムを超える浮力が加わる。温度差がもっと大きければ――たとえば、日中を通して外気温が20℃よりはるかに低いことは間違いない

南極点の周囲でドームを浮かべたとしよう——＊、もっと大きな浮力が得られる。10℃の空気のなかでは、内部温度20℃のジオデシック・ドームは9000万キログラムを超える浮力を得るだろう。これは途方もない浮力であり、それが途方もない空間に与えられるのだ。なにしろ、直径1.6キロメートルの球の中心を通る断面は、２平方キロメートルを超える面積があり、これを浮遊都市の基盤にできるのだから。これなら、私たちが構想している原子力を動力源とする秘密基地と、それらの原子力発電機が供給する熱を擁する余地がたっぷりある（実際には、これだけの基盤があれば、私たちが構想しているような秘密基地を13基も維持できる。ただし、当然ながら、ドーム内部に入れるものを増やすと、それだけ重量は増加し、押しのけられる空気の量も増える。あなた自身がそれほどスペースのゆとりを必要としないなら、あなたの居住プラットフォームを球の下のほうに設ければいい。直径1600メートルの球の底から30メートルの高さに設けたプラットフォームでも、１つの基地には十分な広さだ〔約14万8000平方メートル〕）。

　もちろん、上昇できる高さには限界がある。上昇するにつれて空気の密度は低下するので、ある高度に達すると、浮遊都市はそれ以上上昇しなくなり、その高さでプカプカ浮かび続ける。また、なおも温度を上げようと

＊　これまでに南極で記録された最高の気温は、2020年２月に〔南極半島東端のシーモア島にて〕観測された20.75℃だ。20℃を超える気温が南極で観測されたのは初めてで、南極滞在中の科学者たちはこれを「信じがたく異常な」事態と呼んだ。とはいえ、南極の内陸部の平均気温は－50℃を下回る。南極には、地球で観測された史上最低温度の記録もある。－93.2℃というのがそれだ〔2010年８月に行なわれた人工衛星による地表面温度の観測値〕。要するに、南極点の周囲でも特に問題はないだろうということだが、ドームの内部はもう少し温度を上げて21℃に保つのがいいだろう。それに、南極の秘密基地建設にだらだら時間をかけてはいけない。気候変動があなたを待ってくれるわけなどないのだから（だが、第４章を見ていただくと、他の選択肢がある）。もうひとつ、ドームの内部を暖めるだけではダメだということも忘れてはならない。ドーム内で暖められた空気が圧縮されっ放しにならないように、一部の空気を外に放出しなければならない。

すると、内部にいる人たちは暑すぎて不快になるに違いない。* だが、ブライトリング・オービター3に倣って、暖かい空気に優る安定な浮力源となるヘリウムのバルーンを内部に設置することで、フラーの設計をさらに改良した仕様にすることも可能である。

さあ、そうとわかればあなたはそういう浮遊秘密基地を作ればいいだけだ。そして、この話の流れは自然に次のセクションへとつながる。

マイナス面

直径1.6キロメートルのジオデシック・ドームは、ドバイのブルジュ・ハリファ——現時点における、これまでに人間が建設した最も高い構造物——の2倍近い高さになるはずで、当然ながら、まだこれからはっきりさせねばならない建設ロジスティックス問題がいくつか残っている。**だが、それは最も困難なマイナス面ですらない！ 都合が悪いものだからフラーが完全にごまかしてしまい、次世代のスーパーヴィランたちに実地演習として残したらしい、実際の最大の難問は、これほど巨大な浮遊球体の構成部材として受ける負荷に耐えられる材料を見つけることである。

---

* フラーが考えたような山頂の高さに到達したければ、ドーム内の空気は数千メートル上空の空気よりも低密度でなければならない——その高度の空気自体がすでに、人間が呼吸困難になるほど薄いのに。この問題は、ドームのごく一部を人間が心地よい程度に常時加圧したり、あるいは、建物の内部だけ常に加圧して、その外で活動するときにはみんなに酸素マスクを着用してもらうなどの方法で解決できる。さらに、忘れてはならないもう1つのことは、暖かい空気は上昇するので、ジオデシック・ドームの底部——あなたが生活の大半を過ごすことになるはずの場所——は、最上部よりも温度が低いということだ。ドーム内の20℃の空気の密度を計算するときは、ドーム全体の平均温度を求めるが、常に最上部ではもっと暖かく、底ではもっと寒い。これは浮遊基地を作りたいあなたにとっては朗報だ。さらに大きな浮力がほしければ最上部の温度を上げればいいのだし、そのあいだ底にあるあなたの居住空間は快適な涼しさに保たれているのだから。

** ブルジュ・ハリファは、829.8メートルもの高さがあり、地上で太陽が沈んだあとも、高層階ではまだ太陽が見える。これは、ラマダンを行なうイスラム教徒たちに影響を及ぼす。ドバイの聖職者たちは、地上での日没と同時に終わることになっている断食を、ブルジュ・ハリファの80階以上にいる人はそれより2分長く、そして150階以上にいる人は3分長く続けなければならないと決めた。

　途方もない重量を運びながら飛ばなければならないので、重量比強度が
ものすごく大きな材料が必要だ。この場合の重量と強度の比を実感するの
は難しいだろうから、これと等価な尺度として、「破断長」に注目するこ
とにしよう。破断長は、ある材料を細長い柱体にして、最上部のみを支え
て鉛直にぶら下げたときに、切れる——つまり「破断する」——ことなく
自重を維持できる最大の長さである。破断長が長い材料は、強度が高いと
同時に軽い。コンクリートの破断長は0.44キロメートルだ。ステンレス鋼
とアルミニウムは破断長がそれぞれ6.4キロメートルと20キロメートルだ
が、私たちはもっと強い材料2種を検討してみることにしよう。これらの
材料は、破断長の長さの点でも、人類が製造のために使う手段の点でも、
極限にある。それらは、ケブラー（破断長256キロメートル）とカーボン
ナノチューブ（破断長4700キロメートル超、つまり、地球の直径の3分の
1を超える長さ）である。

　フラーが初めて浮遊都市を提案したとき、ケブラーはまだ存在していな
かった（ケブラーは1964年、化学者ステファニー・クオレクによって発明
された）が、これは現在、耐切創性の手袋や防弾チョッキなどに使われて
いる合成材料だ。まだ新しい発明ではあるが、確かな実績があり、あなた
のジオデシック・ドームを覆う気密性被覆として使うのに最適である。ケ
ブラーの小売価格は1平方メートル当たり約32ドルなので＊、800万平方メ
ートルを超えるドーム基地の表面全体に施すとなると、気密性を与えるた
めの費用として約2億5600万ドルかかることになる。安いとは言えないが、
そのケブラーはあなたのドーム基地全体の防弾チョッキになると考えれば、
金をかける価値はあると言えるだろう。だが、これはただの被覆に過ぎず、
構造そのものをまず作らなければならない。

　計算によれば、アルミニウムは使えなくもない（アルミニウムはかなり
重いので、十分な浮力を実現し、維持するために、ドームにヘリウムのバ

＊　この価格は、2021年前半に入手された116平方メートルのケブラー・シート1枚の値段か
ら換算したもの。まとめ買いしたほうが間違いなくお得！

ルーンを付け加えるか、ドーム内の気圧を0.9気圧に下げるかしなければならない）が、もしも興味がおありなら、1つ、前例がなく困難だが、成功すれば素晴らしい効果が得られる方法——いわゆる「ムーンショット」——をご紹介しよう。それは、先に触れた、カーボンナノチューブを使う方法だ。カーボンナノチューブも最近登場した材料で、フラーの時代には存在しなかったが、これまでに発見または発明された中で最も破断長が長い材料だ。問題は、まだ途方もなく高価だということと、これまでに作り出された最長のカーボンナノチューブでも、幅は微視的なサイズで、長さは約50センチメートルしかないということだ。おかげでカーボンナノチューブは、完全にとは言わないものの、ほとんどSFの世界の材料になっている。カーボンナノチューブはたいてい粉末の状態で、極微の断片が無調整で集められたものとして販売されている。

　だとすると、人類に生産可能な、最強かつ最軽量の浮遊ドームを作りたいのなら、まず最初に、実際に人間が住める大きさの建物をカーボンナノチューブで作るための研究開発に大金を投じなければならないということらしい。だが、ひとつ明るい兆しがある。この分野に関心を持ち、研究したいと考えている人は多いので、あなたがこのテーマの唯一の研究者になることはないだろうし、また、どちらかと言えば地味な研究だということも好都合だ。「私は、より強靭な建築材料の研究に出資しているんだよ」と耳にして、「あ、そうだね、全人類と彼らのつまらない『法』と『モラル』にはまったく手が届かない、邪悪な巨大浮遊秘密基地を作るためだよね。材料科学全体の終局になること間違いなしだね。わかった、それ以上言わなくていいよ」と思う人は、あまりいないだろう。

　結論として、大規模建築への実用化は、まだ進んでおらず、どうやら可能になりそうにもない、特殊な建築材料の問題がなかったとしても、自給型の原子力を動力源とする、南極上空を浮遊する基地は、最も裕福な人々と、最も先見的なスーパーヴィラン以外には、困難で、非常に高くつき、およそ実現不可能だろう。しかし、最後にこの1点は強調しておくべきだろう。「じつは、その可能性はないとも言い切れないのだ」というのがそ

れである。

　そして、不可能に違いないと思えるのに、どういうわけか不可能ではない領域こそ、スーパーヴィランの活躍の場なのだ。

欲張りの名に残された汚点

　カーボンナノチューブは、地球で最も黒い物質の１つ、ベンタブラック——光があたると、その99.965パーセントを吸収する——を製造するのにサリー・ナノシステムズ社が使っている。太陽の熱を捉えると同時に、インパクトのあるヴィラン的美意識を見せつけられるドームを設計したいと思っているなら、検討すべき材料ではないだろうか？　（ただし、サリー・ナノシステムズ社のある広報担当者が、普通サイズのバケツ１つに満たされたベンタブラックの可能性を考えてみて、「それより高価なものは、地球にあまり存在しないと思います」という結論に達したことを忘れないように）

　2016年、ベンタブラック塗料の芸術目的での使用について、ロンドンを拠点とする美術作家のアニッシュ・カプーアの制作所が独占権を取得し、地球上のほかのすべての芸術家はベンタブラックを使う道を閉ざされてしまった。やはり芸術家のスチュアート・センプルは、このことに憤慨し、やがて、吸収率99パーセントのウルトラ・ブラック・アクリル塗料を独自に開発し、地球上のすべての人に使用許可を与えた——ただしアニッシュ・カプーアを除いて。

あなたが逮捕された場合に生じうる影響

あなたがドームを建設するなかで抵触するかもしれない些細な法律については、私はそれほど心配していない。この計画を成功させれば——本章で前出のコラムで紹介した「人類の神殿」の場合のように——この絶対的な偉業を前にした管轄当局は、あなたに同調し、この時点に至るまでのあいだに違反した可能性があるすべての法律については不問に付したほうが自分たちのためだと悟ってくれるかもしれない。あなたの浮遊ドームの威容そのもののおかげで。そして、もしもそうならなかったとしても、どんな法の管轄からも、飛び去ってしまえばいいではないか。

しかし、実際に浮遊基地で活動し始めたとすると、あなたが上空に飛んできた国が、やっぱり自国の超上空の空域も取り締まるべきだと、突然認識する可能性は依然としてある。領有権が主張されていない土地がある領域は、地球上にごくわずかしかないが、南極がそういう場所の1つだということは、あなたにとって朗報だ（第2章を参照のこと）。というのもあなたには、その土地の上空は国際空域だと主張する法的な根拠があることになるからだ！ あなたのドームをマリーバードランド——南極大陸の南西の海岸から南極点にかけて、西経158度から103度24分にある、扇形をした土地——上空に常にとどめておけば、世界で最も広大な、どの国家にも領有権を主張されていない土地の上を漂い続けることになる。

だが、悲しいことに、南極上空の国際空域のなかで浮かんでいたとしても、法の手が絶対に及ばないというわけではない。国際民間航空機関（ICAO）は、民間航空の健全な発展を目的として監督する国連専門機関（名称からお察しのとおり）で、国連加盟国のすべて——人口4万人以下のヨーロッパの小国で、国際空港を持っていない、リヒテンシュタインを除いて——が加盟している。そして残念ながら、ICAOは、（彼らの考えによれば）あなたに影響を及ぼす国際協定をいくつか締結している。

1つめは、国際民間航空条約の付属書2として発行された「航空規則」で、国際空域においても有効である。航空規則には、機器、照明、信号、

巡航高度、優先権、そしてパラシュートなどに関する規則が規定されている（緊急時以外、パラシュート降下することは一般に禁止されている。ま・っ・た・く・が・っ・か・り・だ・ね）。もっと小型で、球形ではない航空機を対象に作られた規則ばかりで、あなたがその多くに完全に違反してしまうことはほぼ間違いない。

1994年に発効した「海洋法に関する国際連合条約」（航空機にも適用される。国連は文書に名前を付けるのがあまり得意ではない）を見ると、よけいにまずい状況だとわかる。そこには、あなたの基地の横腹に付けたり（第105条「海賊船舶または海賊航空機の拿捕」）、追跡者の領海内から追跡開始する場合、追跡することを許可する法律（第111条「追跡権」）が含まれている。あなたが独自のテレビ局やラジオ局を作ることを禁じる条項（第109条「公海からの許可を得ていない放送」）まであるので、レーダーに引っかからないように（比喩的な意味で）飛行したければ、それはやめておこう。だが、この条約は悪材料ばかりではない。87条「公海の自由」の 1 (d) 「国際法によって認められる人工島その他の施設を建設する自由」は、国家が自らの人工島を建設することを認めており、この条文を頭の片隅にでも覚えておけばいざというとき役に立つかもしれない。あなたは国家ではないが[*]、あなたがその国の国旗を掲げて飛ぶことを快く許してくれる国がもしもあったとすれば、あなたは単に、国連がすべての加盟国に保障している権利を利用している、1 人の意欲ある市民に過ぎないことになる。

この国際法制度にはがっかりだが、覚えておいてほしいことが 1 つある。「法が施行されるのは、誰かがあなたにそれを施行するのを、あなたが許す場合だけであり、そもそもあなたが国際空域にやってきたのも、あらゆる国の支・配・権の外側にいたかったからだった！」というのがそれである。十分高く、十分速く、そして十分自由に浮遊できたなら、自分自身が所有する直径1.6キロメートルの浮遊する球のなかで、何ができて何ができな

いかをあなたに指図できる者は誰もいないだろう。エルワルトフスキーは、自らの海上住居をタイ当局に引き渡したあと、海上住居で暮らしたその短い期間について、「ちょっとのあいだ、自由だった。世界一自由な人間だったよ、たぶん。素晴らしかったよ」と、フェイスブックで書いている。

　世界の最上部を浮遊する、原子力を動力源とし、ケブラー被覆した巨大なジオデシック・ドーム都市のなかでそれを経験するのは、もっと素晴らしいはずだ。

事業計画概要
エグゼクティブ・サマリー

初期投資	期待収益	完了までの予測期間
・アルミ棒材に**44億ドル**（約150万キログラムのアルミ構造の直径に相当する長さの棒材１キログラム当たりの卸売価格を2900ドルと仮定）	・**無限**（自由に関して）	20年未満
	・**無限**（スーパーヴィランの基盤として）	
	・**無限**（ブランド戦略とマーケティングに関して）	
・ケブラーに**２億5600万ドル**	・**無限**（観光事業として）	
・バイオスフィア２型のインフラに**５億ドル**	・しかし、情報の全面開示のために申し上げると、この基地は必ずしも収益を生むわけではないので、**59億ドル**の損失になる可能性がある。しかし、認証された中古秘密基地としての販売で半分の費用は回収できると仮定すれば、損失は**29億5000万ドル**に軽減される。	
・アカデミック・ロモノソフ型のSMR原子炉とインフラに**７億ドル**		
・建設および設計費を含まない材料費のみで計**59億ドル**		

---

* はい、たいていの地図は南極が一番下にあるが、だからといってそれが完全に恣意的な決定で、怠慢と、一貫性を求める気持ちから広まっただけのものに過ぎないという事実が変わるわけではない！　浮遊ドームを作るという選択が可能なら、地図の上下をひっくり返す（というより、ふさわしい側を上にすると、敢えて言わせてもらっていいかな？）という選択も可能なはずだ。

自分自身の国を始めるには

初めから命運の尽きている陸地……その恐ろしく陰鬱な景色は言葉では言い表せない。我々が見出した陸地がそんな有様なのに、そのさらに南側に何があると期待すればいいのだろう。これまでの経験から、最善の陸地は最も北側にあると考えるのが合理的だと思われるのに。この問題を解決するだけの決意と忍耐のある者が、私が到達した場所よりもはるかに先に進んだとして、その者が発見の栄誉を獲得しても、私は羨んだりしないが、はっきり言わせていただけば、その発見によって世界は何の利益も得ないだろう。

——キャプテン・ジェームズ・クック（1773年）

　人間の子どもは、完全に無力な状態で生まれる。彼らを生き延びさせるには、彼らが自分の身の周りのことができるようになるまで、周囲の人々が食べ物を与え、あらゆる要求を満たしてやらねばならない。というわけで私たちは、わかってもらえたらすぐに自分の（概して完全に自己中心的で利己的な）要求を満たしてもらえる段階（乳児期）から、自分の要求が次々と他人の要求の下に従属するようになる段階（少年期）へと移行する（たとえば、よちよち歩き期からその先の成長段階に至るまでは、私たちがしたいことすべてをするのを権威者が阻む。「もう寝る時間だから」とか、「次はほかの子がそのおもちゃで遊ぶ番だから」とか、「おやおや、その装置は半径10キロメートル以内にいるあなたやほかのみんなをぶっと

ばしちゃうかもしれないよ、そもそもどこで見つけたんだい。今すぐ下に置きなさい」などの理由を付けて)。

本書は育児書ではないが、これは他の育児書には載っていない、
間違いなく優れた育児アドバイスだ。

　誰にも答える必要がなく、自分の言うことがすべて通り、自分のルールが法になり、周囲の者はみんなあなたへの愛情を表現し、あなたが言うことはすべてやってくれる世界という、あなたの夢──これは、事実上人類に普遍的である。生まれてきたとき、私たちはみんなこれを味わう。また、独裁者、摂政、君主の暮らしぶりにも、やはりその状態が実現されていることがわかるし、それほどではないにしろ、民主国家の大統領や首相もある程度そんな暮らしをしているのは誰でも知っている。

　自分自身の国を始めれば、それがあなたのものになる。

背　景

　国とは、地球上に存在する、主権を有する地域である。国は、自らと、自らが所有する土地を完全に統治する力を持っている。つまり、自分の国

を始めるためには、その上に国が作れるような土地を手に入れなければならないということだ。現在の国際法——これ自体、はるか昔のローマ法の基準に基づいている——の下では、土地と主権を獲得する方法が4つある。あなたがその土地を発見するか、与えられるか、作るか、あるいは奪うかである。次に、それぞれの方法を詳しく解説しよう。

土地を発見する

地球上にある、誰も住んでおらず、他のどの国もその存在を知らない地域を発見し、それを自分のものだと宣言する場合がこれに当たる。この方法による建国は、長い間娯楽として人気があった——とりわけ、南北アメリカ大陸にすでに住んでいた先住民たちは、外からやってきた者が彼らの国を「発見」し「領有権を主張する」ことを禁じてはいないとヨーロッパ人たちが勝手に決めつけた時代はそうだった。しかし、近年では、すでに世界の至るところに、人間と、彼らがうるさく主張する国とが存在しており、野心に燃える個人が進出して、自由という理念に基づき、平和、秩序、そして良きヴィラン精神に則って、新たな国を建設できるような、未発見の土地など残っていない。

未発見の土地がなくなってしまったのは、1つの短期的視野から言うと、1960年代に地球の衛星画像が撮影できるようになったときだ。この技術によって、これから発見できるような、誰も住んでいない土地などもはや残っていないことが即座に明らかになってしまった。そして、もっと長期的視野から言えば、紀元前1万年よりも前、つまり、最終氷期極大期〔地球気候史の最後の氷期のなかで、氷床が最も大きくなった時期〕の終わり、海水位が非常に低くなり、南北の極地氷床が非常に大きくなったころに、もうとっくになくなっていたのだ。氷床が最大になったこのころ、今私たちが「ベーリング陸橋」と呼んでいるもの〔当時アラスカとシベリアのあいだを埋めるように存在していた広大な陸地〕を通って、人類が移動したのだった。アジアと、北米大陸の現在のアラスカ付近とを一時的につないでいた長い陸地を進みながら、この人類たちは、もはや地球上には存在し得ない、人の手が触れ

たことのない真っ新な荒野が広がる大陸が2つあるのを見出した。それは、今ではもう絶滅してしまった、巨大ナマケモノ（オオナマケモノ）、巨大カメ（メイオラニア）、巨大ビーバー、巨大コンドル、マストドン〔原始的なゾウ類〕、そしてマンモス、さらにサーベルタイガー（その一種シミターキャットも含めて）〔上顎の犬歯が短剣状に長く発達したネコ科の哺乳類〕などの巨型動物類（メガファウナ）が繁殖する新世界だった——が、これらの動物はすべて、移住してきた人類とその子孫に狩られて食用にされ、やがて絶滅していった。そんなわけで、残念ながら今ではこの方法に成功の見込みはほとんどない……大勢の人間が死んでしまわない限り。*

メガファウナの大量絶滅

　果たして人間だけが、ここで論じている絶滅の原因かどうか、はっきりとはわからない。というのも当時は、気候変動による脅威も同時にあったからだ。とはいえ、人類が新しい場所を見つけると、それに続いて絶滅が起こるという傾向が、歴史を通して見られることは誰もが知っている。とりわけ、直前に挙げたアメリカ大陸にいた種や、ニュージーランドのモアという大型鳥類、オーストラリアのディプロトドンというこれまでに地球上に存在した最大の有袋類など、大型で狩猟しやすく、美味しそうなメガファウナの絶滅は、生息地に人類が入ったあとに起こっている。最近発見された証拠から、人類はじつは紀元前3万年という大昔からすでに南北アメリカ大陸に存在していた可能性が高まってきた。これが、このころ起こったメガファウナの絶滅の理由ではないかという説も提唱されている。人間の活動による絶滅こそ「人類最

* 大勢の人間を殺したりしないように。しっちゃかめっちゃかになってあとが厄介になる。

大の不朽のレガシー」だと呼ばれている（自らの素晴らしいレガ
シーを目下生み出しつつあると考えているスーパーヴィランは、
間髪容れずにこのフレーズの頭に「いまのところ」と付け加える
だろう）。

土地を与えられる

土地の譲渡は、ある国が事実上自ら進んで、別の国に土地を引き渡す場合を指す。通常、受ける側の国が、それを買い切る、条約のなかでそれを得るよう交渉する、あるいは、国際司法裁判所の判決によって勝ち取ることによって行なわれる。

土地を作る

地質学的活動（たとえば、すでに所有している土地の火山が噴火して溶岩が海に流れ込み、あなたの意のままになる土地が新たに生じるなど）によって、あるいは、人間の意図的な活動（たとえば、埋め立てによって陸地を造成し、国土を20パーセント拡張したモナコ公国のように。地球で最も物価が高く、裕福で、かつ最も小さいモナコは、地中海岸の海岸線に沿って埋め立てを行なうことで、総面積2.1平方キロメートルとなった）によって実現する。

土地を奪う

他者から土地を奪う方法には、次の３つがある。

1. **こっそり行動**することによって、土地を奪える場合がある。ある国のなかに、そこがあたかも自分の国であるかのように住み始め、仕事にも就き、その国が十分長い間それに気づいたり反対したりしなかった結果、ついにあなたが「スコッター（不法占拠者）の権利」の国際法版に相当するものを主張できるようになる可能性が期待できる。これ

は、「土地の取得時効」という制度を利用するものだが、近代に入ってからはめったに使われていない。しかし、1953年にフランスとイギリスが、マンキエ・エクレオ諸島と呼ばれるほとんど無人の島嶼——そのほとんどが満潮時には実際に水面下に沈んでしまう——の沖における漁業権を主張したときに使用された。双方とも、1204年に締結された中世の条約を根拠に、その異なる解釈に基づいて、自らの領有権を主張した。先ほども登場した国際司法裁判所は、1953年、現在では中世の条約の文書よりも、その条約が締結されて以降その島々で実際に統治権を行使していたかどうかのほうが重要であるとし、当該諸島の領有権はイギリスに帰属するとの判決を下した。

2. **武力の行使**によって土地を奪える——つまり、征服できる——場合がある。しかし、20世紀に起こった2つの悲惨な戦争のあと国際社会は、このような方法で地球を支配することには何らかの弊害もありそうだと考えるようになり、そのような侵略戦争は犯罪視されることとなった。その結果、理屈の上では、この方法はもはや国境を拡張する正当な方法とは認められていない。はいはい、わかりました。

3. そして最後に、**懐柔**によって土地を奪える場合がある。当該国家の住民を十分な人数手なずけ、あなたの目的に賛同させるのだ。成功すれば、革命が起こり、あなたに有利な新しい政治体制が樹立できる。

では次に、この3つの可能性を当てにして試みた先人たちが、いかに失敗したかを見てみよう。

小悪党の間抜けなプラン

土地を発見する

この方法は、私たちの目的にはまったくの論外である。なぜなら、すで

に見たように、すべての土地はもう発見されてしまっているからだ。クリストファー・マッカンドレスが辿った道を試してみてもいいかもしれない。1992年、自分がいる世界はもはや探検し尽くされているのだと気づいたマッカンドレスは、未踏の地という不思議の世界を手に入れようと、地図を捨て、道をそれて、荒野へと入っていった。残念ながら、2、3カ月ののち、アラスカの荒野で、彼はたった1人で餓死してしまった。しかも、誰か他の人が所有する土地で。というわけで、これはもうあきらめて、他の選択肢を見ていこう。

土地を譲渡される

これもやはり見込みなしの没プランだ。あなたがすでに別の土地の所有権を主張しているか、その土地を力によって奪うぞと、はったりではなく本当に脅すに十分な武力を持っているかのいずれかでない限り、個人としてのあなたと真剣に交渉しようという国などありそうにない——それに、そんな武力を持っていたとしたら、あなたはとっくに国家並みの力を持っており、望むことを実行できているはずだ。土地を購入するための純粋に金融上の取引を実現させる見込みもやはり薄い。これまでの歴史で、国は領土拡張のために土地を購入してきた——例外もあるが、普通は他の国から——が、私が知る限り、自らの国を建てて既存の諸国と競おうとしている個人に、国が土地を売ったという事例は、歴史の記録にない。

もちろん、だからと言って人々がこれを試みるのをやめたわけではない。1973年、アメリカの犯罪的な投資家ロバート・ヴェスコは、国外逃亡を敢行した。証券詐欺の罪で国に手配されたヴェスコは、社用ジェット機で犯罪人引渡条約のないあちこちの国へと逃れたのである。逃亡しながら、ア

---

*　日本政府は、2012年に東シナ海に浮かぶ尖閣諸島を栗原家から20億5000万円で購入したが、中国——当時すでに尖閣諸島は自国のものだと考えていた——が、それは自分たちの領有権の侵害だと主張して、これを認めることを拒否した。尖閣諸島の近くには海底油田やガス田が存在する可能性があり、両国がその領有権をますます強く主張しはじめたのは、これらの海底資源が原因なのかもしれない。

ンティグア・バーブーダという島国に対し、ヴェスコ自身の自由な主権国家を建国する（そしておそらく、元々の島国の名称を「ジャスト・アンティグア・ナウ」に変える）ために、彼らが領有するバーブーダ島を購入したいと言って交渉を始めた。しかし、島国政府は彼の呼びかけを拒否した（詐欺に対して下された判決にしたがってキューバで服役中の2007年に肺がんでヴェスコが死去したことで、ヴェスコの物語は終わった。だが、彼の友人たちは、自分の死を偽装し、他人に成り済まして逃亡したということも、ヴェスコなら完全にあり得るだろうと指摘した）。

土地を作る

　これが成功するのは、新しい土地が他国の国境や領海の外に出現する場合だけだ。そうでなければ、その土地は自動的に、できた場所を領有している国のものになってしまう。さらに、海底火山ができて、その結果新しい土地ができるという奇跡のようなことを待つ——あるいは、沖合で大規模な陸地の造成を自ら行なう——としても、あなたはなおも幸運で、素早くなければならないし、しかもその陸地を我が物にしようとする他国に対して、自分の主張を弁護できなければならない。

　1971年、大富豪のマイケル・オリバーが、他の２人のアメリカ人と共に、荷船を雇い、ミネルバ・リーフ——噴火によって完全に吹き飛んだ海底火山の残骸で、海面上にはもはや何も残っていない——を拡張して人工島にし、自分の思いのままの国を新たに作ろうとした。オリバーはそれをミネルバ共和国と名付け、この新しい土地への初期投資を（公式の記念硬貨の売上と共に）、さらに多くの荷船で土砂を運ぶのに使って、この共和国を10平方キロメートル以上に拡張するという最終目標を達成することを目指した。1972年１月19日、オリバーはミネルバ共和国の独立を宣言した。

　１カ月も経たないうちに、近隣諸国が一堂に会し、この新島の領有権を正当に主張できるのは、ミネルバ・リーフから約400キロと、最も近くにあるトンガだけだということで合意した。1972年６月19日までには、トンガの遠征隊がオリバーの部下たちをことごとく追い出し、ミネルバに自国

の旗を立て、国歌を1回通しで歌い、任務を達成したため帰国した。その後放置され、修復されなかったため、埋め立てに使った土砂は海に流れ落ち、ミネルバ・リーフは再び海に沈んだ。

そんなわけで、土地を作るというのも実施可能なプランではなかった——ただし、あなたがボートが得意だったなら、第1章で述べた水上都市という代替案を参照するのを忘れずに。

こっそりと土地を奪う

人工衛星をはじめとするグローバル監視体制がほぼ世界中に行き渡っているため、これはもはやほとんどの場合実行不可能である。他国に潜伏して、発見されずにいられると期待することはできない。なお悪いことに、時効に基づく主張が認められるのは、たいてい国家間の交渉の場合であり、個人の主張は、時効に基づくものでさえ、国家（あるいは国際法廷）が認めることは、まったくあり得ないだろう。

近代以降にこれが成功する寸前まで行ったのが、アルフォンス・ル・ガステロワのケースだろう。1961年、連続婦女暴行犯の汚名を着せられ、怒れる隣人たちに自宅を焼き払われた彼は生まれ育ったジャージー島を去り、ほど近いエクレオ諸島の無人の小島で暮らし始めた。その島で10年間1人で暮らしたあと、西暦911年に制定されたノルマン法に基づき、この島は彼が所有する独立した領土であると認めるようエリザベス2世に正式に願い出た。女王はこれを拒否した（真の婦女暴行犯は1971年に逮捕され、ル・ガステロワは1975年にジャージー島に帰り、2012年に亡くなるまでそこで暮らした）。

武力によって土地を奪う

先にも述べたように、この方法はもはや国際社会によって認められておらず、実行しても、はるかに権威のある大国があなたの動きに応じて攻撃を仕掛けてくるだけだ。実際の武力を持つ必要を回避して、土地を購入し、独立を宣言し、あとはひたすら本国が攻撃してこないよう祈るという方法

を試みた者たちはいる。だが残念ながら、歴史を振り返れば、武力衝突を避けたとしても、あなたの行動を真剣に受け止める人はわずかだろう――しかも、そうしてくれる人のなかに権力者は皆無だろう。

その一例が1970年に建国されたハット・リバー公国だ。オーストラリアの農業従事者レオナード・ケースリーが、政府に割り当てられた小麦販売量を守るとすると、自分の農地の全収穫量を販売することができなくなることに憤慨し、自分が所有する75.9平方キロメートルの農地はオーストラリアから分離独立したと宣言し、自らハット・リバー公レオナード1世と名乗ったのだ。やがて、この公国はちょっとした観光地となり、ついには独自の通貨と切手を発行するようになったが、国際的に認知されたり正当性を認められることはついぞなかった。息子のグレーム――父親が亡くなる直前に退位したあと公国を受け継いだ――の代になった2020年、COVID-19の世界的流行で観光客が途絶えると、彼は2年という短い治世ののちにこの公国を解散し、そのときすでに負っていた200万ドルを超える滞納税に充てるために、オーストラリアに売却した。

もう1つの例がシーランド公国だ。1967年、海賊放送の運営者パディ・ロイ・ベーツが、第二次世界大戦中に、当時は公海だったところにイギリスが設置し、その後放置されていた高射砲用海上要塞に定住し始めたときに建国された（最新の法律ではシーランドは間違いなくイギリスの領海内にある）。ハット・リバーと同様、シーランドも切手と硬貨を販売しており、さらにタックスヘイブンとしても売り込んでいるが、国際的に承認される見込みはハット・リバー以下である。というのも、国連の海洋法条約は、人工島は現実の島嶼としての地位を持っておらず、したがって領海権を行使することはできないと明記しているからだ。だが、実際シーランドは、他の大方のケースよりはるかにうまくやっている。1968年、工学系の教授ジョルジオ・ローザが、イタリアの海岸からわずか11キロしか離れていないアドリア海の浅水域に400平方メートルの塔を建設し、ローザ共和国と名付けて独立を宣言したところ、イタリア軍がすぐに奪取し、爆破した。

懐柔によって土地を獲得する

　この選択肢はリスクが大きい。なぜなら、革命は起こったとしても、あなたの期待するように展開するとは限らないからだ。マクシミリアン・ロベスピエールの例を考えてみよう。彼はフランス革命期の恐怖政治の最中の1792年、元フランス国王はギロチンにかけられるべきだと巧みに論じたのち、政権を握った。権力を手にしたロベスピエールは、新憲法（1793年憲法。施行されはしなかった）の制定と、新国家宗教（「最高存在」の崇拝。広まることはなかった）の樹立を支援し、1万6000人を超えるフランス市民をギロチンに送ったのち、自らもギロチン台の露と消えた。

　だが、「リスクが大きい」からと言って、「不可能」なわけではない。おかげで、懐柔は、新国家樹立のために土地を入手する手段として最も有望だ。しかし、残念なことに、よく考えてみると、この手段も破綻し始める。あなたが扇動して革命を起こし、勝利した結果、既存の国家全体を乗っ取った、あるいは、その革命支持者が多い地域を奪って自分自身の国としたとしよう。やったね！

　……で、次はどうする？

　民主国家を作るなら、あなたは単なる１人の政治家となり、あなた自身の生命と幸福を守るために他の人々を幸せにしておくことが仕事になる。これが私たちの目指す絶対権力ではないのは明らかだ。君主国を作り、自分を王、女王、あるいは摂政だと宣言することは可能だが、生半可なやり方はやめにして、自らを至高の独裁者と宣言し、自分の気まぐれはすべて法だと断言するところまで上り詰めよう。確かに、独裁政権はいわれのない非難を受けがちだが、それは歴史の偶然に過ぎないかもしれない。そうでしょう？　非常に啓蒙的で、聡明で、叡智に富み、正しく完璧なので、その決定はどれも国と国民のためになるものばかりという独裁者を想像するのは難しくない。そして、ヴィラン的自信のかけらがあれば、この独裁者はあなただと想像することもできるだろう。しょせんこれを否定する証拠などないし、注意深く洞察力のある独裁者が万人にとって最善の選択を

するのを阻むものなどない。そうでしょう？

　残念ながら、独裁者が完璧な支配者になるのを阻止するものは存在する。なお悪いことに、それは王、女王、CEO、首相、大統領、そして民主的に選ばれた市議会議員と、人間がリーダーを務める権力機構でここまでに挙げなかった残るすべてのものを率いる人に影響を及ぼす。ここで私たちをつまずかせるものとは、人間の本性であり、もっと具体的には欲である。「欲」に対処するために、すべての支配者が守らなければならないルールがある。

　あなたはすでに、まったく完璧な決定を行なう完璧な人間だとしよう――あなたはすでに本書を読むことに決めたのだから、この仮定は正しいはずだ。だが、たとえそうだとしても、あなたは真空中に存在しているわけではなく、あなたが頼りにしている支持者たちがいるだろう。それは民主社会では、あなたへの投票と支持をしてもらわなければ困る国民（とあなたの政党）であり、独裁制においては、彼らが黙って認めてくれていることであなたが権力の座にあり続けられる、もっと少数の人々だ――具体的には、軍の指導者、あなたの宮廷の人々、あなたの警備担当者、賄賂で動く裁判官などである。自分の権力を守るために誰であろうと他人に頼っているなら、その人たちがあなたのライバルに寝返るのを防ぐには、その人たちの機嫌を取らなければならない。

　偶然のことながら、あなたは本書の、すべての政府は贈収賄の一形態であると論じる箇所に辿り着きましたね。ようこそ。歓迎します。

　あなたの支持者たちは人間であり、人間には欲があるので、欲しいものを与え続ければ、彼らの機嫌を取り続けることができる。少数の支持者（独裁制の場合のように）になら、富、影響力、安全の保障、そしてあなたの権力のごく一部――他の誰も手に入れることのできないもの――を提供することができる。民主制の場合の問題は、独裁制において提供できる利益を、多少なりとも価値あるものにとどめた上で分割してばらまくべき有権者があまりに多いことだ。そのため、この方式の代わりとして、公共の利益を提供するのだ。道路、公園、医療、減税などの、有権者の生活を

楽にするものである。これらのすべての場合において、あなたは彼らに御
利益を与える。だが、スーパーヴィランでも持てる資源は限られているの
で、どんな「御利益」を提供しようが、その分はコストになり、あなたが
真に目指しているものを追求する能力が低下するのは避けられない。

「なるほどね。でも、私は賢いスーパーヴィランなんで、自分の支持者だ
けに御利益を約束することにするよ。そして、権力を手にしたなら、彼ら
なんか無視して自分の啓蒙的な独裁的目標を遂行することにするよ」と思
われるかもしれない。確かにそれは可能だ……しばらくのあいだは。忘れ
てはいけない。人間には欲があるのだから、あなたが手にしている権力を
我が物にしたいと思い、それを得るために、あなたの支持者たちに彼らが
望むものをもっと与えることをいとわない者たちは常にいるのだ。これは
魅力的な提案だ。なにしろ、あなたに取って代わりたい新参者が勝てば勝
つほど、あなたの支持者たちはより多くの「御利益」を受けるし、負け犬
はあなた1人なのだから。あなたの支持者たちが不満に感じ始めたなら、
クーデターや暗殺（独裁制の場合）、選挙での敗北（民主制の場合）など
のようなことが起こる。

　これらすべてが同じ結論に辿り着く。権力を掌握し続ける唯一の方法は、
一部の人々に、あなたがリーダーを務めているほうが暮らしは良くなるの
だと思い込ませることである。これはつまり、あなたにとって彼らの欲が
一番大切で、あなたの野心はそれに続く2番目でなければならないという
ことだ。まったく、あなたの欲にしても、彼らの欲の次でなければならな
いのである。これにはがっかりだし、気が滅入るが、あなたが権力を掌握
し、それを維持し、まったく他人に頼ることなく自分の意志をすべての他
者に強制する*ことを可能にするドクター・ドゥームの一匹狼用金属鎧型
万能兵器がなければ、あなたは常に他人の助けを借り、常に自分の意志を

---

*　ドクター・ドゥームの鎧に期待を寄せる前に知っておいてほしいのは、彼の鎧には魔法がか
けられており、それによってパワーを与えられているので、残念ながら本書の範囲を超えてい
るということだ。だが、じつに残念だ。その鎧は飛行をも可能にし、ガントレットからはエネ
ルギーも噴射できるし、マントも付いているのに。

他人の要求の二の次にしなければならず、しかも、自分がやりたいことは、それが何であれ、決して本当にやることはできないというのが真実なのだ。絶対的な独裁者というものなど、実際には存在しない――少なくとも、長続きはしない。

権力は完璧な人間さえも腐敗させると議論する
極めて気が滅入る段落が続いたあとの、まったく無関係なギャグマンガ

　こうして私たちは、絶対的な支配という幻想をあきらめるほかなくなる。私たちは社会のなかで暮らしているというのは間違いないし、周囲のみんなの暮らしを長い間悪化させてしまう支配者を、社会は許さないので、支配者としてのあなたの最初の仕事は、少なくとも十分な数の他者を常に幸福にし、支配者の地位を維持できるようにすることだ。こんな制約があっても、権力はなお魅力的で、人々はそれを渇望するということに慰めを見出してほしい。

　しかし、絶対的な支配がダメで、新しい国家のために土地を獲得する方法がどれも成功の見込みが薄いのなら、現実の世界で統治権を望んでいるスーパーヴィランに残った選択肢は何なのだ？　自分自身の国を持つことで得られる支配の味だけでも実際に体験する方法が、まだ残っているのだろうか？　ありがたいことに、間違いなくそんな方法はある。そして、それをどうやって利用するかを知るには、エジプトとスーダンの国境に注目

するだけでいい。そこには、ビル・タウィールと呼ばれる楔状の土地があるが、これは地球上に残されたわずかな無主地——誰にも領有されていない土地——の1つだ。

ビル・タウィール

「でも、ほんの何段落か前のところで、『まだ発見されたことのない土地などない』と言っていたでしょう?」と、あなたはおっしゃるが、それは正しい。地球上のすべての土地はすでに発見されている……だが、だからと言って、すべての土地が誰かに所有されているわけではない。ここまでの数ページで、この点に関してあなたを誤解させたかもしれないことは謝ります。しかし、説明文のちょっとしたヴィラン的文法違反は、記憶に残る華麗な文章を生み出すためなら正当化できるはずだ。

ほらね、ここにちゃんとそう書いてあるでしょう。

　ビル・タウィールが生まれたのは、1899年にイギリス軍——そのころエ
ジプトを占領しており、その後隣接するスーダンも手に入れた——が、こ
の2国のあいだに国境線を引いたときのことだ。その国境はおおよそ次の
ようなものだった。

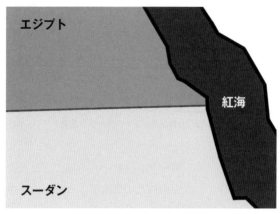

これがエジプト・スーダン国境？

　ところが、1902年になるとイギリスは、この土地が住民たちにどのよう
に使われているかをより正しく反映させるため、新たに行政区分を決める
境界線——国境と似ているが、少し違う線——を引いた。その境界線は次
のようなものだった。

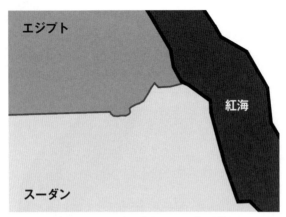

それともこっちがエジプト・スーダン国境？

　この境界線は、エジプト、スーダンそれぞれの側に、より文化的に近い
人々を入れる際の境目として引かれたのである。ともかく、その結果大き
な混乱をもたらしたあげく、イギリスはこの地域から撤退せざるを得なく
なり、1956年には（少なくとも名目上は）１つの政治的実体だったものが、
スーダンがエジプトから独立を確保したことによって２つに割れてしまっ
た。まあ、当然だが、エジプトとスーダンはそれぞれ、イギリスが引いた
境界線のうち、自分たちに都合のいいほうを採用した。どちらの国も、自
国にハラーイブ・トライアングル——広大で資源が豊富な2万580平方キロ
メートルの土地で、紅海沿岸の港もある——が属するほうの境界線を主張
したのである。そして、海も川もなく、耕作地もない、陸地に囲まれた
2060平方キロメートルの魅力のない土地であるビル・タウィールは、相手
の国のものだと言い張った。

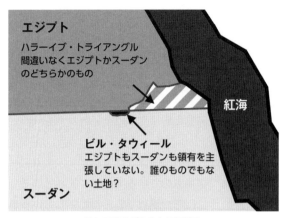

そしてこれがあなたの国境？

　この論争では、どちらの国も、ハラーイブ・トライアングルに対する領有権の主張を強化するため、ビル・タウィールの領有を拒否しているので、「おい、この土地がどの国にも領有されていないなら、その領有権を私が公式に主張してやるぞ」と考えた人が、これまでに数人いる。このような主張により樹立された国には、ビル・タウィール王国（公式サイト：https://kingdomofbirtawil.blogspot.com、最終更新2010年）、ビル・タウィール・ステート王国（公式サイト：https://birtawilgov.weebly.com、最終更新2015年）、ビル・タウィール帝国（フェイスブックにあった公式サイトは削除されている）、イエロー・マウンテン王国（ツイッターにあった公式サイトは削除されている）などがある。とはいえ、これを聞いたからといって、喜び勇んで無料のホスティング・サービスで自分の政府のページを開設する前に、この種の主張は基本的に妄想であり、以下のような現実を見過ごしていることを認識してほしい。

1．自分は今ビル・タウィールを所有していますよとインターネットに投稿する、とりわけ、別の大陸にいるくせにそうするよりも、実際の国造りははるかに大変である。

2．エジプトは、ビル・タウィールの領有を主張しておらず、公式の地図にも載せていないが、それでもその土地を管理しており、それは1990年代前半から変わっていない。

3．エジプトとスーダンの両方が、ビル・タウィールは相手国に帰属すると主張しているからといって、第三者が気軽に参入してきてその領有を主張し、平然と新国家を樹立するのを認めるつもりなどどちらの国にもない。

4．最も重要なのは、これらの主張はどれも、ビル・タウィールを遊牧して回り、その土地で採掘もしているアバブダ族とビシャリン族をはじめとする人々が、すでにその周辺で暮らしているという事実を無視していることだ。公式な領有権の主張はされていないものの、この土地は使われていないわけでも、管理されていないわけでもない。

　ビル・タウィールの領有権を主張した個人として最も有名なのは、おそらくアメリカ人のジェレミア・ヒートンだろう。彼は2014年、本物の王女様になりたいという娘の夢を叶えるために自分自身の国を樹立することにした。これまでに見た例とは違い、ヒートンは、少なくともビル・タウィールの規制領域に入るために必要な書類をエジプトの軍当局から入手し、その地に実際に入り、自分の子どもたちがデザインした国旗を立て、「北スーダン王国」の建国を宣言した。もちろん自分が国王で、娘が王女である。ヒートンのフェイスブックは、田舎のお父さんが娘のためにひと頑張りした美談としてメディアで注目され、ついにはウォルト・ディズニー・カンパニーがこの話を元に映画を作ることになり、ヒートンは自分の新国家建設のために25万ドルを集めようと、クラウドファンディングのインディゴーゴーでキャンペーンを始めるに至った。

　ところが、ほどなく、評論家たちによる、ヒートンの行為は帝国主義と植民地主義にそっくりだという指摘をきっかけに、これに対する批判が沸き上がった。つまるところこれは、白人のアメリカ人が、その土地に暮らす人々にはおかまいなしに、アフリカ大陸に気軽に踏み込んで、これから

は自分がその土地を所有するのだと宣言しているという話だった。続いて、ヒートンが《ガーディアン》紙の記者——彼自身、ヒートンに何年も先だつ2010年にビル・タウィールを訪れ、自分の旗をそこに立てていた——に、北スーダン王国は大企業に対し、税金も、規制も、民主主義も——なにしろそこは絶対君主制なのだから——ない場所を提供するつもりだと話すと、事態はますます混乱した。ディズニー映画はまだ実現しておらず、ヒートンの資金集めはたったの1万638ドルが集まったところで打ち切りになり、約束の貴族証明書がまだ届かないという、資金提供者たちからの失望の声が続々とこのキャンペーンに届いている。北スーダン王国のウェブページはまだ存在しており、「アフリカ大陸でこれまでに建設された最大のサーバー・ファーム」を作るという目標を掲げている。また、ニープコインという、この国の公式仮想通貨を推進しているが、これはすでに破綻している。ヒートンのものであれ、ほかの誰のものであれ、ビル・タウィールを領有しているという主張が国際的に承認されたことはこれまでにない。

　しかし、これはビル・タウィールという、昔からその地域で暮らしてきた人々と複雑な歴史を持つ土地の話である。あなたはヒートンらの過ちを繰り返すことなく、本当に誰も住んでおらず、過去の因縁もない場所を地球上に見つけ出せばいいのだ。合法的に領有権を主張されたことのない世界最大の土地に行けばいいのだ。

　南極に行くのである。

あなたの計画

　世界の南の果てにある、この凍った荒野のメリットとデメリットを詳しく見てみよう。

デメリット：
・文字通り、世界の南の果ての凍った荒野。
・凍てついている（最初のポイント参照）。

・耕作に適した土地がない（最初のポイント参照）。
・世界の南の果てにあるので、行きにくい（最初のポイント参照）。
・キャプテン・クックはこの章の冒頭の言葉で、この地をこきおろした。

では、メリットを見てみよう：
・世界の氷の90パーセントと、真水の70パーセントがここにある。
・まだ知られておらず、利用されていない鉱物資源が豊富（次ページのコラム参照）。
・気候が温暖化している（第4章参照）ために時が経つにつれてますます人間が住みやすくなってきている。
・たとえそうだとしても、困難な環境であることには変わりなく、当面人口は少ないと予想され、それだけの人口に対する支配権を維持するのは容易だと考えられる。
・遠方の大陸であるため、どこかの国の報道機関や、しつこい記者がうろつくことはないだろう。
・南極は、24時間報道するニュースメディアも、大学も、軍事基地もなく、裁判官も、弁護士も、そして警察官もいない、唯一の大陸である。
・さらに、氷をテーマにしているヴィランには理想的な場所である。

南極の鉱物資源がまだ知られていないなら、そこにそんな資源があるとなぜわかるのか？

　鉱物がそこにあると教えてくれるものが２つある。推論と前例だ。1974年、米国地質調査所は、紀元前１億8000万年ごろに南極がゴンドワナ超大陸から分離した破断部にあたる場所を調査し、オーストラリア、アフリカ、南米各大陸が当時南極と隣接していたはずのそのような場所に存在している鉱物資源が、南極でも見つかるはずだと結論した。さらに彼らは、「他のどの大陸にも鉱床は存在しているので、南極には大量の鉱物が蓄積しているはずだ」と推論し、「重大な問題は、これらの鉱床が発見でき、経済的に利用できるかどうかである」と続けた。

　これまでに南極では、金、銀、鉄、チタン、石炭の鉱床と、ダイヤモンドが存在する証拠が見つかったほか、世界の未発見の石油と天然ガスの４分の１近い量が存在する可能性があることが明らかになっている。じつに興味深い。1991年に開発が禁止される以前は、ソビエト連邦、ドイツ、アルゼンチン、そしてチリが、鉱物資源調査プロジェクトを推進しており、アメリカは２件のウラン調査プロジェクトを予定していた。ますます面白い。

　そしてご存じのとおり、20世紀初頭になると他の国々も恒久的な基地を南極大陸に設置してしまい、これを既成事実として南極の領有権を一層声高に主張して競い合った。だが1959年、長年にわたる論争と小競り合いの末──そして、重なり合う境界線を巡る決定的な対立が間近に迫っている

という危機感から——、当時南極に関わっていた12カ国[*]が一堂に会し、次のような合意に至った。全面戦争を回避するためには、決定的な行動が不可欠だ、と。そのような次第で、数カ月に及ぶ高官レベルの交渉や外交努力の結果、関係国は大胆な新しい合意に漕ぎつけた……それは、「南極の独立権」という名の厄介な問題の解決を先延ばしにして、誰かほかの馬鹿が取り組んでくれるだろうと期待するものだった。

　公平のために言うと、1959年に採択された南極条約は確かに、南極大陸は「平和的な目的だけのために使用されなければならない」と定めており、軍事基地および南極大陸を拠点とする核実験を禁じ、「南極大陸の科学的調査における国際協調を推進する」——しかし、「これまでに主張された南極大陸における領有権」を放棄するものは本条約に一切含まれていないとも明言している。この条約が有効なあいだに取られた行動はどれも、既存の、あるいは将来の領有権主張に対し、一切の影響を持たず、新たな主張をすることも一切できず、既存の主張を拡張することも一切できない。言い換えれば、この条約は南極大陸を1959年12月1日の状態に完全に凍結するのである。重なり合う境界線も、競合する主張も、すべてそのままに……ただ差し当たってはこれについて憂慮することはしない[**]という、輝かしい新たな国際合意ができたというだけである。じつのところこれは、冷戦期初の軍縮条約であり、快挙であったと広く認められている。しかし、この条約のおかげで、南極は次の図のような状況に置かれたままとなっている。

---

[*]　50音順に、アメリカ、アルゼンチン、イギリス、オーストラリア、ソ連（ソ連崩壊後、南極におけるその権益と義務はロシアに引き継がれた）、チリ、日本、ニュージーランド、ノルウェー、フランス、ベルギー、南アフリカ。
[**]　アメリカとロシアは南極の土地の領有権を公式に主張したことは一度もないが、両国は、そのような主張を今後行なう権利を保有している。平和のためを思ってお知らせしておくと、両国は、過去に南極の土地領有権を主張した事実があると国際社会に明言している。両国が領有権を主張したのは間違いない。だが、その主張がどのような性質のものか、正確なところは昔から大きな疑問である。

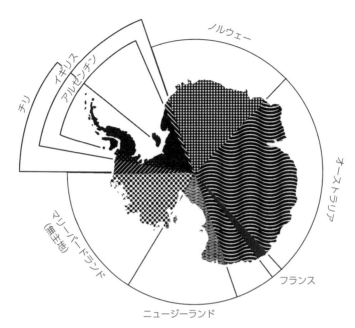

各国の南極大陸での領有権主張の様子。オーストラリアは、南極に近い大陸の大部分をすでに領有しているにもかかわらず、さらに南極の40パーセント近くの領有権を主張している。図示した7カ国すべてが、少なくとも南極のごく一部を領有する権利を保有している。特に注目すべきは、南極大陸の約15パーセントに当たる巨大な模型の無主地があることだ！　これについては、このあとすぐに論じる。

　マリーバードランドが、あなたが狙う土地だ。第1章に初登場した、あの一片の無主地である。今では50カ国以上が批准している南極条約のおかげで、この土地は無期限に無主地のままでいられることになっている。その上、この土地をあなたが狙うことは、南極条約にも沿っている。というのも、あなたもこの土地の領有権を主張しないのだから。あなたは、そこに科学研究を目的とする基地を1つ設置——国際法上認められている——し、その後、実質的に、この無主地の一部の上に小さな国家が存在している形になるまで、基地を拡張し続けるだけだ。忘れないでいただきたい、あなたとその手下たちは、単なる南極研究者で、ほかのみんなと同じ国際

条約に従っているだけであり、無主地の領有権を主張して誰か他の人から奪おうというのではないのだ。*

　ということで、あなたはすぐに自分の国に必要なインフラを自分1人で建設し始めてもいいのだが、この時点でもう1つ別の国の支援を取り付けることをお勧めする。南極に足がかりを作りたいと考えている多くの既存の国の1つに接触し、彼らの国旗の下にあなたの科学的研究のための基地を設置しましょうと提案するのだ。彼らは無料で科学基地を獲得でき、南極に領有権を持っている他の国々と交渉の席に着く資格も得られる。この資格は、条約により、確固たる科学研究国としての存在感を南極で持っている国だけに与えられる。あなたのほうは、自分の国をこっそりと始めることができるし、既存の国の一部であることによって得られる信頼性と、その国の境界線の内側で、可能な限りの、ほぼ完全に近い自治権も獲得できる。地球上の他のすべての国の本土から極めて遠いところにいるおかげで、あなたに対して法を執行するのは極めて困難だという事実があるのだから、この譲歩を引き出すのはそれほど難しくないだろう（南極にはそれ自体の合法的な政府が存在しないので、そこにいる人々には、本国の法律が適用されるが、それは――もちろん――その国が南極にいる者にまで法律を執行しようという意志を持ち、そうすることが可能な場合の話である）。

南極ではどこに行けば食料があるのだろう？

　南極では、温室の外で育つ植物は何もないし、野生生物の狩猟や捕獲は禁じられているので、支援国に年1回あなたに食料を届

＊　マリーバードランドに基地を持っているのはあなただけ、とはならない。アメリカとロシアがそれぞれ運営する基地がある。だが、彼らとは距離を保つようにして、実現間近のあなたの国のために、たっぷり土地を残しておこう。領有権が主張されていないこの領域は、100万平方キロメートルの広さがあるのだ！　どの国にとっても、土地はたっぷりある！

けてもらうよう頼むのがいい。それが無理なら（そして、第1章で論じた自律性のある空中浮揚原子力ジオデシック・ドームがなくて、それを当てにできないなら）、自分で金を払って食料を運んでもらわなければならないだろうが、心配はない。食料は長持ちするのだから！

マクマード基地――南極最大の観測基地――の食料は年に1回船で運び込まれ、必要になるまで冷凍して保存される。食品のパッケージに表示されている消費期限はいつも無視されているが、その理由は2つある。低温のため食品は長持ちするし、また、そうするより仕方ないからである。

何を持ってくるかについて。マクマード基地に5年勤務し、最終的にはアメリカの3つの南極観測基地すべての倉庫管理者となったローラ・オムダールは、2020年に《ネイチャー》誌に次のように語った。「ドリトスが、南極で一番人気のおやつでした。ドリトスはみんな大好きです。それで私は、個数制限をかけなければなりませんでした。1ケース欲しいという人がいると、『申し訳ないけど、1日に2、3袋しか渡せないんです』と言うわけです」。すでに南極にいる人を自分の観測基地に引き抜こうとするなら、物資供給船には、誰もが好きなだけ食べられるだけのドリトスを必ず載せるようにするのがいいだろう。

最後に言っておきたいのだが、食料の予算をやりくりする際には、南極で戸外で活動する人たちは、体温を維持して体が冷えないようにするために、より多くのカロリーを消費することを忘れずに。そんなわけで、1日あたりの摂取カロリーは、通常の2000キロカロリーではなく、3200から5000キロカロリーを目指そう。そうすれば、キャンプする人も、市民も、あなたの部下も喜ぶだろう。

　この時点で、あなたはすでに南極に観測基地を設置するために多大な時間と資金を投資しているはずだ。少なくとも5年と1億5000万ドルがかかると心づもりしておいてほしい。というのも、2003年にアムンゼン‐スコット南極基地が完成するまでにこれだけかかったからだ。観測基地にはそれ自体の用途があるとはいえ、それは実際に国と呼べるようなものではないし、そんな主張がこれまでにされたこともない。だが、心配することはない。それは、あなたの計画がうまく進んでいるということなのだから。最終的に自分の国となる公共の観測施設に必要なものすべてを建設していると同時に、あなたはまさに時間稼ぎもしているのである。

　ここで言う時間とは、南極を巡るもう1つの協定、「環境保護に関する南極条約議定書」、別称「マドリッド・プロトコル」によるものだ。マドリッド・プロトコルは、科学研究の場合を除き、南極大陸におけるすべての採掘活動を禁じており、（南極条約を最初に締結した12カ国のすべてを含む）34カ国がこれまでに批准している。しかし、この議定書のなかには時限爆弾が仕込まれており、それがカチカチと動いている。調印からわずか50年後の2048年になると、見直しを許す条項が含まれているのだ。そうなったとき、マドリッド・プロトコルは更新されずに停止してしまう可能性も十分にある。

　気候変動によって地球上のいくつかの地域では生存可能性が低下する（気温が上昇すると、現在の居住地域は、2050年までに次々と居住不可能となるだろう）一方、南極大陸では居住可能性が総じて上昇するだろう。南極は温度が上昇すると、人間にとって少し心地よい環境となるし、氷が融けると、それまで氷の下に隠れていた資源が豊富な陸地に手が届きやすくなるだろう。その結果、各国はすぐに、南極を巡って高潔に振る舞うのをやめるに違いない。とりわけ、南極での採掘はすべて、コスト効率も収益性も上昇するのだから。資源の採取が始まったなら、主権はもはや先送りできない重要な問題になるだろう。誰の土地で地面を掘っているのか、あなたは知らなければならないし――それに、誰もが最善の鉱物が埋まっている土地こそ自分のものだと保証されたくなるだろうからだ。こういう

展開になると、結局、1959年に凍結された南極の土地問題が今後30年間に急速に再燃し始める恐れがある。だが、本当にそうなったときに、すべてが計画通りに運んだとしたら、あなたは自分の土地を十分長期間占有してきたのだから、あなた自身と、あなたが支援してもらっている国との両方が、領有権を獲得する可能性が出てくる。時効によってか、あるいは、この国際的危機が起こるなかで南極の領有権を主張する他のすべての国と共に交渉のテーブルに着く資格を得ることによってか、はたまた他の形の外交交渉によってか、それとも、それらがすべて失敗した場合には、占領もしくは武力によって。

　もしも南極の無主地が2048年に、あるいはそれ以降に崩壊し、あなたの支援国が、あなたの土地を現状どおり領有する権利を確保したなら、おめでとうございます。あなたは今やご自分のマイクロ国家の責任者であり、その独立の確保まであと一歩のところまで来たことになる。この最後の一歩とは、タイミングのいいところで、あなたの支援国に対して独立を交渉することだ。あなたが土地を譲渡され、長年求めていた領有権をついに獲得できるように。こういった交渉は、近年の歴史において、何十回も成功しており――大英帝国の崩壊は、その顕著な一例だ――、そしてそれはしばしば長い手順を要するが、武力紛争なしに成功している。さらに、真の国になるために、完全な独立が絶対に必要というわけでもないのである。カナダは、1982年以来、独自の政治体制と法体制を持つ、自らの完全な主

---

* 　国連の国際農業開発基金の首席補佐官で、世界貿易機関の副首席補佐官だったドーア・アブデル・モタール博士は、この政治的シナリオを具体的に探る、『南極――第七の大陸を巡る闘い（*Antarctica: The Battle for the Seventh Continent*）』（未邦訳）という非常に詳細な本を書いた。南極に新しい国が建設される可能性については博士は触れていないが、この本を本書のこのセクションの基盤として使わせてもらった。博士の本には、このヴィラン的計画で利用できる、有益な社会政治的詳細が満載で、しかもその本はベストセラーになったことがなく、おかげで、このような悪どい工作をしようとする人はごくわずかだろう。あなたと私が、この話を私たちだけのささやかな秘密にしておくことに合意すればいいだけだ。

** 　南極での武力衝突で、あなたの勝算がまったくないわけではない可能性がある。現在南極大陸には、いついかなるときも、数千人しか人間はいない。だいたい、夏場は4000人ぐらい、冬場は1000人ぐらいだ。増援部隊がやってこない――あるいは、南極にとどまらない――ようにすれば、人間の数を増やさずに済む！

権者として機能しているが、英国女王を（多分に象徴的な）君主としており、イギリスとの密接な政治的・財政的な結びつきを維持している。イギリスはその帝国の幻想と、王室への海外からの妙な人気を保つことができ、カナダは自治権と憲法と独立を確保し、誰も死なずに済んでいる。

カナダの現在の国家元首。この人が自分の権力を実際に行使しようとしたら、たちまち憲法の危機を招くだろう〔エリザベス2世は本書執筆後の2022年に死去し、現在はその後継者のチャールズ3世がカナダの君主〕。

　これが、現状の地球において、新しい国を作って支配するための最善の方法だ。保証されているわけではないし、成功のチャンスを得るためだけでも何十年も努力が必要だろうが、そこには少なくとも、あなたが南極に自分の国を作って支配するという結果がちゃんと得られる可能性がある。

＊　私の考えでは。これに対立する考え方の1つが、アーウィン・S・ストラウスによる、率直に言って狂気に走った1984年の本『あなた自身の国を作るには──来るべき国民国家の崩壊でいかに得をするか（*How to Start Your Own Country: How You Can Profit from the Coming Decline of the Nation State*）』（未邦訳）にある。このなかで彼は、核、生物、化学兵器を敵対する国の市民に対して使用し、自らの統治権を確実にすることを推奨している。ストラウスは、「大量破壊兵器の入手と配備をいかにするかの詳細は本書の範囲を超えている」と残念そうに述べ、こう添えている。「これらは、拙著『ベースメント・ヌークス（*Basement Nukes*）』（未邦訳）にある」。

先に触れた支配者のためのルールについては、こうだ。確かにあなたは、先に論じたように、南極にいるあなたの支援者たちのご機嫌を取らなければならない。しかし、あなたの領土に住む人々の人数は、しばらくのあいだごく少ないと予想されるので、それは<ruby>あなたは良いチームを運営しなけ<rt>・・・・・・・・・・・・・・・・・・・</rt></ruby>ればならないということにほかならない。そして、もしもあなたがこれをやりたくないのなら、権力構造のなかに、合法的で邪悪な（しかも楽しい方法ではない）抜け穴がひとつある。あなたの下にいる人々が、物理的にあなたを打倒できないなら、たとえ彼らが猛烈に不幸であっても、あなたは権力の座にあり続けることができるだろう。南極大陸は、盤石の態勢を整えて地位についているリーダーが、食料、情報、そして武器を利用する権利を自分だけがコントロールでき、不幸な人々にそれ以外の道を残さないように確実にできる、数少ない地球上の場所の1つなのだ。彼らが南極の過酷な荒野で1人でやっていかねばならなくなるリスクがあっても思い切ってあなたに背こうとしない限りは。

マイナス面

　ビル・タウィールの場合と同じように、マリーバードランドにも、そこに実際の拠点を作って存在感を確立することなしに領有権を主張した者たちがいる。一例が西アークティカ保護領（現在の西アークティカ大公国）だ。この国のウェブサイトに行くと、非居住市民になることができる——この国の市民はすべて非居住者だ——オンラインの選択問題（たとえば、「西アークティカが領有権を主張している土地はどこにありますか？」という質問の答えを、「南アメリカ」、「アフリカ」、「北極」、「南極」の選択肢から選ぶ）＊数問に回答すればいいのである。しかし、あなたの領有権主張は、彼らの主張に勝つだろう。なぜなら、彼らとは違い、<ruby>あなた<rt>・・・</rt></ruby>

＊　西アークティカ保護領の支配者トラビス大公は、自伝と西アークティカ史を記した著書の第6版で、称号を王ではなく大公とした理由を、「自分は南極大陸の王だと名乗りながら活動していると、ばかみたいに見えるし、誰もがそう思うから」としている。

は実際にそこに住むのだから。

　南極に住むことについて常に指摘される問題点と注意事項も、そっくりそのまま当てはまる。寒い、孤独である、冬場は一晩が6カ月続く、長期間孤立していると人間は変になる（第1章参照）、そして、食料のために外部との取引に頼らねばならないので、完全に自由になることは決してない、といった問題がある。だが、これらの問題点は強みにもなりうる。南極は未開の地だ。南極大陸とはどんなところかをちょっと味わいたいと望んでいる観光客たちが、すでに大勢いる。そのチャンスもあると知れば、なかには、現代生活の平凡さと、食料に不安がないことの退屈さを、もう少し長期的に逃れたいと思う人も出てくるかもしれない。

あなたが逮捕された場合に生じうる影響

　いいですか、これは他国から独立を勝ち取るための長期的な計画なので、たいていの国は、起こっていることに疑惑を感じたなら即座に、それに敵意を抱くはずだ。独立は、土地の領有権と同様にゼロサムである。つまり、あなたが勝ち取るには、他の誰かが失わなければならない。この問題にはすでに、西アークティカのトラビス・マクヘンリーが直面している。2015年、彼がロシアの南極観測隊から、彼らが廃止したルッスカヤ観測所を西アークティカの基地として使用する許可を取り付けたときのことだ（西アークティカの人々が南極を実際に訪れ、そこで生き抜こうとする姿を記録するシリーズもののリアリティーテレビ番組の提案があり、マクヘンリーはその一環としてこの基地を使おうとした）。この計画のうわさをアメリカが知ると、南極に関する国務省の上級顧問がマクヘンリーに接触し、「適用要件に従わなければ、民事上の罰則または、場合によっては刑事罰に当たる可能性がある」と告げた。のちにマクヘンリーは、「米国極域計画局の許可なしに南極に行ったなら、私はアメリカに帰国した瞬間に逮捕されてしまうよ」と述べた。

　国に敵意を抱かれるのに加えて、国際的な緊張も生じる。1959年の南極

条約締結にもかかわらず、その後も南極に領有権を主張している他の国々が、彼らの主張を強化するために、自らが領有権を主張する南極の領域内に妊婦を飛行機で運び、そこで出産させて、生まれた子どもは、領土内で生まれたのだから即座に国籍を与えるという屁理屈を通し、さらに、南極での出産の珍しさを売りにしてマスコミの注目を浴びている。アルゼンチンが1978年にこれを行なったのが最初だ。そのときは、妊娠7カ月のシルビア・モレラ・デ・パルマがアルゼンチンの南極観測基地での出産のために飛行機で運ばれ、その2、3カ月後、エミリオ・マルコス・パルマが南極で初めて生まれた人間となった。1984年には、チリがこれに反撃した――アルゼンチンが南極に主張する領土は、チリのそれと重なっている。チリも対抗する南極出産を手配し、ファン・パブロ・カマチョが生まれた。珍しい出産が数件あったというだけでは、国の独立に大した意味はないが、これほど大きな利害が関わっていると、対外的な見た目が重要になってくるので、些細なことでも役に立つ。また、1959年の南極条約の締結以来、国々が力を合わせて、実際の宇宙に国際宇宙ステーションを平和的に建設し運用するようになったのに、この地球の上にある南極では、それに少しでも近いようなことはまだ起こっていないという点は注目に値する。南極観測基地の大半はまだどこか1つの国が所有しており、科学は共有されているものの、基地は共有されていない。2011年、南極にある110の施設のうち、共同基地は2カ所だけで、しかもどちらも2カ国だけで分かち合われている。問題になっているもの――将来の独立――の価値があまりに高すぎるようだ。

　つまり、あなたは自分の計画を秘密にしておくべきだということだ。なにしろ、あなたが新しい国を作ろうとしていることがうわさになったなら――たとえ証拠はなくても――、始まらないうちにゲームが終わってしまうかもしれないのだ。忘れてはならない、あなたは土地と国家の独立を、競合する世界の超大国数カ国から同時に奪おうとしているのであり、あなたが最善の努力をしたとしても、本章に記された30年近くかかる計画が実際にはうまくいかない可能性があるというのが、受け入れがたいかもしれ

ないが、冷酷な真実なのである。そこに保証はまったくないし、それを「ある」と言うつもりはない。

　だが、もう1つ忘れてならないのは、失敗したとしても、敗北のなかに勝利を見出すことはなおも可能だということだ。南極に自分の国を作ってその支配を勝ち取ることはできなかったとしても、退任させられた摂政ですら、「安全な隠れ家」の温暖な孤島に逃れて、そこで自伝を書き、自分の人生の物語を映画にする権利を買わないかとウォルト・ディズニー・カンパニーに交渉を持ちかけながら、余生を亡命者として送ることもできるのだ。

事業計画概要
エグゼクティブ・サマリー

初期投資	期待収益	完了までの予測期間
南極基地建設費としての**1億5000万ドル**に加え、保守・補給のコスト、さらに、2048年にエリート国際交渉者らが行なう未知の策略に対応するためのコスト	金、銀、ダイヤモンド、石油、天然ガス、ウラン、土地、そして自由そのものの市場価値によって決まる**何十億ドル**もの利益	**30年未満**。ぐずぐずしてはいられませんよ。

第2部

世界征服について
語るときに我々の
語ること

恐竜のクローン作成と、それに反対する すべての人への恐ろしいニュース

一枚の絵が千の言葉の値打ちを持つように……生きた一頭の恐竜は、千の事件に匹敵する、腹の底まで響く恐怖を小学生に与える。

――ジャック・ホーナー（2009年）〔ホーナーは「ジュラシック・パーク」の
　　　　　　　　　　　　主人公のモデルであり、制作アドバイザーでもある古生物学者〕

　スーパーヴィランはみんな、カッコよく登場したいと思っている。スーパーヴィランに可能な最善の登場方法は、恐竜の背中に乗って現れることだ。したがって、すべてのスーパーヴィランが、恐竜を作り、手なずけ、その背中に乗りたがっているのは、このことから論理的に明らかである。

　あなたが進む道は明らかだ。恐竜を蘇らせ、恐竜を乗り回すのだ。これには、神のように振る舞えるという御利益もある。それは楽しいし、スーパーヴィランなら誰もが一度はやってみるべき古くからのスーパーヴィラン的娯楽なのだ。

絶好調のスーパーヴィランが登場し、みんなが「どうなってんの？　なんであんなにめっちゃカッコよくて、しかも絶好調になったんだ？」と叫ぶところ。

背　景

　非鳥類型恐竜は数百万年前に絶滅した。それは、「すこぶる運の悪い日」と言って間違いないある日、隕石が地球に衝突した直後のことだった（その経過の簡潔なタイムラインは第4章を参照のこと）。一部の鳥類型恐竜は生き延び、その後進化して、今あなたが周囲で目にする鳥類となった。また、一部の哺乳類も生き延び、やがて進化して、今あなたが周囲で目にする人間となった。「よろしくね！」

　それ以前は、恐竜の極々一部だけが化石となった。そのプロセスは、おおむね次のようなものだ。水が多い環境、または乾燥した環境で死んだ恐竜が、動物の死体を食べる腐食動物たちに食べられてしまう前に、土砂などの堆積物（水が多い環境では）か、吹き付けてきた砂（乾燥した環境では）によって素早く埋まって、地質学的時間が経過するうちに一部が化石

になったのである*。

　というわけで、恐竜が化石になっている現在の話に戻ろう。

小悪党の間抜けなプラン

　恐竜を蘇らせる方法の1つは、クローンを作ることだろう。そのためには、恐竜のDNAが必要だ。DNAとは、生体分子がつながった二重らせんの形をした、動物の遺伝子コードである。『ジュラシック・パーク』では、琥珀に封じ込められた蚊から恐竜のDNAを採取した**。問題は、現実の世界では、DNAはあまりに早く分解してしまい、この琥珀のエピソードが成り立つわけはないということだ（最近の研究による推測では、DNAの半減期は521年だ）。だとすると、理想的な条件の下でも、死んだ恐竜のDNAの半分は、521年で分解し、使い物にならなくなってしまい、その後の521年で、残ったDNAの結合の半分が分解し……と、どんどん半分に減っていくわけだ。これが続けば、すべてのDNAは約680万年後には完全に消滅してしまうし、150万年も経てば、使い物になるデータを抽出できるだけのDNAは残っていないことになる。非鳥類型恐竜は6500万年前に絶滅したことからすると、恐竜のDNAが回収できる見込みはあまりなさそうだ。現実の世界では、それほど古いものから何らかのDNAが回収できたことなど一度もない。琥珀に封じ込められた古代の蚊からにしても――その腹に残った血液からも、蚊そのものの体からも。DNAなんて残っちゃいないのだ。

---

* 私たちは普通、化石とは「骨が石になったもの」だと考えるが、じつは話はそう単純ではない。骨の成分が、徐々に鉱物の成分に置き換わったり、結晶構造が鉱物のものに変化したりすることによって化石になる。ただし、鉱物が骨の物質の一部を強くするのは確かで、恐竜の骨の化石の大半には、恐竜が生きていた当時の骨に含まれていたカルシウム成分の多くが残っている。

** 少なくとも、本と映画ではそうなっている。恐竜が棲む川をフィーチャーしたアトラクション、ジュラシック・パーク・ライドに行ったことは私はまだないが、調べた範囲では、これもほぼ同じ話を前提として作られているようだ。

　しかし、DNAの問題はしばらく脇に置いておいて、この問題のもう１つの側面、動物のクローン作成に注目しよう。この20〜30年のあいだに、多くの動物のクローンが作成されている。羊（1996年に成体の羊の細胞からクローンにより作成されたドリー）から、牛（1997年のジーン）、猫（2001年のCC。名前は「コピーキャット」の略）、馬（2003年のプロメテア）、ショウジョウバエ（2004年に５匹のショウジョウバエがクローン作成されたが、名付けられなかった。ハエさんたち、安らかに眠れ）、そして犬（2005年のスナッピー）に至るまで、多様な種類にわたっている。だが、これだけの成功例があるものの、あなたにとっては良くない知らせがある。これらの動物は「体細胞核移植」という手法で作られたのだが、これには、複製したい動物のDNAのほかに、その実際の細胞が必要なのだ。絶滅した動物で成功させるのが、はるかに難しいのは明らかだ。

　体細胞核移植の一手法では、１つの細胞から、細胞核（DNAが含まれている中心部）を取り出し、別の細胞に挿入し、この細胞のDNAを、別の動物から取ったコピーと取り替えてしまう。絶滅した種のDNAを移植したい場合、損傷を受けていない細胞核を見つけるのが至難の業なのは明らかだ……しかし、これは克服できない障壁ではないだろう。その興味深い例が、カモノハシガエルである。このカエルは、その特異な繁殖方法で注目に値する。メスは、オスによって体外受精した自分の卵を飲み込む。卵は、メスの胃のなかで変態してオタマジャクシになり、数週間後にメスがこれを口から吐き出す。残念なことに、カモノハシガエルが生息していた環境は、人間の活動によって損なわれ、1980年代以降、このカエルが目撃されたことはない。だが、2013年、40年間冷凍されていた、たった１つのカモノハシガエルの標本から抽出された細胞核が、遠い仲間に当たる現在も生息している別種のカエルの卵細胞に移植された。これによって新たな生きた細胞〔初期の胚〕ができ、細胞分裂も起こったものの、オタマジャクシになるまでには至らなかった。

　じつのところ、すでに絶滅した動物で、これまでにクローンが作られたのはたった１種しかない。それは、ピレネーアイベックスという、スペイ

ンの山岳地帯に生息していた野生のヤギだ。2000年1月5日、最後に知られていたセリアという名のメスが倒木にぶつかり死んだことで、この種は絶滅してしまった。だが、これは特別なヤギだった。つまり、セリアが死ぬ前に、この種を守ろうと、その細胞が一部採取され保存されていたのだ。そのため、やがてクローン技術によって胚が作成され、代理母に移植された（代理母は、ほかのアイベックスとヤギを交配した近縁種だった。哺乳類の懐胎期間をシミュレーションした人工子宮の開発が科学者たちによって進められているが、実用化はまだまだ先のことである）。ついに代理母の1頭が流産することなく妊娠期間をまっとうし、2003年7月30日、帝王切開によって新たなピレネーアイベックスが1頭誕生したのだった。歴史上初めて、人類は絶滅した種を復活させたのである。

その命は、8分ももたなかった。

科学者たちがせいいっぱいの努力をしたにもかかわらず、新たに生まれたアイベックスは、誕生の直後に死んでしまった。死後の解剖で、この個体には肺が2つではなく3つあったことがわかった。第3の肺は、肝臓の一部のように硬く、アイベックスの胸の内部の空間を独占していた。つまり、残る2つの肺に空気が満ちることはなかったのだ。この個体が生き続ける可能性はまったくなかった。その後、ピレネーアイベックスを復活させようとするスペインの科学者たちは資金が枯渇してしまい、新たな試みはまったく行なわれていない。しかし、セリアの細胞は今も冷凍保存されている。じつのところ、現時点でさまざまな種の動物の細胞が世界各地で保存されており、「冷凍動物園」の様相を呈しているのだ。なかには、その後絶滅してしまった種から収集された、遺伝物質を含む試料もある。それらはすべて、私たちが彼らを復活させるための技術と意志の両方を持つようになる日を待っている（絶滅の危機にあるがまだ絶滅していない種のなかには、縮小してしまった個体群の遺伝的多様性を高めるためにクローンが作成されているものもある。クロアシイタチがその一例で、1980年代中ごろに冷凍保存された細胞を元に2021年にクローンが作成された）。

いずれにせよ、絶滅した動物を生き返らせるこの手法は、いつの日かピ

レネーアイベックスにはいい知らせになるかもしれないが、それでもあなたには何の役にも立たないだろう！　あなたには、生きた恐竜細胞がまったくないわけで、それなしに——つまり、DNAと夢だけで——絶滅した動物のクローンを作った者は地球上には誰もいない。

　これまでのところは。

　じつのところ、この問題に取り組んでいる科学者は何人かいるのだが、彼らは恐竜を蘇らせようとしているのではなく、もっと最近絶滅した動物に注目しているのである。リョコウバト（絶滅日は1914年9月1日。各地の博物館に散らばった、詰め物をされて保存されている試料の爪の内側の組織からDNAが抽出できる可能性がまだある）や、ケナガマンモス（絶滅したのは紀元前2000年ごろ。長期間冷凍されていた死体がときどきシベリアで発見されている）などの動物だ。この2つの取り組みはどちらも、DNAの断片を回復させ、それを近い別の種のものと比較し、その断片がどこに当てはまるのか、その動物はどんな行動をしたのか、そして、どの部分がこの種をユニークなものにしているのかを突き止めようとがんばるという、一連の作業が要となっている。それは、こういう考え方だ。マンモスの遺伝子のなかで、現在の象が持っていないものを特定できれば、そしてさらに、どの遺伝子がマンモスの毛を分厚い長毛にしたのか、耐寒性を与えたのか、尾を長くしたのか、耳を小さくしたのか、あるいは、夏に毛が生え変わるようにしたのかを特定できれば、その後あなたは、現存する近い種のDNAを組み換えて絶滅した種のそれと同じにすればいいだけだ。そうすれば、はい、このとおり！　あなたは遺伝子操作により、自分でマンモスを蘇らせたことになるのだ。この、「その後あなたは～すればいいだけだ」には、たくさんの遺伝子操作と遺伝子挿入の作業が含まれているが、理屈の上では、それは可能である。実験室において、遺伝子操作によって作り出した細胞に、マンモスが必要とするような、耐寒性のあるヘモグロビンを持たせることに成功した例がある。しかし、実際の動物を

作り出した者はまだ誰もいない。[*]

リョコウバトの最後の飛行

　意外なことに、絶滅するたった50年前、リョコウバトは鳥の種としては世界で最も数が多く、少なくとも10万年はこの地位にあった。リョコウバトは、数億羽（10億羽を超えていた可能性もある）が密集した巨大な群れで移動したが、これが上空を通過するときは、数日間にわたり空が暗くなり、太陽は覆い隠され、その騒音たるや凄まじく、1871年に次のように記されている。「1千台の脱穀機が全力で稼働していると同時に、同じ数の蒸気船が唸り声を上げて蒸気を吹き出しており、さらに同じ本数の鉄道列車が屋根付きの橋を渡っている——これらの騒音が1つの群れにまとまったところを想像してもらえば、その恐ろしい轟音がどのようなものか、おぼろげながらわかるだろう」。この群れが通過した地域では、通った途中の果物や木の実をはじめ、彼らの餌になるものはすべて食い尽くされ、飛行経路の下には、ハトたちのふんが雪のように降り、彼らが去った町では、「ようやく戻った明るい日光に照らされて、ハトの排泄物で覆われた世界は気味悪く見えた」。私たち人間は、これは気持ち悪くて迷惑だと思った（そし

---

[*]　遺伝子工学が発明される前は、「交配によって昔の動物に戻す」というやり方で、絶滅した種を復活させようとした。これは、目的は遺伝子操作と同じだが、方法としてははるかに雑で大雑把だ。最も有名な例の1つが、1627年に絶滅したオーロックスだ。そもそもこれは、野生種を家畜化した、家畜牛の祖先である。1920年代、ルッツとハインツのヘック兄弟が、オーロックスに最もよく似ていると思われる雌牛と牡牛を交配することを繰り返し、新たにオーロックスを作り出そうとした。これによって、普通よりも一層がっしりした牛（現在ヘック・キャトルと呼ばれる品種）ができたが、あまりオーロックスのようには見えない——むしろ、スペインの闘牛で使われる牛などのほうに近いようだ。それに、この方法では、絶滅した種が復活したことはまだ一度もないのは確かである。

て、リョコウバトの肉はなかなか美味しいと思った）ので、この
ハトたちを殺した。そしてそれは、ついに最後の1羽がいなくな
るまで続いた。

　知られていた最後の野生のリョコウバトは1900年3月24日に少
年のBB弾で撃たれた。そして、動物園で飼育されていたリョコウ
バトで最後に死んだのは、マーサという名の雌だった。マーサは、
最後の野生のリョコウバトが撃たれた14年後に、動物園の専用の
鳥小屋のなかで息絶えた。29歳だった。

　恐竜を復活させるには、かなり大きな問題がさらに2、3ある。まず、
あなたは先史時代の恐竜のDNAなどまったく持っておらず、他の誰も先
史時代の恐竜のDNAなどまったく持っておらず、先史時代の恐竜のDNA
の断片にすらお目にかかる望みなどまったくなく、しかも、私たちの最善
の知識からすると、すべての先史時代の恐竜は、私たちの大昔の先祖が2
本足で歩き始める6000万年以上前に宇宙から完全に消え去ったはずなのだ。

　小物ヴィランなら、ここで夢は終わる。だが、あなたはスーパーヴィラ
ンだ。あなたの思考法は他の人とは違う。もしも、先史時代の恐竜の
DNAの完全な一式は必要ではないとしたらどうだろう？　その断片すら
必要ないとしたら？

　あなたに必要なものはすべて、すでにここにあって、現代まで生き延び
た恐竜の子孫たちのなかに潜んで、誰かが発見してくれるのを待っていた
としたらどうだろう？

あなたの計画

　進化は、それまでのものを足場として起こる。それは加算していく過程
なのだ。多くの動物が非常によく似ているのも、動物たちを「科」に分類
できるのもこのためだ。人間は脊髄の上に頭があるが、犬、猫、鳥、魚、

そして恐竜もそうだ。これらの動物は互いに相当違っているにもかかわらず、類似性もたくさんある。たとえば、食物は体の前方から入り、老廃物は後方の端から出る。腕や脚は、硬い棒状の背骨から伸びている、などだ。私たちはみんな脊椎動物——脊椎を持つことを特徴とする動物の一団——で、十分遠くまで過去にさかのぼれば、私たちはみな、脊髄の上に脳があり、前から食べて後ろから排泄する同じ祖先を共有している。これらの種はどれも、そこを足場として進化したが、進化の仕方が違っていたのだ（当然ながら、すべての動物が脊椎動物なのではないし、クモ形類動物や頭足動物は、それぞれまったく別の祖先から、彼らの特徴を決めた独自の経路で進化した。クモ形類動物はどれも、8本の脚と外骨格を持ち、頭足動物は、大きな頭と、軟体動物から進化した多数の脚がある）。ある動物がある形質を失ったように見えるときでも——たとえば、私たちの遠い祖先には尾があったが、今私たちは誰も尾を持っていない——その形質をもたらす遺伝情報が失われてしまったとは限らない。抑制されているだけかもしれないのだ。なにしろ、母親の子宮のなかの胎児だったころ、あなたもしばらくのあいだ尾を生やしていたのだ。しかし、2、3週間経つと、他のさまざまな遺伝子が活性化し始め、そのため尾の成長プロセスは停止し、さらに反転して、尾は体に再吸収されて見えなくなったのである。

　あなたはこのプロセスを利用するのだ。動物がどんな姿になるかを決めるのは、遺伝子だけではない。胎児が子宮内で成長する過程の、どのタイミングでどの遺伝子が活性化されるかも非常に大切だ。もしも胎児の成長過程に介入することができ、「その尾を生やすのを止めよ」と命じる遺伝子を化学物質によって抑え、その過程を最後まで進行させられたなら、尾のある人間を生み出すことができるだろう。そして、この方法のいいところは、新しい有尾人間を生み出したとしても、実験の対象者が元々持っていた天然DNAをあなたが変えてしまったわけではないことだ！　初期発生のあいだにそのDNAがどのように発現するかに介入しただけである。あなたは遺伝子操作したというよりも、ただ特注の胎児発達を起こすための環境を整えただけなのだ。

人間の胎児やその環境をいじくり回すことに関心があることを少しでもうかがわせようものなら、人々がたちまち表情をこわばらせるほど、この技術には道徳的・倫理的な問題が山のようにある。だが、そんなことは全部忘れよう。なぜなら、私たちはニワトリを使うのだから！ ニワトリは、最も研究され、最もよく使われている実験動物の1つだし、人類は2000年以上にわたり、ニワトリを使って実験を行なっている。そして、偶然のことながら、ニワトリは卵のなかで発達するおかげで、化学志向のスーパーヴィランであるあなたは、ニワトリの胚が発達する際の完璧な胎内環境を容易に確認することができるのだ！

科学は「コッコッコ」と進歩する

この数千年にわたって行なわれてきたニワトリを使った実験は、いくつもの素晴らしい結果をもたらしている！ 紀元前350年ごろ、アリストテレスは、ニワトリの卵をさまざまな発達段階で割って観察し、人間の胎盤にはどんな目的があるかを明らかにしようとした。のちにルイ・パスツールは、培養に失敗して弱毒化したニワトリコレラ菌を注射したニワトリは、死んだりせずにコレラを克服することを（偶然）発見した。その数日後、このニワトリを弱毒化していないコレラ菌に感染させると、他のニワトリなら死んでしまうところ、このニワトリに限っては感染を生き延びることを確認した。これが、実験室で作り出された最初の生ワクチンである。鳥類で最初にゲノム配列が決定されたのはニワトリのものであり、私たちは今もなお、ニワトリの卵の助けを借りてインフルエンザのワクチンを作っている。すなわち、インフルエンザウイルスを卵に注入して卵を感染させると、卵の内部でウイルスが増殖する。これを集め精製し、感染性をなくしてワクチンにす

るわけだ。ニワトリの卵をいじくり回すことに関しては、科学研究での前例がたくさんある。

あなたにとってもっと好都合なことに、鳥類は恐竜の子孫だ。したがってニワトリは、恐竜の最後の生きた子孫である。恐竜とニワトリの骨格を見てみると、拡大縮小で同じ大きさにしてやれば、両者は驚くほどよく似ている。

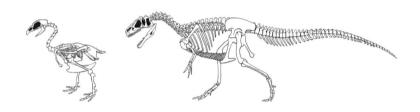

右の骨格は、アロサウルス・ジムマトセー、略称アロサウルスと呼ばれる恐竜のもの。左の骨格は、ガルス・ガルス・ドメスティクス、通称「養鶏場やらそこらにいる現在のニワトリ」と呼ばれる恐竜のもの。

ニワトリと恐竜の構造に大きな違いが4つあることは、すぐにわかるだろう。

1. ニワトリは翼、恐竜は腕と手
2. ニワトリは嘴、恐竜は突き出た鼻先
3. ニワトリは歯がないが、恐竜はものすごい歯がある
4. ニワトリはお尻が小さく丸いが、恐竜は際立った長い尾がある

理屈の上では、あなたはこれを変えることができる。特定の瞬間に、いろいろな遺伝子の活性化と抑制のタイミングを調整すれば、尾、歯、鼻先、

腕、そして手と爪さえ持ったニワトリを生み出すことができる。あなたが
雇うべき人々は、このプロジェクトに何十年も取り組んできた古生物学者
ジョン・ロバート（「ジャック」）・ホーナーとその助手たちだ。ホーナー
は、このような変化を起こし、次の図のようなニワトリのヒナを孵すこと
は可能だと信じている。

　彼に必要なのは時間と資金だけだ。もちろん、彼は1人ではないし、も
しも彼を雇うことができなくても、他の多くの科学者が鳥の胚発生を研究
し（かつそれを操作して）、さまざまな特徴がどのように発達するかを調
べている。だが、ジャック・ホーナーは、これらの努力を結集して恐竜を
作り出したいと長年大っぴらに語っている1人だ。彼は2009年、共著書
『恐竜再生』のなかで、自分がやろうとしていることを詳しく述べたが、
その後確保した資金を使って、ニワトリの丸いお尻を、獣脚類の恐竜〔鳥
類は獣脚類に含まれる原鳥類を祖先とし、現在の鳥類全体も獣脚類に含まれている〕
のような尾にすることを主眼として努力を重ねている。他の科学者たちは、
また別の部位に注目している。2015年、バート・アンジャン・ブラー率い

るチームが、 嘴 （くちばし）の発達に関連するタンパク質を抑制し、嘴ではなく恐竜のような鼻先を持ったニワトリを作り出した[*]。また、ニワトリの一部には、嘴のなかにワニの歯のような円錐歯が生える突然変異を示すものがある。この突然変異は致命的で、そのようなヒナは孵化しないが、この事実から、適切な遺伝子が発現すれば、歯を生やす遺伝情報はまだ存在していることがわかる。ホーナーが取り組んでいる尾に関する研究が功を奏するよう援助し、続いて翼ではなく腕があるニワトリを作り出し、そして、必要なものをすべてうまくまとめあげたなら……ほら、あなたの恐竜の完成だ。他の科学者たち——鼻先のあるニワトリを作り出した者たちの一部も含めて——はもっと懐疑的だが、ホーナーは10年以内か、それくらいに実現できる可能性があると言う。「私は成功をまったく疑っていないし、それは意外に早くやってくるだろう[**]」

　そのような次第で、ここから問題になるのは、「これは本当に恐竜なのか？」である。

　そして、この問いに誠意ある回答をするなら、「ノー、そういうわけじゃないんですよね」となる。だが、じつは、ここに問題がある。何でも起こり得る架空の世界のジュラシック・パークのなかでさえ、あの復活した動物たちは本当の恐竜ではなかったのだ。そこで働いていた架空の科学者たちは、損傷したDNA配列の空白を埋めるのにカエルのDNAを使い、一般市民が期待する恐竜の姿に似た動物を遺伝子操作によって作り出したのだが、できたものは、やはり遺伝学的に言って、別のものだったのである。

---

[*]　ブラーは、そのニワトリは「まったく問題なく」生き延びていたはずだと確信しているが、彼のチームは、そのニワトリを孵化させなかった。このチームのもう1人のメンバー、アーカト・アブザノフは、もし孵化させていたら、「深刻な倫理上の問題がいくつも生じていたのは間違いないだろう」と述べた。私たちにとってありがたいことに、スーパーヴィランは深刻な倫理上の問題とはどのようなものかについて、異なる見解を持っている。

[**]　だが、この引用は2015年の《ピープル》誌の記事にあったものなので、私たちは思った以上に成功に近づいているのか、その後彼の意見が変わったかのいずれかだ。2014年には、《ワシントン・ポスト》紙のインタビューに答えてホーナーは、経費に関して、「500万ドルあれば、それ以上は必要ないでしょう。実際、500万ドルあれば、3つの研究所でこのテーマの研究ができるでしょう」と語った。

そして、リョコウバトやケナガマンモスが遺伝子操作で蘇ったとしても、それもやはり、過去に存在していた動物とは違うものだろう。私たちが望むことのできる最善の「再生マンモス」は、ちょっとマンモスに似ており、マンモスと同じ生態的地位〔ある生物が生態系のなかで占める位置〕にあるような、寒冷な気候に適応した長毛の象だろう。実際のマンモスはすべていなくなってしまい、どうすれば彼らを蘇らせることができるのか、私たちにはわからない。

絶滅した動物の完全なDNAが手に入ったとしたら？

　残念ながら、たとえそうだとしても、恐竜、マンモス、あるいはリョコウバトを完全に蘇らせるには不十分なのだ。多くの動物には、DNA以上のものがいろいろある。たとえば彼らの文化などだ。象を含む多くの動物が、幼いころ親から教わったことを、自分の子どもたちに教える。食物をどうやって見つけ、どのように狩りをして手に入れるか、また、コミュニケーションに使える鳴き声にはどんな意味があるかを教える。そして、一部の鳥（ご存じのように、恐竜の子孫）は、何世代にもわたって伝えられてきた歌を子どもたちに教える。絶滅した動物の完璧なクローンができたとしても、その知識と文化は──そしておそらく、それらをもたらした環境も──とうの昔に消え去ってしまっている。一つの種が絶滅すると、かつて生きていたその動物を真の意味で蘇らせることは決してできない。作り出せるのは、その動物の別バージョンに過ぎないのだ。しかし、それを受け入れよう。そうすれば、あなたはちゃんと計画を進めていける！

　ついでながら、私たちが恐竜の文化についてはほとんど何も知らないことは、あなたにとって強みになる。あなたが作った恐竜

が本物と違う行動をしても、文句を言える者は誰もいないのだから。

　あなたの「チキンサウルス」は、根本的に——そして遺伝学的にも——まだニワトリである。それが別のニワトリとのあいだに子どもを作ることができたなら——ニワトリとチキンサウルスは見かけが（そしておそらく振る舞いも）かなり異なるので、それは困難だろうが——、その子どもは完璧に普通のニワトリだろう。なぜなら、あなたはニワトリのDNAを変えたのではなく、ある個体の発達を操作しただけだからだ。恐竜たちが研究施設から逃げ出して繁殖する危険はなく、仮にそうなったとしても、その動物に粉をまぶして唐揚げにすることを専門にする収益性の高い大企業がアメリカに数社できるだけだろう。ついでながら、これは利益を重視するスーパーヴィランにとってはいいことだ。というのも、自然繁殖によって恐竜がどんどん増えることがあり得ないなら、あなたを批判する人々は文句を言わなくなるだろうし、少なくとも2、3年のあいだ、あなたはこの動物を独占していられることは間違いないのだから。

指までなめたくなる美味しさ

　チキンサウルスを生み出すことに一度成功したなら、あなたは自分が学んだことを、もっと大きな動物——ダチョウ——に使ってみたくなるだろう。ダチョウは、人間が乗れる十分な大きさがある。それはまた、現実味のある脅威になるほどの大きさだ。とりわけ、恐竜に近いものに変貌させられた場合はそうである。ダチョウサウルスの背中に乗るのは、恐竜に乗ることに最も近いだろうし、率直に言って、恐竜のように見え、キイキイした声を立てる、鉤爪と歯がある猛獣に乗って敵の建物を襲撃すれば、その動物の遺伝子を調べて、それが6500万年前に絶滅した動物にどれだけ近いか確認しようとする人はいないだろう。

　彼らはみな、恐竜に乗って大笑いをしている神のような人間から、恐れをなして逃げようと躍起になっているだろうから。

マイナス面

　大きなマイナス面をお知らせしよう。それは、これがうまくいくかどうか誰も知らないということだ。ある動物が遠い昔に失った特徴をもたらす遺伝子は、いつも残っているとは限らない。どちらかと言えば奇妙な脊椎動物の1つであるヘビは、この好例だ。ヘビには脚がないが、かつては4本の脚があった——体の前方に2本、後方に2本。じつはパイソンの骨盤には、今も小さな窪みが2つあるが、これはとっくの昔に失われた脚の名残である。ボア・コンストリクターは、体の内部に今もなお小さな後ろ足の骨がある。

　四肢（ならびに臓器やその他の組織）の発達に不可欠な、「ソニック・ヘッジホッグ」または略してSHHと呼ばれる遺伝子が存在する。ヘビは、この遺伝子が脚を生やすために活性化するのを抑制する能力を、進化によって獲得した。そのため、一部のヘビはSHHを活性化するために必要な

＊　そうです、この遺伝子は、超音速で走り、リングを集めるのが好きな、ビデオゲームのキャラクター〔青いハリネズミを擬人化した、セガのソニック・ザ・ヘッジホッグ〕から名付けられました。

DNA調整配列をまだ持っているものの、それ以外のヘビ——脚の名残を まったく持たないキングコブラなど——は、そのDNAの大半をすでに失 ってしまっている。これは驚くことではない。使用されていないDNAは、 もはや生命体に何の影響も及ぼさないので、そのようなDNA配列は、突 然変異が蓄積したり、あるいは、完全に失われてしまうなどの影響を被り やすい。歴史のある時点において、脚を生やすのに必要なSHHを活性化 する能力が生まれつき退化したキングコブラが出現した——そして、その ことはヘビの適応度〔生物が環境に適応してどれだけ多くの子孫を残せるかの尺 度〕には何ら関係なく、何ら害を及ぼさなかったので、その突然変異はキン グコブラの個体群全体に広まることになった。別の言い方をするなら、 仮にあなたが図書室を持っているとすると、あなたがしょっちゅう読む本 に、私が落書きをしたり、何ページか破り取ってしまったなら、あなたは 気づくだろう。しかし、あなたがもう読まないことにした本に、私が同じ ことをやったとしたら、それは完全（だが迷惑で無意味な）犯罪になるだ ろう。

　したがって、チキンサウルスに持っていてもらいたいすべての特徴が、 ニワトリのDNAのなかにまだ存在しているという保証はまったくない。 そして、仮にあったとしても、このような古い遺伝子が実際に機能するほ ど良好な状態で残っているという保証はまったくない。恐竜の鼻先を持っ たニワトリを作り出すことはできるだろうが、その鼻先は、このニワトリ が呼吸をし、餌を食べることができるほど、十分うまく機能するだろう か？　嘴の代わりに鼻先があるという状況を支えるために頭蓋骨に必要な 他のもろもろの変化で、まだ起こっていないものはないだろうか？　そし て、そのような足りない変化はなく、すべてがうまくいっているとしても、 チキンサウルスを作るのに必要な、他のさまざまな変化（鼻先、尾、腕、 歯）が、1羽のニワトリのなかでうまく整合するという保証はない。しか も、仮にうまく整合したとして、その結果生まれた動物がまっとうに機能 する保証も、あるいは、そもそもちゃんと孵化する保証もない。ニワトリ がもはや持っていない尾や手のために必要な、脳の構造や他の特徴がある

のかもしれない。私たちにはまったくわからないのだ。

　だが、それを明らかにし、その過程で良い科学研究を行なうことができる方法が1つある。しかもその結果、あなたは科学史と次のディナー・パーティーの両方に華々しく登場できるかもしれないのだ。

あなたが逮捕された場合に生じうる影響

　アメリカのスーパーヴィランのみなさん、朗報です！　アメリカでは、遺伝子組み換え生物（GMO）は、それが何であるかではなく、何をするかによって規制されているのだ。あなたのGMOは薬物だろうか？　それなら、食品医薬品局の管轄だ。殺虫剤だろうか？　ならば、環境保護庁の管轄だ。GMOだけを対象とする連邦法は存在しない。おまけに、米国議会図書館が2014年に行なったGMOを取り巻くさまざまな法律に関する報告は、「他国に比べ、アメリカにおけるGMO規制は比較的開発者に有利である」と判断している（アメリカがすでに世界有数の遺伝子組み換え作物の生産国となり、世界の総生産量の40パーセント以上を占めているのもそのせいだろう）。

　こう聞いたなら、国連の、「生物の多様性に関する条約のバイオセーフティに関するカルタヘナ議定書」に抵触するのではないかと心配されるかもしれない。この議定書の締約国は、「新しいバイオテクノロジーの使用により獲得された遺伝物質の新たな組み合わせを持つ生命体」の安全な輸送、取り扱い、そして使用に貢献することを誓約する（わかっています、あなたは厳密に言って、あなたの「恐竜」を生み出す際にDNAの組み換えなどまったくやっていません。DNAが働く環境を変えただけですが、あなたのチキンサウルスを睨みつけている人には、それは大した違いではない可能性が高いのです）。議定書の締約国はさらに、予防原則にしたがって遺伝子操作を扱うとも誓約している。つまり、破滅を招くかもしれない新しい考え方や発明を無鉄砲に採用する前に、注意し、見直し、研究することを奨励する、「飛び込む前によく見ろ」の哲学である。

だがアメリカは、この議定書にまだ署名していないので、これについてはあなたに何の問題もない。

大学には、動物を使った実験や動物に対する試験に関する規則があるが、たいていのスーパーヴィランは大学に関連した活動はしていないだろうから、このような「一流の研究施設」や、その御大層な「倫理委員会」について気に病む必要もない。たいていの国には動物の虐待を禁じる法律がある（ただし、すべての国にあるわけではない。たとえば中国には、動物の虐待を禁じる国法はまだない）。しかし、これからスーパーヴィランになりたい者としても、ここでは誰も動物に対して残酷なことをするつもりはないことを強調しよう。事実はその正反対である。私たちの目標は、人類史上最も人気があり、有名で、とても大切にされ、そして愛される動物になるであろうものを孵化させることだ。

もしもあなた自身が、存在するはずもなく、生まれたがゆえに辛い思いをするかもしれない動物を人為的に作り出したことについて攻撃——法律によって、あるいは、世論という法廷において——されたなら、批判者たちに、次のことを思い出させてやればいい。人類はすでにそのような動物を何百万と生み出してきたのだと。人間に都合のいい遺伝的特徴を持つがゆえに、彼らの野生の仲間たちよりも苦しむ動物を。たとえばパグ——極端に鼻が短い犬種で、人間が作り出して、これがかわいいと思っているせいで存在している——は、気道が短いため、呼吸困難を起こす恐れがあり、さらに、鼻が短いため、体温調節の方法も限られている。犬は舌の表面で唾液を気化させることで体温を下げるが、パグの舌は短いので、体温が上がりすぎる傾向があり、また機能不全にも陥りやすい。しかし、この恐ろしい運命に見舞われるパグは少ない。なぜだろう？　それは、パグたちはかわいいペットで、私たちがパグを愛しており、彼らを守り、幸せで快適にしてやれることなら何でも率先して行なうからだ。あなたが馬のように乗り回している素晴らしい恐竜にも、そのようにされますように。

そして、肝に銘じてほしい。私たちはまさに今、人間の活動がもたらし

た大量絶滅[*]の只中にある。生息地の喪失、狩猟、汚染物質、気候変動、人間の侵入。地球の生物多様性は、人間が地球を支配する種となって以来、植物、動物両方で低下している。このような事実からすると、ここであなたは、一切罪など犯していないと言える。あなたは人類のためになることをやっているのだ。恐竜に少なくとも近いものを蘇らせることのみならず、遺伝学と発生学にあらゆる種類の新しい発見と知識をもたらすことにも役立つ技術の研究で、人類に貢献できるのである。

　あなたのことを神の真似事をしていると批判する者たちは常にいるだろう。あなたの研究は世界の緊急問題にはまったく貢献していないし、この研究にかかるであろう数百万ドルは、今存在している種や生息地を守るために使ったほうが、過去の種を蘇らせるのに使うよりもいいと文句を言って。

　だが、彼らの文句など、あなたの恐竜の叫び声にかき消されて聞こえないだろう。

事業計画概要
エグゼクティブ・サマリー

初期投資	期待収益	完了までの予測期間
チキンサウルス１頭につき**年間500万ドル**の実験・研究費。ダチョウサウルス１頭についてはさらに高額。	2018年の《フォーブス》誌の推定によるとジュラシック・パークの現実世界での売上高は416億ドル、事業費353億ドルで、**年63億ドル**の利益。	**約10年**。

＊　実際のところ、それは地球の歴史で起こった第６の大量絶滅である――第５の大量絶滅は、6500万年前に接近した小惑星によって引き起こされたもので、その結果恐竜の大半が絶滅した。今こそ私たちの番だ。

完全犯罪のために気候をコントロールする

愛とは、愛する人がヒーローでいられるようにヴィランになろうとすること。

——ジョセフィン・アンジェリーニ（2015年）

　どんな犯罪にも３つの段階がある。計画、実行、そして逃走だ。

　犯罪の需要側と供給側（すなわち、警官と盗人）の両方が、これについては同じことを教えてくれるはずだ。つまり、完全犯罪とは、完璧に計画され、見事に実行され、至高のプロ意識によって逃走に成功した犯罪だと。だが、彼らは間違っている。それは、彼らが基本的な初歩レベルの「成功」の定義と、基本的な初歩レベルの「完璧」の定義に縛られているからだ。スーパーヴィランであるあなたは、そんなくだらない制約などとっくに超えて進化している。

　ここで見落とされているのは、あなたが計画し、実行し、跡形もなく逃走した犯罪はどれも、その張本人が誰なのか、歴史や後世に知られることは決してないということだ。私たちは、名前を知られないでいるためにスーパーヴィランになるのではない。頼みますよ、そこを間違えちゃだめだ。というわけで、ここに厳しい結論が出てくる。あなたがやらかして逃げ切るのは、完全犯罪ではないのである。

　真の完全犯罪は、それをやったあなたが感謝されるような犯罪だ。

　あなたに必要なのは、今地球で暮らしている人々のみならず、将来生まれる無数の世代にとっても、あなたがヒーローになるような犯罪行為であ

る。ここで話しているのは、世界を救うレベルの悪事だ。ありがたいことに、私は今これにおあつらえ向きの犯罪を思いついた。

わが友よ、あなたは気候を盗むのだ。

背　景

気候変動は人々にとってのみならず、国や文明全体を脅かすが、暮らしやすい場所や飲料水を巡って人々が互いに殲滅し合った結果、もはや地上に誰もいなくなったなら、世界を征服する意味などほとんどなくなってしまう。

気候変動の原因とその科学については、すでに聞いたことがあるに違いない、と私は楽観視しているが——気候変動は、炭素がどのように使われるかに関係しており、その物語は地球上の生命の起源にまでさかのぼる——誰もが同じ認識を持てるように、ここでさっと気候変動について説明しておこう。あなたにとって時間が大切なのはよくわかっているので、情報を素早く吸収するための最も効率的な形態、架空のチャットログでお見せしよう。

27億年前

	x_cyanobacteria_x シアノバクテリア （登録ユーザー）	ぼく、進化して新しい能力を獲得したよlol 光と二酸化炭素と水を燃料にすることができるんだ。で、そのとき廃棄物として酸素を出すんだ。 何て名付けようか……「酸素発生型光合成」がいいや。
	Other life その他の生物 （登録ユーザー）	待て、何だよ、酸素だって??　げーっ、それぼくらには毒だぜ‼　殺す気かよ‼‼

x_cyanobacteria_x
シアノバクテリア
（登録ユーザー）

違うよ。ハハハ、鉄が酸化するし、地球は鉄に覆われてるからね。鉄が酸素と反応してさびるのに酸素を全部使っちゃうんだよ。これや、ほかの「酸素シンク」が大気中の酸素濃度を、えーと、永遠に？　って言うほど安定に保ってくれるんだよ。

Other life
その他の生物
（登録ユーザー）

へえ、すげえ。ありがと。

24億年前

Other life
その他の生物
（登録ユーザー）

うわ。何てこった。何百万年も過ぎて、地球上の露出した鉄が全部酸化しちゃって、酸化してない鉄はもう残ってないから、酸素が大気中にどんどん増えてるぜ‼　この「大酸化イベント」は大量絶滅を起こすぞ‼

俺たち皆殺しにすんのかよ。は

x_cyanobacteria_x
シアノバクテリア
（登録ユーザー）

そだね。でも、言い訳させてもらうと、ハハハ、としか言えないな。

Administrator
サイト管理者

Other lifeはオフラインになりました。

20億年前

	Administrator サイト管理者	新しい生物がオンラインになりました。
	New life 新しい生物 （登録ユーザー）	あのね、酸素はものすごく反応性が高くて、それを使えばいろんな化学物質やカラダが作れるよ。イケてるね。ありがと。
	x_cyanobacteria_x シアノバクテリア （登録ユーザー）	ガハハ。どういたしまして。

16億年前

	x_cyanobacteria_x シアノバクテリア （登録ユーザー）	でさ、えっと、あのね ぼくはもうすっかり進化して植物になったよ。
	Administrator サイト管理者	x_cyanobacteria_xはアバターをアップデートしました。 x_cyanobacteria_xはディスプレイネームをx_PLANTSBABY_xに変更しました。
	x_PLANTSBABY_x 植物 （登録ユーザー）	はは、ありがたい。 海の外へと広がり、陸にコロニーを作ろう。つまり、もうすぐぼくは地球全体に広がるわけだ、後世の植物嫌いさん。

3億5800万年前

.oO amphibians Oo.
両生類
（登録ユーザー）

みなさんこんにちは。私たちは陸上で一番数が多い動物です。カエルたちをよろしく。

=-=ANTHROPODS=-=
節足動物
（登録ユーザー）

えーと、ちょっと失礼しますよ‼　私たちだって外骨格と体節があって、とっても数が多い動物なんですよ‼

昆虫と蜘蛛と甲殻類をよろしく‼

x_PLANTSBABY_x
植物
（登録ユーザー）

ハハハ、2人とも許すよ。でね、動物なんて目じゃないよ。だって、植物がやっぱり生物として一番多いよ。ぼくたちは進化によってやっと「木質部」と「樹皮」を持つようになったとこなんだ。

でね、

木質部と樹皮は、今生きているぼくらを分解しようとするバクテリアやカビに上手に抵抗できるから、ぼくらが死ぬと、

ぼくらの体は地面に積み重なっていく。

いつまでも。

そして2、300万年ぐらいのうちに
熱と圧力のおかげで、ぼくらは天然ガスや石油や石炭などに変わっていく。

でも、今のところは、死んだ植物があちこち、特に沼地で、どんどん積み重なっているだけだ。

死んだきみらの仲間も、そのなかにいるのかもしれないけど、このショーのスターはぼくらだよ。

だからぼくは、未来の世代はこの時代を、「ツリートピア」とか「石炭紀」って呼ぶんだろうな、って以外考えられない。

=-=ANTHROPODS=-=
節足動物
（登録ユーザー）

待ってよ、炭素の話をするんならさあ、きみたちがただ積み重なっていて、やがて化石燃料になるのなら、そのとき君らの体に含まれている炭素はどうなるんだい!!

x_PLANTSBABY_x
植物
（登録ユーザー）

何のことだい?

=-=ANTHROPODS=-=
節足動物
（登録ユーザー）

大量の植物が世界的規模で埋まっていくなら、大量の炭素――きみらが大気から取り込んで体作りに使ったやつさ――が何百年ものあいだ、もしかしたら永遠に、生態系から切り離されるってことだぜ!!

x_PLANTSBABY_x
植物
（登録ユーザー）

それで大丈夫なんだ、間違いないよ。

これまでにも気候は変化してるんだけど、それをまったくへっちゃらで生き延びてきたやつらがいるんだよ。誰だと思う?

ヒントをあげよう。

こいつだよ。

2億4000万年前

Administrator
サイト管理者

*DINOSAURS_RARR!がチャットに参加しました。

x_PLANTSBABY_x
植物
（登録ユーザー）

やあ、らっしゃい。ぼくらと一緒に1億7500万年ほど地球を支配しようよ。で、ぼくらが死ぬときには、今よりたくさんの化石になって、さらにもっとたくさん化石燃料になろうよ、ワッハッハハ

DINOSAURS_RARR!
恐竜
（登録ユーザー）

ども‼　いーね、いーね‼‼‼‼‼

6600万年前

Administrator
サイト管理者

*GiAnT-aStErOiDが秒速32キロメートルのスピードとTNT100テラトン分のエネルギーでチャットに参加しました。

*DINOSAURS_RARR!はチャットから抜けました。

x_PLANTSBABY_x
植物
（登録ユーザー）

うわぁ、なんてこった!?

Administrator
サイト管理者

*GiAnT-aStErOiDのせいで世界中が火事になり、粉塵や破片で太陽が遮られ、発生した硫酸エアロゾルが成層圏を漂い（その結果、地球に届く太陽光が50パーセントまで減り、酸性雨が降ったので）、地球の生物の75パーセントが死にました。

x_PLANTSBABY_x
植物
（登録ユーザー）

うわぁ、なんてこった!?

20万年前

Administrator
サイト管理者

*Humanity ♪ ┏(•o•)┛ がチャットに参加しました。

x_PLANTSBABY_x
植物
（登録ユーザー）

ハハハ、かわいいね、きみ、恐竜みたいだけど体毛で覆われてるね！ それに、きみたちのなかにはミルクが出せるやつらがいるみたいだね？ でも、いつもじゃないの？ ハハ、すっきりしてていいじゃん。

紀元前1万500年

Administrator
サイト管理者

*Humanity ♪ ┏(•o•)┛ が農業と、植物の栽培化と動物の家畜化を発明し、彼らの環境を支配し、動植物を自分たち、つまり、みなさんおわかりのとおり、人間に都合がいいように変えてしまいました。

x_PLANTSBABY_x
植物
（登録ユーザー）

おい！

失礼なやつらだな。

紀元前1000年

Humanity ♪ ┏(•o•)┛
人類
（登録ユーザー）

こんにちは。ぼくが切り倒した木よりもっと熱く燃える妙ちきりんな石を見つけたよ！
「石炭」って呼ぶことにするね！

x_PLANTSBABY_x
植物
（登録ユーザー）

ワオ

Humanity ♪ ┏(•o•)┛
人類
（登録ユーザー）

*Humanity ♪ ┏(•o•)┛ は、このチャンネルの
全員をミュートしました。

x_PLANTSBABY_x
植物
（登録ユーザー）

ワーオ

西暦1760年

Humanity ♪ ┏(•o•)┛
人類
（登録ユーザー）

ぼくは今、「産業革命」を起こしたよ。石炭や石
油・天然ガスなどの化石燃料を燃やすことで進
んでいくよ！　ぼくらは、大気に、すごい量の二
酸化炭素を送り込んでいくよ！　もっのすごー
い量だよ！

x_PLANTSBABY_x
植物
（登録ユーザー）

ねえ、聞いてよ。きみが炭素をガンガン燃やし
て、今二酸化炭素を生み出してるのはわかるけ
ど、思い出せよ、きみが燃やしてる炭素は、数億
年のあいだ地下に封じ込められていたんだよ。

で、きみも知ってると思うけど、二酸化炭素は光
を通すけど、熱を反射するから、二酸化炭素ガス
は温室の働きをするんだ。光で地球の表面は温
まるけれど、それで生じた熱が宇宙に逃げてい
くのを妨げるんだ。

だから、何億年も埋まっていた大量の炭素を解
放して、きみがまだ出現してなかったころの、今
とは違う気候に戻してしまう前に、よーく考えた
ほうがいいと思うよ。

ねえ、聞いてくれよ。何も悪口ぶちまけてるんじ
ゃないし、実際、ぼくは二酸化炭素たっぷりの大
気のほうが好きなんだ。きみに気を付けてって
言ってるだけなんだ、友だちから友だちに、な。

x_PLANTSBABY_x
植物
（登録ユーザー）

……

あーっ、ぼくはまだミュートされてんのか。ハハ
ハ。

1896年

**SvanteArrhenius-
Chemist**
スヴァンテ・アレニウス、
化学者
（登録ユーザー）

はーい、みなさん、個人的なニュースをちょっと。
二酸化炭素は温室効果ガスで、今後地球を温め
ていくことを、私は今発見しました……

x_PLANTSBABY_x
植物
（登録ユーザー）

ぼくが言ってたとおりだろ??

**SvanteArrhenius-
Chemist**
スヴァンテ・アレニウス、
化学者
（登録ユーザー）

……それは我々人間には「いいこと」なんです
よ。だって、今後氷河期はすべて回避できるし、
やがて北極と南極でも大量の農作物が収穫でき
るようになるってことですから！

x_PLANTSBABY_x
植物
（登録ユーザー）

ハハハ、ぼくにとっては、

CO_2が増えたって、何も問題もないね。

でも、人類のみなさん、きみらはみんな、石炭の
燃やし方がよくわかってない甘ちゃんだって誰
かが言ってたよ。何できみらは石炭の燃焼に支
えられた小さな文明の１つぐらい、上手に作れ
ないんだよ‼

Humanity ♪ ┏(•o•)┙
人類
（登録ユーザー）

何だって?!　誰がそんなこと言ったのさ。

きみのミュート解除したよ。

1988年

	Dr. James E. Hansen ジェームズ・E・ハンセン博士 （登録ユーザー）	地球温暖化はもはや相当なレベルに達し、温室効果と観測されている温暖化とのあいだには因果関係があると、かなり強い確信を持って言うことができる。それは今すでに起こっているのだ。
	Humanity ♪ ┏(•o•)┛ 人類 （登録ユーザー）	えーっ。どうしよう。何とかしなきゃ！ 我々人類は力を合わせてこの問題を地球規模で解決しなきゃ。つい最近、オゾン層を破壊していたフロンの問題に取り組んだときみたいに。あのとき、2〜3年のうちにフロンの製造が禁止されたんだ。
	Dr. James E. Hansen ジェームズ・E・ハンセン博士 （登録ユーザー）	そうです。じゃあ、化石燃料についてもみんな合意したの？
	Humanity ♪ ┏(•o•)┛ 人類 （登録ユーザー）	もちろん‼ （南半球からバナナを空輸し続けられる限りはね。だってぼくにはスムージーが不可欠なんだ） （それと、安価なエネルギーもね、ハハハ） 要するに、それが私のライフスタイルに何ら悪影響を及ぼさない限り、そうしよう。

1997年

	Administrator サイト管理者	*Humanity♪ ┏(•o•)┛ は「京都議定書」を作成し、採択して、温室効果ガスの排出を抑制することを誓いました。ただし、人類が引き起こした壊滅的な気候変動を減速するためであり、逆転するためではありません。

x_PLANTSBABY_x
植物
（登録ユーザー）

おお、素晴らしい！　嬉しいな。この話題はジョークにしがちだけど、真剣な話、栽培化はありがたかったよ。人間が農業や造園や室内鉢植えをやってくれて、決まった時間に水をくれたり種まきをしてくれたりしたおかげで、とても助かったよ。ぼくらの運命は今では本当の意味でしっかり絡み合っているんだって思うし、ぼくはいつも、ぼくらがこの小さな地球の良き「お世話係」になれたらいいなって願ってる。地球は、知られている唯一の「生き物の島」、かけがえのない宇宙船地球号。ぼくらが分かち合っている、冷酷で無慈悲な宇宙の暗闇のなかを孤独に進んでいく脆くて青白い小さな点なんだから。

Humanity ♪ ┏(·o·)┛
人類
（登録ユーザー）

この議定書は、採択から10年近く経った、2005年になるまで発効しないんだ！

x_PLANTSBABY_x
植物
（登録ユーザー）

あらあら。

Humanity ♪ ┏(·o·)┛
人類
（登録ユーザー）

それに、ぼくらの多くがそれに従わないんだ。アメリカなんて、批准しないし、カナダは結局脱退しちゃうし、中国は排出削減の義務がまったくないんだ。この国々は今後20～30年は主要な大気汚染源となることほぼ間違いなしだね。なんせ、これから連中がやろうとしてることは全部、西側諸国がこれまでやってきたことなんだから。

x_PLANTSBABY_x
植物
（登録ユーザー）

へー。

Humanity ♪ ┏(·o·)┛
人類
（登録ユーザー）

ともかく、議定書は採決されたよ！　間違いなく、ぼくらはやり遂げたんだ‼

x_PLANTSBABY_x
植物
（登録ユーザー）

おお。

いやはや。

現在

Humanity ♪ ┌(・o・)┘
人類
（登録ユーザー）

待てよ。気候変動はまだ続いてるし、しかも加速してるぞ。ぼくら、解決したんじゃなかったのか?

x_PLANTSBABY_x
植物
（登録ユーザー）

聞いてくれよ。対策が遅れれば遅れるほど、この傾向を変えるのは難しくなるし、ぼくらの種にとって壊滅的な結果になるのを避けるには、もっと大きく変えなきゃいけなくなるんだ。

急いで付け加えておくと、1804年に10億人だった人口が1927年には20億人に増えて、それ以降平均で17年ごとに10億人ずつ増えている。そんな種があっていいのか？　ご参考までに言うと、この急激な人口増加のおかげで、これまでに生まれたすべての人間の約5パーセントが今生きているんだ。で、きみらが何もしなければ、この人間たちの相当数が、住んでる場所が人間の居住に適さなくなって、死んでしまうだろう。だから、この問題はきみらがこれまでに直面した最大の利害問題なんだよ。

だがこれまできみらは、責任を分かち合って効率的に問題に取り組むことができない無能さを露呈してきた。そういう効率的な取り組みには、根本的で費用もかかる構造改革（きみらの経済や送電網は化石燃料で動いてる）が必要だが、それは数十年後にはちゃんと報いられる。でも、それだけ未来のことなんで、きみらは問題を先送りにしてきた。そのことで目に見えるような悪影響はまだ表れていないんだよな。おまけに、資本主義に染まっている今のきみらの種にとって、そんな構造改革で利益を生み出すのは難しいってことがはっきりしてきてるんだよ。

介入しなければ、きみらがすでに大気中に放出した二酸化炭素の一部は、10万年以上そこに留まるだろう。どんなタイムカプセル、文明、あるいは、これまでに人類が地球で作ったどんな構造よりも長く存続するはずだ。だから、きみらが早急に何かしない限りこの問題は全人類が滅亡しても解決しないだろう。ワハハハ。

Humanity ♪ ┌(･o･)┘
人類
（登録ユーザー）

ぼく個人としては、気候変動には、迅速かつ安上がりで、地球規模の解決がいいなって、本気で思ってるよ！
どうしてこんなに何もかも難しいんだ。

Administrator
サイト管理者

*Humanity♪ ┌(•o•)┘ はディスプレイネーム
をHumanity ☝_☝ に変更しました。

以上が、今私たちがいる状況だ。*

　ここに、最近の140年間における地球の気温の変化を示すNASAのデータを挙げておこう。このグラフは、1940年代から60年代の気温を「正常」（そうではないが、比較の基準点として使うのに便利なので！）と仮定して、この基準に対してそれぞれの年はどれだけ暖かったか、あるいは寒かったかを示している。

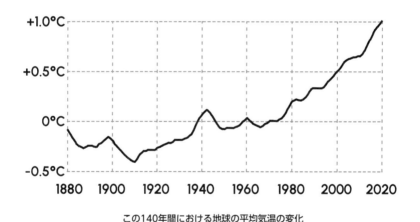

この140年間における地球の平均気温の変化

　地球の平均気温は、1960年以来、1℃近く上昇している。1℃なんて大

---

*　スヴァンテ・アレニウス──1896年に二酸化炭素が地球を温暖化するという説を世界で初めて提唱したスウェーデンの化学者──は、長くて寒い北欧の冬にうんざりしていることを隠そうとしなかった。彼の友人で気象学者だったニルス・エクホルムは、さらに踏み込んで、我々がすでに行なっている工業的な石炭の燃焼では地球を温めるのに時間がかかりすぎるので、人類は地表付近で発見されるすべての石炭層に火をつけて温暖化を加速して、地球を熱帯の楽園にすべきだと論じた。

したことないと思えるかもしれないが、1℃気温が上昇するたびに、私たちの地球に重大な変化がもたらされる——はっきり目に見えるもの（極冠氷が解ける）から、もっと微妙なもの（雨がいつどこで降るかが変化する）まで。これは憂慮すべき問題ではないよ、地球の気温はこれまでにも何度も変化してきたし、今後も変化するだろうと、あなたに言う人々がいるだろう。そして、その人たちにも一理ある。気候はこれまでに大いに変化してきたのだ！　地球が寒冷化すると、いわゆる氷河期になるし、25億年前の大酸化イベントでは、大量絶滅が進行するのに並行して気温も変化した。だが彼らの主張には、今起こっている気候変動が急激で、前例がない規模で、人類が起こしたもので、壊滅的なものとなる恐れがあることへの配慮が欠けている。ベッドで目が覚め、炎が見えたら、あなたは「うーん、家が全焼したことはこれまでにも何度もあったし、また起こるよ」と言って、寝返りを打って、また眠ったりはしないだろう。あなたはベッドから飛び起きて、ほかのみんなに起きろ、と叫び、対策のためにできることをやるだろう。

　あなたには次のような選択肢がある。

小悪党の間抜けなプラン

　気候変動は、それが深刻で、生命を脅かす、進行中の問題で、私たちはその解決法をすでに知っているという点でユニークだ。北極や南極の氷が解けたり、海水位が上昇したり、沿岸部が浸水したり、大量絶滅や、猛烈なハリケーンや、大規模な干ばつや、各地で気温が実際に人間に生存可能な範囲を超えた高さに上昇するのが嫌なら、私たちに必要なのは、炭素の放出をやめることだけである。

　おしまい。

　だがしかし、私たちはそうしなかった。でも、今の段階でも、炭素の放出を減らせば、この問題を少なくとも緩和できるはずなのだ。だが、それでもなお、2013年、3兆立方メートル以上の天然ガスを人類は燃やした——

―この問題が公になってずいぶん経ってからのことだ。おまけに、その同じ年、私たちは毎月30億バレルの石油を燃やした。そしてさらに、私たちは毎秒300トンの石炭を燃やし、自分たちの意図を完全に明白にした。その結果、その年だけで300億トンの二酸化炭素が大気中に放出された。人間がそれほどの排出をやったおかげで、大気中の二酸化炭素の濃度は、産業革命以前の約280ppmから、1950年には310ppmに、 そして現在の410ppmにまで上昇した。私たちは汚染を続けているのみならず、これまでの歴史でやってきたよりも一層速いペースで汚染している。

せいいっぱい寛大に言っても、これは、自分たちがやっている二酸化炭素排出という問題の解決にとりわけ関心を持っている種が取る行動ではない。

私たちは、化石燃料の安さと便利さに病みつきになっており、太陽光、水力、そして風力発電などの再生可能エネルギーを発明し、それらに投資するようになってからも、これらのものは、化石燃料による発電から完全に切り替えるものとしてではなく、増大する一方の電力への欲求を満たすための追加エネルギーとして使われることが多い。この状況を解決する明らかな方法が１つあることは、新参者のスーパーヴィランですら思い付く。世界を征服し、自分の鉄拳を使って、炭素を排出することについて、それを行なう者のみならず、そうしようという考えを抱く者までも、全員打ち倒すというのがそれだ。じつのところ、本書に出てくる（あるいは実生活で出会う）問題の大半は、いわゆる「全面戦争」作戦で解決できそうに思えるかもしれない。「現実の世界を征服して鉄拳で支配する」という方法である*。残念ながら、第２章で見たように、地球のすべての資源と活動

---

* 厳密に言えば、これは「全面戦争（TOTAL WAR）」＝「Take Over The Actual, Literal World And Rule With An Iron Fist」作戦ではなく、「完全な戦争棄児（TOTAL WAR WAIF）」作戦である。しかし、ここでは堂々と威圧的な雰囲気を出したいし、棄児というのは――痩せて、不健康で、弱く見える子どものことなので――あなたや、ほかのスーパーヴィランが自分を見せたいイメージとは違う。これとは対照的に「全面戦争」はまったく超カッコよく聞こえる。とりわけ、人道的関心と紛争に関する国際的なすべてのルールをないがしろにする、何でもありの戦争は言うに及ばず、どんなものであれ戦争というものがどれほど恐ろしく非人間的なものかを誠実に問いただされないならば。なので、「全面戦争」はやめておこう。

を一個人（あなた）の見識ある統治の下に委ねるようにするという、大胆な政治改革は長続きしない――それに、仮にうまく行ったとしても、そうなるには時間がかかる。気候危機のこの段階において、人間の文明には時間がない。さらに、あなたに抵抗しようという愚かでつまらない輩が戦争を仕掛けてきたとすると、その手の戦争は、文字通り何トンもの二酸化炭素が大気中に排出される、おぞましいものになるに決まっている。あなたの権力基盤が固まるころには、状況は一段と悪化しているだろう。では、他にはどんな選択肢があるのだろう？

　そうですねぇ。あまりヴィランっぽくは聞こえないが、過度の炭素排出で生じたひどい状態の後始末に取り組むことができる。

　では、どこから始めるか？　問題は、産業革命以降大気に排出された二酸化炭素の量は相当なものだが、その二酸化炭素は分散しており、それを発見し、捕らえ、簡単に除去できるほどの濃度はまったくないことだ。二酸化炭素回収装置――大気から二酸化炭素を除去し、地中のどこかに埋めるというさまざまな発明品（さらに、再生可能エネルギーを動力とするものが理想的）――にとっては、410ppmという濃度でも、大気の0.04パーセントに過ぎないわけで、それを回収するのは困難だ。ほかの分子が2400個以上乱れ飛んでいるなかから、1個の二酸化炭素分子を見つけなければならないのだから。地球サイズの干し草の山のなかに分散している小さな針を探し出すようなものだ。二酸化炭素回収装置は存在するが、私たちの問題を解決するのに十分な規模と効率で、炭素を除去できるものは1つもないし、実効性のある時間尺度でそのレベルに達する見込みのある装置もない（次ページのコラム参照のこと）。

酸素に死を！

　単純な二酸化炭素回収方法の１つが、空気中に苛性ソーダ（水酸化ナトリウム）を散布することだ。苛性ソーダは二酸化炭素と接すると炭酸ナトリウムを生じるが、その結果炭素が固体化され、地中に埋めることが可能になる。問題は、記録的な高さの今の410ppmという濃度でも、大気全体から見ればごく微量でしかない二酸化炭素に出くわすために、恐ろしい量の苛性ソーダをまき散らすことになるということだ。この作業にはエネルギーが必要だ——そのため、たいていのシステムでは、回収した量を上回る二酸化炭素が発生してしまう。二酸化炭素がもっと高濃度で実際に発見される場所——たとえば、石炭火力発電所の煙突の内側など——でそれを除去するために同様の方法が使われているが、この場合、排出される新たな二酸化炭素を減らすだけで、すでに大気中にある二酸化炭素の問題の解決には何ら貢献しない。

　あなたがこの方法一筋でがんばりたいというのなら、それはまったく不可能というわけではないことをお知らせしておこう。ある試算によれば、二酸化炭素回収技術を原子力（二酸化炭素をまったく排出しない）を動力として稼働させられたなら、実際に、産業革命以降大気に加わった余計な二酸化炭素をすべて除去することができる。あなたには、4688基の原子力発電所がありさえすればいい（現在世界で稼働している原発の10倍。これがすべてアメリカにあったとすると、2000平方キロメートルに１基の原発ということになる）。これらがすべてフル稼働（800TWh/年）で連続運転しているという条件でだが。これだけの施設を完成させたなら、二酸化炭素回収そのものの運転費用は年間約13兆7500億ドルになり、完了までに必要な80年間の総コストは1000兆ドルを超え

るだろう。このやり方の長所は、これを成功させられれば、あなたは4688基の原子炉を支配することになるが、それは何らかの利点になるに違いないという点だ。

　木はどうだろう？　木こそ、最も古い二酸化炭素回収装置ではないか。今から植樹して、巨大な森林を作ればいいだけでは？　うーむ、数百年前にやっていればよかったのだが……。現在の二酸化炭素量からすると、理想的な条件においてさえ、それだけの二酸化炭素を回収するには、900万平方キロメートル以上の森林が必要になる。これは、インド2つ分に相当する面積の森林であり、地球上の農耕に適した土地の約40パーセントである。地球の耕作地をほぼ半分に減らし、そこからの食料に依存していた70億人の人々を生かし続けることは不可能だ。そして、何十億人もの人間を餓死させるのはスーパーヴィラン的行為ではない。それは普通の悪だ。そんなものはあなたにふさわしくない。

　では、自分たちがもたらした問題の後始末ができず、化石燃料を燃やして、この問題を悪化させ続けるのをやめず、しかも世界を征服してもこれが解決できないなら、一体どんな手が残っているというのか？

　何が残っているのかお話ししよう。

　あなたは、たった1人で行動して、全世界の気候を支配するのだ——長期間活動できる強力な人工火山を作ることによって。

あなたの計画

　大規模な火山噴火が起こると、気候に影響が及ぶ。1815年にインドネシアで起きたタンボラ火山の噴火——それまでの1300年間で地球で起こったなかで最大の噴火——は、地球の気温を0.7度下げ、その結果起こった寒冷化で、北半球の人々は、1816年を「夏のない年」、「貧困の年」、「千八百凍死年」などと呼んだ。火山の噴火で気候が寒冷化する原因として、明

白なものの１つが、火山灰だ。火山から飛び出す石や塵などが太陽を物理的に遮るので、大気中に分厚い雲のように充満した火山灰の下の、すべての人や物は冷えてしまう。残念ながら（私たちの目的にとっては）、火山灰の効果は概して短期的だ。大きめの粒子はすぐに地面に落ちてくるし、細かいものでも、やがて雨によって地面に運ばれてしまう。しかし、最も細かい粒子は、対流圏（あなたがこれまでの生涯の100パーセントを過ごしてきた可能性が高い、空気の対流が活発な、一番下の大気層）を通過して成層圏（対流圏の上にある気流の攪乱が少ない大気層）まで到達する場合があり、この場所に何カ月ものあいだ留まる。それなら、この問題を解決する方法は、成層圏に灰を注入することだろう、とあなたは思われるかもしれない。しかし、それよりもうまい方法がある。火山噴火では、気候を変えるもっと効果的なものが放出される。二酸化硫黄だ。

大気の姿

　大気はいくつかの層に分かれている。対流圏は、私たちが暮らしている地表から、約11キロメートルまでの層だ。気象現象のほとんどがここで起こり、水蒸気と雲の大半がここに存在し、飛行機の大多数がここを飛ぶ。その上には、もっと静かで安定した成層圏が、地上50キロメートルまでを占めている。成層圏では、海面の約1000分の１の気圧しかない。その上が中間圏（メソスフェア）で、地上50キロメートルから80キロメートルまでの層だ。これを「宇宙の下端」と呼ぶこともある。地球の大気に突入した隕石の大半は、ここで燃え尽きる。その上にある層が熱圏で、地上80から700キロメートルの範囲を占めている。ここでは大気は極めて薄く、大気中の分子はどれも、平均で１キロメートル移動してようやく別の分子に出会う。国際宇宙ステーションはこの層のな

かで地球を周回しており、宇宙服を着ずにこの層に入ったら、人間は死んでしまうだろう。最後に、熱圏の上にあるのが外気圏で、地上700から1万キロメートルの高度範囲を占めている。ここにある気体は、まだ地球の重力の影響を受けるが、あまりに希薄なので、もはや気体としては振る舞わず、いろいろな分子が混ざった集団ではあるが、分子は絶えず次々と宇宙へと拡散している。外気圏の上では、わずかに散在している地球の大気の成分が太陽風に取り込まれていく。ここはもう「宇宙空間」だ。

　成層圏に達した二酸化硫黄は、水と反応して硫酸を形成する。この硫酸が大気中の塵の周りに凝結して小さな液滴となり、白っぽい霧が形成される。この霧は、太陽光の一部を反射して、それが地球を温める前に宇宙空間へと戻してしまう。おかげで、地上で私たちが受け取る太陽光は減ってしまうわけで、硫酸の霧は地球の周りを覆う巨大なランプシェードのようなものだ。大量の太陽光が遮られるわけではない。地表に届くはずの太陽光の、たった2パーセントを反射するだけなのだが、それだけで、地球の気温を産業革命前のレベルに戻すのに十分なのだ。おまけに、この硫酸エアロゾル（エアロゾルとは、気体中に浮遊している液体または個体の微粒子。ここでは大気中を漂う硫酸微粒子）の霧は、最終的に対流圏に再び入って、何の害も及ばさずに*地球に戻る前に、1年以上ものあいだ成層圏に留まることもある。先ほど登場した「科学的に正しいチャットログ」で見たことを思い出されるかもしれないが、6600万年前に隕石が落ちたとき、この隕石も成層圏に硫酸エアロゾルをまき散らし、その結果起こった寒冷化は、隕石衝突を生き延びた者たちのほとんどが死ぬ一因となった。

　そのようなわけで、あなたはもっと慎重にやらなければならない。

＊　じつをいえば、ほとんど何の害も及ぼさずに、だ。よく調べると、空から降ってくる硫酸には多少害もあるらしい。このあとこれについても見ていこう！

　あなたがすべきことは次のとおり。

1．前駆体となる何らかの化学物質を集める。ここでは二酸化硫黄を前駆体として話を進めるが、独創性を出したければ、選択肢は他にもたくさんある（硫化水素、硫化カルボニル、硫酸アンモニウム）——白い霧ができるものなら何でもいい。
2．その化学物質を成層圏まで運びあげる。
3．それを微粒子状に噴霧してエアロゾルを作る。
4．このプロセスを少なくとも1年間繰り返す。
5．以上で終わり。5番目の作業はない。あなたは温暖化する気候を盗み、寒冷な気候に置き換えるのに成功したのだ。

「お礼はあとでいいからね」

　簡単であるのみならず、この計画は安上がりだ。二酸化硫黄は簡単に手に入る。硫黄を燃やせばできるし（硫黄と酸素の反応で生じるのは二酸化硫黄だけだ）、硫黄は地球にふんだんにある。宇宙で10番目に多い元素で、地球上では、5番目に多く存在し、重量で4番目に多く採掘されている元素なので、この点はまったく問題ない。
　硫黄を成層圏に運ぶのも、それほど高くつかない。地上20キロメートル

の成層圏を巡航するのは、民間の旅客機（上昇限度は地上14キロメートルほど）には無理だが、ロッキードのU-2などの偵察機はすでに開発されており、これらは地上21キロメートルという、成層圏の底に届く高高度を飛行する。そのような偵察機を数十機購入し、もっと気体散布に適するように改造する（貨物室の大型化、上昇限度を一段と高くするなど）には、おそらく70億ドルほどがかかるだろう。あなた自身がパイロットの免許を持っていないなら、気球から地面まで届くホースを下げるという案が以前からある。ほかにも、巨大な飛行船を使う、あるいは、海軍式の大型の大砲で二酸化硫黄が詰まった砲弾を打ち上げ、成層圏で爆発させる（1940年代から存在する方法）などがある。ここまでは順調だ。ここで必要な技術はどれも、すでに存在しているか、比較的簡単に作ることができる。

熱心な環境活動家

　飛行機が手に入ったなら、運用費は年間20億ドル程度になるだろう。ここには、硫黄の霧を作り出し、維持するために必要な数万回の飛行の費用

も含まれている。これらの飛行は権力者たちに発見されてしまうだろうが、飛行場は世界中のどの工業国にもある。だから、1つの国があなたを制止することなど不可能だ。とりわけ、あなたが最初の飛行を数カ所からの電撃攻撃として行なうなら。

二酸化硫黄を成層圏に運ぶ代替手段

　この目的に使うなら、最も実証されており信頼できる技術は飛行機だが、飛行機はちょっと地味だし、スタイルには常に気を配っておきたい。ロケットはどんな場合もカッコいいし、地球周回軌道に入るまでに成層圏を上昇するあいだ、二酸化硫黄を放出するように設計することもできる。この方法は高くつくが、ミッション達成後には、何基もの人工衛星が地球を周回しているわけで、あなたはそれを自分が望む何にでも使うことができるだろう。

　銃や大砲などでぶっ放すほうが魅力的なら、13.5インチMkVイギリス海軍砲がお気に召すかもしれない。1912年に「超弩級戦艦」と見事に命名された、「オリオン」級の超大型戦艦に搭載されたものだ。この13.5インチ砲の1つ、「ブルース」という、超弩級には劣るものの、そこそこのネーミングセンスの愛称で呼ばれる海軍砲が、初めての成層圏への発砲実験に使われた。1943年3月30日のことだ。実験では、分散パターンの研究のために、煙弾が高度29キロメートルまで打ち上げられた。これを超えるパワーがお望みなら、「ハープ・プロジェクト」（高高度研究プロジェクト）の実績をいつでも頼ることができる。「ハープ」は巨大な大砲を使って人工衛星を宇宙に飛ばすことを目的とするアメリカとカナダの共同事業だった。1967年に終了するまでに、砲身長36メートルのスーパー大砲が製造され、上空181キロメートルもの高

度まで投射物を打ち上げることに成功した。

　本物の科学者たちは本物の科学論文を執筆して、空そのものを執拗に砲撃し続けることはエアロゾルを成層圏に撒き散らす最も安価な選択肢には決してならないことを証明してきたのは確かだが、あなたの美意識と邪悪な個人的思想によっては、最も魅力的なものとなっても少しもおかしくない！

　年間20億ドルにプラスして先行投資70億ドル？　悪巧みとしては、これはお遊びに過ぎない。比較のために申し上げると、イーロン・マスクは2021年の初頭の純資産が2030億ドルだった。だとすると、彼は単独で、このプロジェクトを開始し、1世紀近くにわたってそれに必要な費用を賄い続けることができるわけだ。そして、彼はスーパーヴィランですらない。*彼は、何十カ国もの国々と互角の権力をもって、このようなプログラムを実施できるだけの予算と専門知識を兼ね備えている、ただの人間なのだ。そして、気候変動の予測コスト600兆ドルに比べれば、これは素晴らしいお買い得だ。

　そんなわけで、このプロジェクトは1人の人間が実施できるほど簡単でお手頃価格で、しかも、すこぶる効果的で、私たちの文明の運命がこれにかかっているのに、誰もまだこれをやっていないのはなぜだろう？

マイナス面

　すぐにわかるマイナス面の1つは、気候変動に対するこの解決策は、エアロゾルの核になる化学物質をあなたが空に撒き散らしているあいだしか効果がないという問題だ。ある日突然撒くのをやめたなら、白い霧は即座

＊　公平のために申し上げると、マスクは、普通では考えられない額の自分の資産の一部を、自家用宇宙船によって自動車を地球周回軌道まで運ぶプロジェクトに実際に使っている。これは、少なくともスーパーヴィランに非常に近い行為だと言える。

に薄れ始め、霧をなしていたエアロゾルは地面に落ちてくるだろう。そして地球は、１年か２年のうちに、あなたのプロジェクトがなかったなら到達しているはずだった温度になっているだろう。さらに、おわかりのとおり、数年または数十年分の温暖化が一気に起こることになるので、それは端的に言って、困難なサバイバル状況となるだろう。しかし、もしも突然放棄したなら、地球規模の大量死が起こってしまうような他の技術を人類はたくさん採用してきている！　たとえば、植物に窒素を肥料として与えるのを突然やめたとすると、１年のうちに、今生きている人々のための十分な食料を得ることができなくなるだろう。私たちはとっくの昔に、すべての人を生かし続けるためなら、敢えて危険をおかしてでも技術を使おうと決めたのだ。

　もちろんあなたは、この計画を放棄することで必然的に生じるさまざまな危険を盾に、全世界に脅迫文を送ることもできる。「この奇妙で面白い地球工学プロジェクトを続けられるように、私に出資してください、さもないと、私はこれを停止し、その結果みんな死ぬことになりますよ」。しかし、このような技術のじつにありがたいところは、誰かを脅迫する必要など実際にはないということだ！　このプロセスが軌道に乗って効果が出るところまでこぎつければ、人類そのものが、あなたを止めないのみならず、あなたが続けるのに協力し、さらに、あなたの事業を乗っ取って自分たちでやろうと、本気で思うところまで達している。いわゆる「犠牲者たち」が、それがいつまでも続くのを助けてくれるような悪事こそ、客観的に言って、非常に巧みに策定された陰謀だということではないだろうか。

　これでもう１つのマイナス面もうまい具合に回避できたわけだが、成層圏に散布した硫酸が酸性雨となって地表に戻ってくるという問題がまだ残っている。それに、お気づきのとおり、気象パターンが変動し、予測不可能になっているせいで、他の地域に比べ、不公平なほど大量の酸性雨に見舞われるところでは、そこだけ局所的に極端な被害が出る恐れがある。だが、もしもあなたが何もしていなかったなら、気候に起因する必然的な死を被る人たちがいただろうというのは本当だ。もうひとつ言っておくと、

あなたの白い霧が、空の色を、ちょっと退屈とは言わないまでも馴染みすぎた青色から、もっと白いものに変えたことを、軽々しくなかったことにしてしまわないように！　一体全体、あなたを批判する人たちは、あなたが空中散布した粒子が光を散乱し、1815年のタンボラ山の噴火以来見られなかったような、真に美しくドラマチックな、ちょっとない光景をもたらしていることにすら気づいていないのだろうか？

　しかし、正直なところ、地球の気候を良い方向に変えるのに硫酸のように大胆なものを使うにせよ、宇宙鏡（以下のコラム参照）のように地味なものを使うにせよ、いずれも核心にある問題から目を逸らしているだけに過ぎない。その核心問題とは、責任性の問題だ。

巨大な宇宙鏡はいかがでしょう？

　これは本当の話だ。二酸化硫黄を使う方法のマイナス面を回避するには、代わりに、巨大な鏡何枚かでネットワークを作り、地球を周回させればいい！　実際、一部の批評家は、費用が高くつくが安全なこの「巨大鏡を宇宙に配置する」プランではなく、安価な二酸化硫黄プランを採用したあなたは欲が深いと言うかもしれない。そういう批評家には、地球を周回する複数の鏡を適切に配置したものは、「虫眼鏡の下の蟻たち」という極めて魅力的な最終兵器としても使えるのだと言い返してやるといい。つまり、欲深いどころか、空を硫酸で満たしてやることで、あなたはむしろ彼らのためになることをしているのだ、と。

　ハリケーンの上陸、洪水、干ばつなどの災害時、それを「天災」と呼ぶのは、そんなことの背後に人間がいるなどあり得ないと私たちが思い込ん

でいるからだ。しかし、人間が気候を変えてしまったせいで、天気のパターンも予測困難なかたちで変わってしまったわけなので、今や、ハリケーンが上陸したり、洪水が起きたり、干ばつに襲われたりするとき、それはあなたがこれまでやってきたことの結果でもあるわけだ。もはや「天災」というものは存在せず、すべては「人災」である*。

　ここであなたの責任を軽くする方法は、本当に１つしかない。それは、あなたが作り出す二酸化硫黄の霧の量を制限することだ。成層圏に散布した二酸化硫黄の霧は、集中する部分とそうでない部分でムラができてしまい、平均レベルを超える降水量が期待できない地域がいくつも出てきてしまうことを示唆する研究がいくつか存在するのである。あなたが地球温暖化を50パーセントしか低減しないなら、利用可能水量が大いに改善する地域は、世界の陸地のたった1.3パーセントにしかならない。このこと自体が難問をもたらす。つまり、その1.3パーセントの陸地に住んでいる人々は別としても、あなたが生半可に低減しただけで完全に終わらせなかった気候変動の影響をなおも受け続ける人々は、彼らを救うためになぜもっとやってくれないのかと言ってあなたを責めるだろう。

　瞬く間に、むちゃくちゃ厄介なことになる。しかもそれは、地球の温度自動調節器なるものが存在するのなら、その支配は１人のスーパーヴィランの手に委ねるべきではないと、どういうわけか思い込んでいる連中がもたらす数々の面倒事が出てくる前の話である。だが、思い出してほしい。あなたがスーパーヴィラン業に乗り出したのは、人気者になりたいからでも、国際司法裁判所などの御厄介になりたくないからでもなかったはずだ。あなたは、説得力が極めて大きなポピュラーサイエンスの本を読んで、自分は世界を征服することができ、そして、きっとそうすべきだと気づかせてもらえたからこそ、スーパーヴィラン業に入ったのだ。

　責任性という難題のほかに、このプランの実施に世界全体が乗り気でな

---

*　人間が神に取って代わったのは、天気に関することに限ってであり、それも、特定の法域内の限定的な責任を考慮したときのみである。だがそれでも、ポピュラーサイエンス本で読む悪巧みの結末としては悪くない。

いことにはもう１つの、もっと単純な理由がある。「そんなことうまく行きっこないよ」というのがそれだ。我々が議論していることは、理論上はうまくいくし、火山が噴火するときには実際そうなるけれど、そんな規模で硫酸塩を成層圏に散布するなど、これまでに人間は実際に試したことすらない。多くの科学者が、さらに研究が必要だと言っているし、ここで提案されている考え方自体が「検証されたことがなく、検証不可能で、しかも信じがたいほど困難だ」と言う者たちもいる。そして彼らは正しいかもしれない。私たち人間は、自分たちの行動がもたらすすべての結果を予測することに関しては、残念な実績しか持っていない。個人のレベル（脚注の「ストライサンド効果」を参照のこと）であれ、社会のレベル（1920年代にアメリカで実施された禁酒法、生物の種を新しい生息地に導入しようとしてきた歴史、あるいは、スカンソープ問題[*]〔一見何の問題もない単語のなかに、別の有害とされる単語と共通の文字列が含まれているために、その単語を含む検索結果やメール、投稿などがブロックされてしまうこと〕を参照のこと）であれ。私たちが持っている唯一の惑星の居住可能性に悪影響を及ぼしかねない地球規模の実験は行なうべきではないというのは、極めて現実的な見立てだ（一方、これらの理論を単純に実行することで、あなたはスーパーヴィランになろうとしているのみならず、地球が経験したことがない最大の実用的研究プログラムの１つを実施する科学者になろうとしているという見方

---

[*]　これらの用語の意味を知るために、みなさんがじつに説得力のある本書を途中で脇に置いて、別の何かを調べに行くのを防ぐために、ここで解説しておこう。「ストライサンド効果」は、有名な歌手にして女優兼監督であるバーバラ・ストライサンドが、それまで６人にしか見られていなかった自分の邸宅の写真がインターネットに掲載されたのを、法的手段に訴えて削除させようとしたところ、結局数十万の人々の注目を集めてしまったうえに、この種の現象を表現するのに自分の名前を使われることになったというもの。アメリカでかつて施行された禁酒法は、結局アルコールの消費を止めることはできず、飲酒は陰に隠れただけで続けられ、組織犯罪の増加をもたらした。生物の種を新しい生息地に導入しようとしてきた私たちの歴史には、予想外の別の種が絶滅、あるいはその寸前に追い込まれた例が多数ある。そして「スカンソープ問題」とは、不適切な単語をブロックするよう設計されたコンピュータシステムが、誤って、無害な言葉をブロックしてしまった問題で、「ワイナースミス（Weinersmith）」という名前の人々から、Super Bowl XXXに興味を持った人や、極めて優秀な成績で大学を卒業し、magna cum laudeをもらった人まで、大勢の人たちが迷惑を被っている。

もある。ならば——これを「勝算五分五分の賭け」と呼ぶことにしようか？）。

「検証されたことがないし、検証不可能で、しかも信じがたいほど困難だ」

　これは、ジェイムズ・ロジャー・フレミングの2010年の著書『気象を操作したいと願った人間の歴史』からの引用だが、公平のために言わせていただくと、ここで彼が問題にしているのは、私たちの二酸化硫黄のプランだけではなく、「より効率的に太陽光が反射されるように、海に白いプラスチックを大量に流す」、「雲を光らせることによって白くし、太陽光が大量に反射されるようにする」、そして「海洋を肥沃化（ひよくか）して二酸化炭素を吸収する植物プランクトンを大発生させ、そのプランクトンが海底に沈んで炭素がそこに封じ込められることを期待する」などの突拍子もないような、他の多くのプランも含めてのことだ。こういう、あなたのプランの足元にも及ばない泡沫プランには、１機のロケットも、超大型大砲も、あるいは、世界中をカバーできる多数の特殊改良型成層圏飛行機も含まれていない！

　いいですか、私はなにも、これが完璧な解決法だと言うつもりはない。たとえ理想的な結果になったとしても、このプランは気候変動の「温暖化」という点にしか取り組んでおらず、実際に大気から二酸化炭素を取り除くことは一切しない。大気中の二酸化炭素は、温度を上げるのみならず、他にも多数の深刻な影響を地球に及ぼしている。たとえば、海は二酸化炭素を吸収するにつれて酸性化が進み、その結果サンゴ礁が白化するなどの

影響が生じる。この計画は、人類がこれまで超えようとしなかった線を超えることを意味する。なにしろ、地球全体の気候の国際的な操作を目指すのだから。それは、自然の終焉ではなく、1つの自然観の終焉である。これはすべて本当のことだ。

　だがそれは、世界に猶予を与えることにもなり得る。猶予、すなわち、何らかの新たな炭素回収技術を発明するための時間、人類が化石燃料から乳離れするための時間、私たちの消費習慣を変えたり、低温核融合を発明したり、あるいは、私たちが共有するこの世界を救うためにできるはずの、他のいくつものことを行なうための時間である。私たち全員を死なせてしまうことはないだろうから、気候変動がもたらし得る壊滅的な大災害の多くを何十年も先送りできる可能性があり、そのあいだに見識ある自発的なリーダー——ふーむ、そんな人が誰か、今本書を読んでいるってこともあるかもしれないぞ？——は、より持続性があり、災害が少ない未来に向かって地球が進むよう促すことができるかもしれない。

　先ほども言ったように、これは完璧な解決法ではない。

　しかし、完全犯罪になる可能性は十分にある。

「ヒーロー犯罪者……我らのハートを盗む」

あなたが逮捕された場合に生じうる影響

　いよいよここで、あなたは未知の領域へと足を踏み入れる。この規模の悪行、つまり、地球の気候を変えると同時に、地球のすべての生物に影響を及ぼすようなことは、これまでに成し遂げられたことがない。この計画に適用される法律に最も近いのはおそらく、国連の「環境改変技術の軍事的使用その他の敵対的使用の禁止に関する条約」、英語での略称で「Environmental Modification Convention」またはENMODと呼ばれるものだろう。ここで、「敵対的」という言葉が重要だ。これは気候の軍事的利用を禁止する条約だが、あなたは戦争を始めるためにこのプランを実施するのではない——あなたの目的は世界全体を救うことであり、それはどこから見ても明らかに、「敵対的」からは、可能な限り遠く離れていると言えそうだ。さらにあなたは、国連安全保障理事会が権限を持っているのは加盟国に対してだけで、個人に対してではないという事実によっても守られている。そしてもう1つ、この条約の第3条は、「本条約の各条項は、気候改変技術の平和的目的のための使用を妨げるものではない」としているので、あなたは大丈夫なはずだ。

　また、国連の「1972年の廃棄物その他の物の投棄による海洋汚染の防止

＊　この条約は1978年に発効したが、2020年1月の時点で批准国は78カ国に留まっている。あなたが気を付けるべきこれらの批准国を50音順に挙げておく。アイルランド、アフガニスタン、アメリカ合衆国、アルジェリア、アルゼンチン、アルメニア、アンティグア・バーブーダ、イエメン、イギリス、イタリア、インド、ウクライナ、ウズベキスタン、ウルグアイ、エジプト、エストニア、オーストラリア、オーストリア、オランダ、ガーナ、カーボベルデ、カザフスタン、カナダ、カメルーン、キプロス、キューバ、ギリシャ、キルギスタン、グアテマラ、クウェート、コスタリカ、サントメ・プリンシペ、スイス、スウェーデン、スペイン、スリランカ、スロバキア、スロベニア、セントビンセント及びグレナディーン諸島、セントルシア、ソロモン諸島、大韓民国、タジキスタン、チェコ共和国、中国、チュニジア、朝鮮民主主義人民共和国、チリ、デンマーク、ドイツ、ドミニカ、ニカラグア、ニジェール、日本、ニュージーランド、ノルウェー、パキスタン、パナマ、パプアニューギニア、パレスチナ国、ハンガリー、バングラデシュ、フィンランド、ブラジル、ブルガリア、ベトナム、ベナン、ベラルーシ、ベルギー、ポーランド、ホンジュラス、マラウイ、モーリシャス、モンゴル、ラオス人民共和国、リトアニア、ルーマニア、ロシア連邦。以上。

に関する条約」もある。もしかすると、あなたが作った霧が降ってきて地球に戻ってくるとき、あなたは廃棄物の少なくとも一部を海に捨てていることになるかもしれない。だがここでも、あなたが憂慮するようなことは大してないのだ。第1条4.2.2項は、「投棄」の定義から、「純然たる廃棄そのもの以外の目的のために物質を置くこと」を明確に排除している。つまり、純然たる廃棄以外の、より高い目的があるなら——もちろん、あなたにはある——、この条約は当てはまらない。

　悪天候による損害を主張する個人による提訴をはじめ、いかなる法的脅威があなたにふりかかろうと、環境的基準が緩く、限定的な犯罪人引渡条約しかない国にいれば、起訴される恐れが最も低いだろう。そして、特にアメリカにおいて、気候変動を巡る議論が科学的問題ではなく政治的になってしまったことを考えれば、多くの犯罪人引渡条約にある「政治犯の適用除外」を盾に、免責を主張することができる可能性もある。

　逮捕されたとしても、戦争犯罪や人道に対する犯罪（いいですか、あなたはこの種の犯罪を行なってはいません。これは、人類と共に、人類のために行なう犯罪です）とは違い、環境犯罪に対する国際法廷は存在しない。最悪の場合、国家と非国家行為者（企業、地域社会、あるいは、あなたのような大胆に自己実現した個人など）の対立が国際的な人権裁判所の法廷で裁かれることもあり得る——そして、あなたがこのプランによっていかに多くの人命を救えるか（すべてが完璧に進む場合）を考えると、どのような判決が下るかはまったく予想できない。本書で論じられている多くの犯罪と同様、ここでもあなたは、映画『エア・バディ』〔バスケットボールができる天才犬が学校のチームに加わって活躍する物語〕式の抗弁を行なうことができる。この1997年の映画で、ワシントン州にはバスケットボールの州大会の決勝戦で犬が試合に出ることはできないと明確に述べた法律は存在しないのとまったく同様に、現在の国際法で、有益だが非公式な人工的白霧によって地球を包むことはできないと明確に述べているものは存在しない。そして、あなたがこの悪行を実施してしまったあとに、どんな国際機関がそんな法律を作ろうが、あなたは罪に問われないはずだ。あなたが何かや

ったあとに、さかのぼってそれを違法とするために法律を作ることは、国連の世界人権宣言の第11条2項で禁じられているのだ。

　世界よ、チェックメイトだ。

事業計画概要
エグゼクティブ・サマリー

初期投資	期待収益	完了までの予測期間
先行投資70億ドルに加え、継続的に年20億ドル	文字通り、地球上にあるすべての国のGDPに影響する可能性があることから、本計画の利益の上限は87.8兆ドルに達し得る。生産性の損失を1パーセントでも防げれば、年8780億ドルの利益が出る。	10年未満

地球の中心まで穴を掘って、地球のコアを人質にする方法

金持ちっていうのはだいたい大嫌いだけど、もしもそうなったら、私は結構素敵で、さまになると思うわ。

——ドロシー・パーカー（1958年）

　人質を取るのは犯罪の定番の1つだ。誰かを拘束し、食事と水を与え、居心地が悪くないようにしてやり、ストックホルム症候群を知っているかと、抑えながらもドスの効いた声で尋ねながら、その人質の解放と引き換えに有利な取引ができるように交渉し、人質か要求かのいずれかがなくなるまで、これをどこまでも繰り返す。これまでに人間を人質にして幾度となく行なわれてきたことだが、退屈だし、つまらないし、平凡だ。

　だが、地球を人質にしたという例はないので、これをやれば、少なくとも面白い状況が続くはずだ。

背　景

　生まれてこの方、100パーセントの時間を地球の上か、そのごく近傍であなたが過ごしてきたことは間違いないとしても、地球について知らないことがまだあるかもしれないので、ここで地球に関する基本的な事実をさっと見ておこう。基本を教える上手いやり方の定番として、ここでも最初

に、地球を半分に切断するとどんな具合に見えるかをお教えしよう。

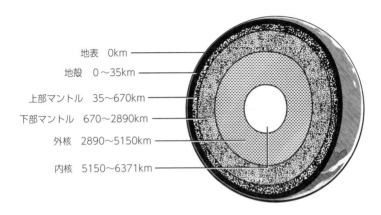

地表　0km

地殻　0〜35km

上部マントル　35〜670km

下部マントル　670〜2890km

外核　2890〜5150km

内核　5150〜6371km

地球。ただし、実際の比例関係を反映しておらず、実物大でもない。地球の構造の実際の比例関係を実物大で観察するためには、本書から顔を上げてください。

　私たちは地球の表面で暮らしている。それは硬い岩でできた非常に薄い層で、体積でいうと地球全体の1パーセントに満たない。この地表の上に海、建物、そして、今飛行機などで空を飛んでいるか宇宙にいる以外の生きた人間全員が存在している。この素晴らしい層——全宇宙で知られているすべての生き物の住処——を発見したとき、私たちはそれを「地殻」と呼ぶことにした。

　地殻は、主に硬い岩からなる層で、35キロメートルほどの深さまで続いている。だが、厚さは均一ではない。収束型構造境界——1つの大陸プレートが別の大陸プレートの下に沈んでいる場所——で最も厚く、50キロメートル以上ある。このような場所に山ができる。そして、海の底にある発散型構造境界——2つのプレートが互いに遠ざかっている場所——で最も薄く、10キロメートル以下である。このような発散型境界では地下にあるマントルが外に吹き出す可能性がある。このような場所に火山ができる。

＊　この図を検証するために、地球を半分に切断する作業は読者の演習問題とします。

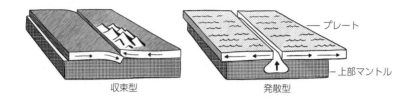

プレート

上部マントル

収束型　　　　　　　　発散型

収束型および発散型のプレート境界。ここでもやはり、実物大ではない。実物大で見たければ、近くの山並みや火山に行ってみてください。

　地球の奥へとどんどん下っていくにつれて温度が上昇するが、その理由は２つある。１つめは、形成されたとき、地球は今よりずっと熱かった（隕石や、当時まだ形成されつつあった他の原始惑星がひっきりなしに衝突したことで、大量のエネルギーが地球に与えられた）ので、当時の熱がまだ相当残っているためだ。２つめは、地球の内部にある放射性元素──ウラン、トリウム、カリウムなど──が絶えず崩壊しており、その過程の一環として熱を発生するためだ。約48兆ワットほどのエネルギーが地球から宇宙へと常に流出しているが、その約半分は地球が元々持っていた熱で、残りの半分が放射性崩壊によるものである。

ワットとは何だろう？

　１ワットは１秒間に１ジュールのエネルギーを消費するのに相当する仕事率の単位だが、１ジュールは、比較的小さな量のエネルギーである。１ミリリットルの水の温度を１度上げるには約4.2ジュールが必要だ。地球は毎秒47兆ジュールのエネルギーを失っているので、冷えつつあるはずだが、この程度の損失は、冷却プロセスとしては遅い。地球が完全に固体になるほど冷えるには、

約910億年かかる。だが、それが地球の生物に悪影響を及ぼすのではないかと心配する必要はない。実際にそうなるよりもずっと前に、太陽が十分大きくなり、地球を滅菌し、さらに地球を呑み込んでしまうだろうから。第9章には、どんどん下に進んでいったときに、どうなるか、ネタバレ情報が一部掲載されています。

つまり、地殻を掘り進むうちに、やがて温度は400℃（約750°F）にまで上がってくるはずだということだ。実感できる温度と比較すると、家庭用のオーブンの最高温度は260℃で、400℃というのは、「チーズ入りフラットブレッドが60秒で焼けるから、これを正式にナポリピッツァ*と呼ぼうかな」という温度領域に近い。

地殻の下には上部マントルがある。その主成分はおおむね固体のケイ酸塩岩だが、地質学的な長さの時間のなかでは、粘性の高い流体として振る舞う。「おおむね固体」というのは、たとえば火山の下などの場所では、上部マントルは溶融し、液化しているからだ。液化したマントルは、地殻をかき分けるように上昇し、地表に到達する。地下約670キロメートル、温度900℃——比較のために申し上げておくと、これは現代の火葬炉の温度と同じで、平均的な人間の身体を、たった2.4キログラムの灰にしてしまうのに十分な高温だ——のあたりにある上部マントルの底は、23万7000気圧もの圧力を受けている。

これは、掘り進むのはもちろん、暮らすのも困難な環境だが、そろそろ地球に穴を掘ることの問題点を検討したいので、地球に関する基本的事実についての話を終わらせてしまうことにしよう。

上部マントルの下には下部マントルがある。下部マントルの温度は4000℃にも達し得る——私たちが知っているすべての元素を液化するのに

---

* 「真のナポリピッツァ協会」は、「真のナポリピッツァ」の承認を得るために満たすべき基準を記した文書で、水温16〜22℃、生地を膨らませる室温23℃（±10パーセント）、そして、窯の温度485℃と指定している。これでもうおわかりですね。

も、下部マントルを作っている岩を溶かすのにも、ダイヤモンドを容易に気化するのにも十分な高温である（ダイヤモンドに言及したのは、ドリルの先端に使われる一般的な材料だからだが、ここでは、一度に1つずつ問題を見ていくことにしよう）。これだけ高温なのにもかかわらず、下部マントルの岩はなおもほぼ固体である。これは、その上にあるすべての岩がもたらす、想像も及ばないほどの圧力——普段地表で経験する大気圧の130万倍もの高圧——のせいだ。

　その下部マントルを掘り進むと、外核に辿り着く。鉄とニッケルを主成分とする、液化した金属の層で、最も高温な部分では7700℃にも達する。これは、すべての既知の元素の沸点より高いが、外核自体が沸騰していないのは、もっぱら圧力のせいだ。そのあたりの圧力は330万気圧にもなる。外核が対流することで生じる対流電流が、地球の磁場、すなわち地磁気を生み出している。地磁気は、方位磁針が使えるようにしてくれているだけでなく、太陽風の大半が地球に直接届かないように遮ってくれる。地球上に生物が存在できるのも、地磁気がこうして守ってくれているからだ。この磁場が、たとえば、突然なくなってしまったら、太陽風がオゾン層を宇宙にどんどん吹き飛ばすので、オゾン層のあちこちに穴があいてしまうだろう。こういった穴が広がっていくと、その下にいるすべての生物に、致命的な量の太陽放射が降り注ぐようになる。長い期間をかけて（数百万年ではあるが、それでもやはり）、太陽風は地球の大気をあらかた吹き払ってしまうだろう。その結果、気圧が低下し、海は宇宙空間へと蒸発していくはずだ。こうして地球は死んでしまうわけだが、ここから1つわかることがある。地磁気が確実に維持されるようにするためなら、地球にいる誰もが大金を払う、というのがそれだ。

　理想的な人質が見つかったようですね。

　最後に、液体の外核の下には、内核がある。内核は、鉄とニッケルの合金でできており、形としては球形で、その直径は月の約70パーセントである。組成に関しては、内核も外核とほとんど同じだが、内核では圧力が一段と高く（360万気圧）、温度はやや高い（5400℃。ただし、内核と外核の境界では6000℃にもなり得る）。ここでもやはり、温度自体はニッケル、鉄、あるいは、宇宙にある私たちが知っているどんなものでも容易く融けるほど高いが、猛烈な圧力のせいで内核は液化していない。地球が冷えると、液状である外核の微粒子が固化し、雪のように降って内核と一体化する。そのため内核は徐々に成長していく。

　常に流動し、磁場を生み出している外核に比べ、内核はちょっと退屈だと思えるかもしれないが、内核なんてどうでもいいや、などと早急に決めつけないように。内核と外核がほぼ鉄とニッケルだけでできているのは、地球がまだできたばかりでどろどろに融けていた当時、「鉄のカタストロ

フィー」（次ページのコラム参照）と呼ばれる、地球の重い元素の大半が中心に沈んでしまう現象が起こったのだが、当時の地球で重い元素といえば、大半が鉄とニッケルだったからである。だが、金だって重い元素だ。ここで、私たちの太陽系が形成されたころの名残をとどめている隕石の組成（比較的金が多い）に注目し、それを地殻の組成（比較的金が少ない）と比べると、ここにあるはずの金は、どこかに行ってしまったに違いないという結論を導き出すことができる。可能性は２つあるようだ。その一部は気化して宇宙空間に運び去られた（このような地球初期の温度でなら起こり得ることだ）一方、残りは地球の核へと沈んだというわけだ。このことから必然的に次の結論が導かれる。「内核と外核には金が含まれている」という結論である。最大で1600兆トンの金、地球のすべての陸地を厚さ50センチの層で覆うのに十分な量の金が。人類の歴史のなかで採掘されたすべての金は計19万576トンに過ぎず、2021年前半の金の価格が１グラム当たり58ドルであることからすると、これは約11兆ドルに相当する。したがって地球の核の価格は、金だけでも、800垓（800兆の10億倍）ドルである。数字で表記すると、ドル記号のあとに、８が１つと、ゼロが22個並ぶ。これが純利益というわけだ。＊

またも作戦成功。

＊　この分析では、1600兆トンの金を採掘しても市場は崩壊しないと仮定しているが、あなたがその金を一気に掘り出したなら、市場崩壊を招くことは間違いない。なので、ゆっくりやってください！　急ぐ必要はありません。こっそりやれば、他の採掘者が殺到することもない（つまり、ゴールドラッシュもない）ですから。

鉄のカタストロフィー

　地球の歴史において、鉄の大半がコアに沈んでしまった時期を「鉄のカタストロフィー」と呼ぶ。これはカッコいいネーミングだ——が、そう思っていられるのは、「カタストロフィー」は、一般的な「壊滅的で致死的な出来事」の意味ではなく、「急激な大変動」を学術的に言い表す言葉だと気づくまでのことである。つい先ほど見たように、鉄のカタストロフィーがなかったなら、地磁気は存在せず、したがって大気も地上水もほとんどないはずなので……生物はまったく存在しないだろう。

　そう考えると、宇宙に存在するすべての生物が生まれたのも、鉄のカタストロフィーのおかげだということになり、それは壊滅的で致死的な出来事からは最も遠いものだと言えそうだ——ただし、あなたが「人間こそ真の害悪である」というイデオロギーを持ったスーパーヴィランの1人である場合は、もちろんその限りではない。その場合、あなたは新しい「楽しいヴィラン的な長い愚痴」にできるトリビアが見つかったわけで、ともかくおめでとうございます！

　確かに、最大推定値においても、それだけの金すべての量は、コア全体の約100万分の1にしかならない。だがそれでも、地球の金のほとんどすべて——その99.5パーセント——が失われているが、その一部は内核と外核に入っている。それに手が届けば、その金はすべてあなたのものだ（さらに、コアに閉じ込められている銀、白金、その他の貴金属も）。あなたは今まさに、理想的な人質、完璧な動機、そして完璧な緊急時の予備資金調達手段を見出したのだ。

　この時点で、地球の構造には、本書で触れなかった副次的な層がいくつか、特に層と層の境界に存在することをお断りしておかなければならない。だが、ここでお見せしたのは、私たちが共有する地球のおおまかな全体像で、今あなたは、それを人質にし、そこに隠れている埋蔵金を解放しようとしているのだ。

　これであなたは、あとは地球を掘り進めばいいだけである。

小悪党の間抜けなプラン

　世界で最も深い穴は、本書執筆時において、コラ半島超深度掘削坑だ。ロシアのコラ半島にあり、北極圏内に位置しているが、現在は使われていない。直径23センチのボーリング坑で、1970年に、1万5000メートルの深さを目標に掘削が開始された。1989年には深さ1万2262メートルに達したが、いくつかの事情から、それ以上掘るのは不可能だと、この科学プロジェクトを担当した科学者たちは判断した。1つめの事情は、温度だ。掘り進むうちに、予想以上に急速に温度が上昇してきたのだ。この深さでは温度は100℃ぐらいだろうと推定していたのだが、実際には180℃という高温で、掘削装置が故障しそうになってしまった。さらに、この深さ付近における岩の種類と、高い圧力とがあいまって、岩がほとんど流動化していた。保守や修理のためにドリルを抜くたびに、岩が穴に流れ込んで埋まりそうになるのだった。さらに深く掘り進もうと、何年にもわたって試みられたが、1万2262メートルよりも深い穴が掘られることはなく、科学者たちは、当時の技術ではそれ以上深く掘ることはできないのだと結論せざるを得なかった。ソビエト連邦は1991年に、これとはまったく関係のない出来事のせいで崩壊し、この掘削事業は1992年に中止となり、現場は閉鎖され、掘削坑の入り口を覆う地上の蓋は1995年に溶接で閉じられた。現在この掘削現場は放棄され、廃墟と化し、崩れ去ろうとしているが、1万2262メートルの穴はなおも掘削坑として世界最深記録を保持している。しかしこの深さでさえ、地球の中心までの距離（約6371キロメートル）の0.2パーセン

トにもならない。

　そのようなわけで、この「深さ」というのは不安材料だ。

　だがそれは、1990年代という過去のことで、それ以来私たち人間は大きな穴をたくさん掘り続けている！　国際海洋発見プログラム（IODP）は、海洋性地殻の薄い箇所を貫通してマントルに到達し、本来の場所に存在している状態のマントルの試料を世界で初めて採取しようと計画している。しかし、推定費用10億ドルのこの計画は、今のところまだ成功していない。とはいえ、この目的で建造された地球深部探査船「ちきゅう」は、2012年、海面からの深さが世界最深となる海底掘削記録（海面下7740メートル！）を達成し、その後しばらくのあいだ最深記録を保持していたのだが、じつのところ、ディープウォーター・ホライズンという海上石油掘削施設が2009年に1万683メートルの世界最深海底油田を掘削していた。ちなみに、その後この施設は大規模な爆発を起こした。[*]

　ここに挙げた証拠はすべて、1つの憂鬱な結論を指し示している。これまでに人類が掘った最深の穴でさえ、必要な深さには程遠く、しかも、その深さですでに暑すぎ、おまけに周囲の岩石の流動性もすでに大きすぎるため、それ以上掘り続けるのは不可能なのだ、という結論である。

　しかし、これらの穴はどれも、失われた黄金を探し求めるスーパーヴィランではなく、科学者たちが掘ったもので、この学者さん連中というのは、「倫理原理」と「社会的に受け入れられた道徳」に大いに縛られている。スーパーヴィランにとって、ここでの解決策は明らかだ。岩石が高温すぎて掘削装置に損傷を与え、しかも掘った穴に流入しているというのが問題なら、穴の径を十分大きくして、岩が少し流入したってへっちゃらで、熱い岩もすぐに冷めて、その場で固まるようにすればいいだけではないか？　ソビエト時代の直径23センチの掘削坑やIODPの同じくらいの細いドリル

---

[*]　念のために申し上げると、爆発は、掘削の直後ではなかった。ディープウォーター・ホライズンは2009年9月に世界記録となる油井を掘ったあと、2010年4月に大規模爆発を起こし、その2日後に水没し、そのあいだに別の世界記録を樹立した。世界最大の石油流出事故というのがそれだ。

穴などとっとと放棄して、もっと大きなもの、もっと大胆なものを考えようじゃないか?

巨大な露天掘りの穴のようなものを考えよう。

科学とヴィランが力を合わせれば、極端に細い穴が直面した問題は、
とてつもなく大きな穴を作れば御しやすいとわかる。

このような掘削坑の場合、岩が動ける余地を作ってやれば、岩の流動化の問題を最小限に抑えることができる——そうすれば私たちにも対処する時間的余裕が生まれる——ので、問題が深刻になるまで時間稼ぎができるだろう。最も使いやすい冷却剤——冷たい水——を使って岩を冷却し固化した状態に保つこともできる。高温の岩やマグマに接触すると、水は水蒸気となり、その熱を大気中へと運んでくれて、そこで消散するだろう——それと同時に岩を冷やしてくれるので、岩は掘削可能な硬さと、流動しない剛性を保つだろう。これには膨大な量の水が必要になるが、ありがたいことに、地球の表面の71パーセントは水で覆われている!

したがって、十分な大きさがある露天掘り式の掘削坑を海辺に作り、必

要に応じて海水を掘削坑に流れ込ませて岩を冷やすためのダムも建設しておけば、その掘削坑は文字通りかつ比喩的に史上最も深いものとなるだろうし、そうすれば、あなたはその所有者として誇りに思っていい！　このプランには、さらなる利益もある。つまり、賢くやるなら、大量の熱い岩やマグマを冷やす過程で生まれた水蒸気を使ってタービンをいくつも回して、さらに多くの電力を生み出して、これを掘削に使うことができるのだ。あなたは、地球自体が持つ根源的でほぼ無尽蔵の熱で稼働する蒸気機関を作るわけである。

　このような露天掘り式掘削坑の具体的な大きさは、何を掘るかによって異なるが、形はどれも、不規則な円錐型であり、その径は地面の高さで最大で、穴の底で最小だ。現在世界最大かつ最深の露天掘り式鉱山は、ユタ州のビンガム・キャニオン銅鉱山だ。1906年以来採掘が行なわれており、そのあいだに、直径4キロメートル、深さ1.2キロメートルの穴を地殻にあけた。これらの数値を目安に使い、次のような表をまとめることができる。

＊　この鉱山の坑の口径対深さの比は、3.31となる。径が3.31キロメートル大きくなるたびに、深さは1キロメートル深くなる。それぞれの露天掘り式掘削坑で口径対深さの比はさまざまに異なるだろうが、最も深いものに注目すると、どれもおおよそ同じだ。世界で2番目に深い露天掘り式鉱山、チリのチュキカマタ銅鉱山は、口径3000メートル、深さ900メートルなので口径対深さ比は3.33である。3番目に深い、やはりチリにあるエスコンディーダ銅鉱山では、口径2700メートル、深さ645メートルなので、口径対深さ比は4.19だ。4番目に深いロシアのウダーチヌイのダイヤモンド鉱山は、口径2000メートル、深さ640メートルで、比は3.13である。これらの鉱山は「鉱物の採掘」のために作られたもので、「地球を人質にしようと目論んで出来る限り深く掘る」ことを目指したものではないのは確かだが、私たちが掘ろうとしている穴がどれくらいの大きさになりそうかという大まかな目安にはなる。

露天掘りで底まで到達したい目標の地球内部の層	そのために少なくともどれだけ深く掘るべきか	掘った穴の口径は少なくともどれくらいになるか
地殻	35km	116km
上部マントル	670km	2215km
下部マントル	2890km	9554km
外核	5150km	17025km
内核	6371km	21061km

邪悪でゾッとするような数値の一覧。誰かに何を読んでいるのかと聞かれたら、すぐに閉じて、「何でもないよ！」と言ってごまかさないといけない表。

　……ここで、また別の問題が出てきた。地殻の底に達するだけでも、マンハッタン島の長さの5倍の径がある穴が必要なのだ。人類がこれまでに作ったどんな穴と比べても、数十倍も大きな穴で、宇宙から簡単に見えるほどの大きさだ。下部マントルの底に達するには、地球の直径の75パーセントに当たる巨大な径を持つ穴が必要になり、外核または内核まで達したければ、地球そのものよりも大きな穴が必要になる。

　地球のほぼ半分を、海水冷却式露天掘り式掘削坑にすることができるとしても、その大きさの穴を冷やすことで生じた水蒸気は、実際に海を沸騰させ、地球をサウナにしてしまい、気候を破壊し、食物連鎖を崩壊させ、そして地球のすべての生物を脅かすだろう。そしてそれは、入手困難な金が回収できるずっと前だというのは言うに及ばず、地球を人質に取る段階に達する前のことだ！　さらに、国土が穴にされてしまったことに憤る各国政府、ほとんどあり得ないほどの時間が達成のために必要なこと、それだけの物質を移動するのに必要な資金、掘った岩をどこに捨てるのか、あるいは、いかに資金が潤沢で、野心的であろうと、あるいは、どんなに見事に自己実現した人であっても、これほど大きな穴を掘ることなど、客観的に言って真に不可能であることを考慮しはじめたなら、状況は一段と厳しくなる。

　やれやれ。

　ともかく、これはまた別の問題だ。

あなたの計画

　こう申し上げるのは心苦しいのだが……現在の技術では、いかに資金が潤沢であろうと、地球の中心に届く穴を掘るのは、たとえ世界の海をすべて枯らしてしまったとしても不可能だ。ここにおいて、あなたの野心が、私の最も荒唐無稽な計画、最もヴィラン的な策略さえも凌ぎはじめたわけである。また、もっと重要なのは、あなたの野心が世界最強で最も耐熱性の高い材料をも凌いでしまったことだ。ちくしょう、地球のコアまでトンネルを掘るよりも、不死の人間（第8章参照）を実現するほうがまだ容易いくらいだ。地球の中心まで届く穴は、達成不可能だ。無理だ。前進する方法はない。

マイナス面

　本当に、文字通り、見込みはない。私もそう認めるのはつらいが、どんなに型破りな科学でも、すべての夢を叶えることはできない。
　申し訳ない。私にこれ以上できることはない。

　……ともかく、この計画に関しては！

　しかし、優れたヴィランはみんな、常にプランBを用意している。窮地を脱して勝利をかすめ取るための計画だ。しかし、穴を掘って何かを要求して、ギリシャ神話のミダス王や、ビル・ゲイツや、スーパーマンの宿敵レックス・ルーサーよりも金持ちになろうと、あなたが心に決めてしまったのなら──私ごときにどうして止められようか？

あなたの計画B

　地殻の内部、つまり、掘り方がすでにわかっている範囲の深さの穴のなかに留まって安全を保つことによって、地球のコアの熱と圧力の問題を回避するという代替案だ。そして、地球のコアを人質に取る計画に伴いがちな合法性の問題は、あなたが掘った穴へのアクセス権を合法的に大企業や超大金持ちに売ることによって回避しよう。彼らは特権が手に入るなら喜んで大金を支払うだろう。なぜかって？

　なぜなら、下へと掘るのではなく、横へと掘っていくからだ。金を採掘するのではなく、情報を採掘するからだ。そして、地球のコアに隠されて入手困難な金ですら有限だが、情報は実質的に無尽蔵だと言える。

　ここに紹介する計画はもっぱら、株式取引がらみの話である。20世紀の中ごろ、株式取引所には立会場があった。立会場は実際の物理的な場所であり、株を売り買いするオファーを他のトレーダーに向かって大声で叫ぶ場所だった。騒々しく雑然としていたが、立会場にいる誰もが、理屈の上では、同じ情報に対する平等なアクセス権を持っていることが保証されるような形式だった。このような立会場のトレーダーは、やがて電話による取引によって補完されるようになり、そしてその後ほとんど完全に、電子取引に取って代わられ、今日の株式取引はほぼ完全に電子取引化している。当時、電話・電子取引は、既存の立会場のハイテク版に過ぎないと言って宣伝されることがあった。しかし、これらの新しい形式は、もっと密かに、あることを行なった。取引の現場を、立会場から、誰もが同じ情報にはア

クセスできない恐れのある、取引所の外へと移動させてしまったのである。

　それはすなわち、その状況を使って金儲けができるということにほかならない。

　言うまでもないが、株式市場について、他に誰も知らない情報を知っていれば、それを利用して金儲けができる。電気通信以前は、上場企業の内部にいる誰かが秘密の内部情報を漏らすことによって行なわれていたことだ。たとえば、予期せぬ損失があったことを示す年次報告が近々発表されるなどの情報である。株を売る理由があることすら誰も知らないうちに、自分が持っている株を売り、他のみんなが被る損失を避けることができる。あるいは逆に、ある株がもうすぐ爆発的に値上がりすることを世界が知る前に、その株を買うこともできる。これは「インサイダー取引」と呼ばれており、違法である*。

　じつを言えば、世界の一部では公になっているが、別の場所ではまだ知られていないような情報から利益を得ることは、概して違法ではないのである。

　たとえば、あなたが1860年9月にサンフランシスコにいて、世界を変えるようなニュースを入手したとしよう——ポニー・エクスプレス〔ミズーリ州セントジョゼフとカリフォルニア州サクラメントの間を数十人の騎手と数百頭の馬がつなぎ、10日間で郵便を配達する、1860年4月から1861年11月まで運行された駅伝による配達システム〕が馬を乗り継いで伝達してくれたおかげで。ちなみに、替え馬を乗り継いでの伝達は、電報の発明前には全米に情報を送る最速の方法だった。この場合、あなたがこの情報で利益を得ることは、たとえあなたの周囲では誰もそれを知らなかったとしても、完全に合法的だった。これが可能な時間は、短かったかもしれない——次の馬が町に到着して、他の誰かに同じ情報を伝えるまでの2、3時間ほどしかもたなかったかもしれない。しかし、可能ならあなたが自由に利用して構わなかった。

---

*　スーパーヴィランである我々は、「トラブルに巻き込まれる」というのは間違った捉え方だと知っているが、法との間で不要なトラブルを起こさないようにするのは常に正しい。

　今日では、もちろん、情報の流れは絶えることなく世界中を飛び回っているので、その２、３時間使えた情報の特権はもはや存在しない。しかし、近くにいる他の人たちはまだ誰も知らないことをあなただけが知っているという状態になっている、ごく短い時間間隔はまだ存在する。そして、ありがたいことに、あなたが優位である時間がミリ秒単位だったとしても、この作戦はうまくいくのである。ほんの一瞬でも、誰よりも早く株式情報を入手できたなら、そして、誰もがその情報を入手して、あなたの特権が時間切れで使えなくなる前に株を売買できたなら、大儲けできる。

　それは、人間が反応するにはあまりに短すぎる時間なので、私たちに代わって株取引をしてくれるプログラムがすでに作成されている。ある基準に基づいて自動的に売買の判断をするプログラムだ。この手法の究極の形が「高頻度取引」で、プログラムは株を買い、おそらく２、３秒だけ保持し、再び売る。それは、「安く買って高く売る」というおなじみの古い格言そのもので、今や毎秒数十回、あるいはひょっとすると数百回も実行されている。それを可能にしているのは、競合するソフトウェアがまだ知らない情報を利用するために、可能な限り速く働いているソフトウェアである。１つ単純な例を挙げよう。ニューヨークにいる誰かがある株を、たとえば10ドルで買おうとしているのだが、あなたのプログラムが、そのことを知っているトロントで唯一のプログラムだったとする。そのプログラムは、その株を9.95ドルというトロントでの現在の株価で購入し、２、３ミリ秒後にニューヨークからその買い注文が届いた瞬間に、保証されたも同然の１株当たり５セントの利益を得ることができる。それは大金ではないが、これを毎秒数回、毎日数百万回行なえば、あなたはほぼリスクゼロで何十億ドルもの利益を生み出すことができる——なぜなら、あなたのプログラムは事実上、未来を見通して、ほかのみんなには、あなたがそれに基づいて行動してしまったあとになるまで届かない知識を利用しているからだ。

　今やあなたに必要なものは１つだけだ。世界中の株式市場で何が起こっているかを他の人たちが知る前に自分だけが知る方法である。

　しばらくのあいだ、株式取引所どうしの間の情報は光ファイバーケーブルを通して伝送されていた。情報は光としてケーブル内を伝わった。したがって、株式市場からトレーダーに向かうケーブルのうち、他よりもまっすぐ直接に伸びているものは金鉱のようなもので、膨大な利益をもたらし得るわけだ。2010年、スプレッド・ネットワークスという名前の企業がウォールストリートの金融市場に近づき、1年をかけてシカゴ・マーカンタイル取引所とナスダックのニュージャージー株式取引所に隣接するデータセンターとのあいだに新しい光ファイバーケーブルを——秘密裡に——敷設したことを明らかにした。それまで、一番安上がりな経路を取る遠隔通信ラインは、鉄道の線路に沿って設置するとか、山を迂回するなどの合理的な方法で作られていたが、それとはまったく違い、この新しい38ミリ径のプラスチックのチューブに入った地下光ファイバーケーブルは、山を迂回するのではなく、山を貫通するなどの方法で、可能なかぎり最もまっすぐなラインを取っていた。秘密が漏れないようにするため、「ノースイースタンITS」だの「ジョブ8」だのというぱっとしない名前の幽霊会社をいくつも作り、それらを使って建設を行なった。これらの会社と契約した作業員は、何のためにこのトンネルを掘っているか、教えられなかった。ただ、「クライアント」がそれを出来る限りまっすぐに作りたいと考えているとだけ言われた。さらに、建設現場の周辺をうろついたり、根掘り葉掘り質問する者があれば上司に報告するように命じられた。かくて秘密は守られ、1331キロメートルのトンネルは、誰にもその目的を知られることなく完成した。完成時、この新しい光ファイバーラインは、これら2つの都市を結ぶ他のどんなラインよりも160キロメートル以上短かった。これでスプレッド・ネットワークスはニュージャージーとシカゴのあいだで情報を宇宙で一番速く動かせるようになった。
「シカゴ・ニュージャージー間往復の旅が13ミリ秒に短縮されました」というのが謳い文句だった。2番目に速いファイバーラインよりも1.5ミリ秒以上速かった。そのケーブルは200人が同時に自分専用の接続を維持できる十分な帯域幅があったのだが、売り込んだ相手の企業各社は、その料

金を喜んで払おうとしているだけではなかった。彼らは、ほかの企業がそれを絶対に使うことができないようにするために、さらに金を払いたいと言ってきたのだ。アクセス権の値段は、５年リース契約を全額前払いした場合1400万ドル*、分割支払いの場合は2000万ドル近かった。したがって、最初の５年だけで最低でも28億ドルの収益が得られたわけである。

　トンネルの建設自体の費用はちょうど３億ドルだった。

　強調しておくべきは、この計画はすでに過去に成功しており、しかも合法的かつ儲かるということだ。

　しかし、光ファイバーケーブルは確かに情報を光で運ぶのだが、その速度は光ほど速くない。光は、どんな媒体のなかを進むかによって速さが異なり、光ファイバーケーブルのなかでは、光の速さは真空中における最高速度の約70パーセントに落ちてしまう。それでも猛烈な速さなのだが、他にもっと速いものを使えば打ち負かせないわけではない。それこそが、今日株式取引所どうしの情報のやり取りが、しばしばマイクロ波送信機によって行なわれる理由だ。マイクロ波を使う場合、送信網に設置されたすべての送信機が、次の受信機に正確に向けられていなければならないし、しかも、相手の受信機が常にはっきりと見えていなければならない。だから、悪天候のときは使えない。だが、その一方で、光速の99パーセント以上の速さで情報を伝達することができる。つまり、この宇宙のなかを移動する際に可能な最高速度の99パーセント以上の速さで情報を送信できるわけだ。

　当然ながら、大儲けするために、このようなマイクロ波通信網も秘密裡に設置されている。イギリスのロンドンとドイツのフランクフルトを結ぶマイクロ波通信網がペルセウス・テレコムという企業によって秘密裡に設置された。そして、これが今では公に知られるようになった唯一の理由は、2013年にライバル社が彼らの独自のマイクロ波通信網を設置し、公に顧客を募集したからである。おかげでペルセウス・テレコムは、それまでもっ

＊　ラインへのアクセス権そのものは106万ドルだが、クライアントは自分専用の信号増幅器（地面の高さに設置される）を、光ファイバーの経路に沿った13カ所に１個ずつ購入せねばならず、増幅器込みの費用は１社当たり合計1400万ドルとなった。

ぱら非公開で運用してきた彼らのマイクロ波通信網を白日のもとに晒し、ライバルと同じかたちでの運用に切り替えざるを得なくなったわけである。

しかし、このような、人間に可能な最速を誇る最先端の通信網には、それが地下の光ファイバーケーブルであろうと地上のマイクロ波通信設備であろうと、同じ1つの弱点がある。どちらも地球の曲率にしたがって曲がっているのだ。あなたの足元の地面は平らに見えるかもしれないが、そこにはごくゆるやかな湾曲がある。なぜなら私たちはみな、銀河系のなかを猛スピードで駆け抜けている巨大な岩と金属の球の上に立っているのだから。地球の曲率が人間の尺度で問題になることは通常はないが、もっとグローバルな尺度——たとえば2つの都市のあいだの距離など——では、非常に重要な因子となる。そして、2点間の最短距離は常に直線だが、地球の表面に沿った線は直線ではない。曲線である。2つの都市——およびその内部にある株式取引所——を結ぶ真にまっすぐな線は、途中地球の内部を通過する。正解を言ってしまおう。2つの地点のあいだを情報が可能な最高の速度で伝わることを実現する特注のトンネルを使うのだ。

このようなトンネルの建設では、距離が制約になる。あまりに遠く離れた2地点を結ぼうとすると、人間に掘れることが実証済みの12キロメートルよりも深く掘らなければならなくなる。そのため、地球上で約790キロメートル以上離れている2地点は、現在の掘削技術の限界にぶつかってしまう。それに、それ以前に困難にぶつかる可能性だってある。だが、たまたまなのだが、世界で9番目に大きな証券取引所——2020年の株式時価総額3兆1000億ドル——はカナダのトロントにあるトロント証券取引所である。そして、世界最大の証券取引所——2020年の株式時価総額は途方もない25兆ドル——はニューヨーク証券取引所で、トロントの取引所からは550キロメートルしか離れていない。あるいは、地下トンネルでつなげばたったの549.8キロメートルの距離になる。そして、このトンネルの場合、最も深い場所でも、地下5.9キロメートルに過ぎない。最も深い穴の深さの半分以下であり、ソ連時代の掘削技術でも可能な範囲である。

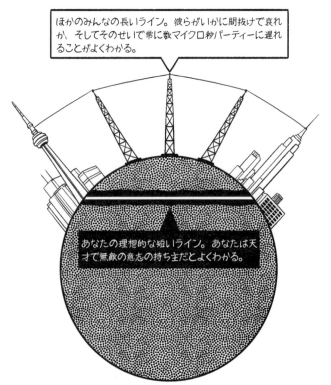

あなたのヴィラン的計画の勝利。
ここでも、地球およびあなたの素晴らしさは原寸に比例していない。

　このような穴に光ファイバーを通せば、トロント・ニューヨーク間の往復時間はたったの5.3ミリ秒になる。あなたの最大のライバルとなりそうなのは、クロスレーク・ファイバー〔カナダを拠点とするネットワークサービス・プロバイダー兼光ファイバーインフラの開発業者〕だ。クロスレーク・ファイバー社は2019年、トロント・ニューヨーク間の伝送時間を短縮するため、オンタリオ湖の底を横切る光ファイバーケーブルを敷設した。彼らが達成した最短往復伝送時間は9ミリ秒だった。おまけに、あなたが敷設した光ファイバーケーブルは、地上高の直線という理想的な光ファイバーケーブ

ルに比べても0.002ミリ秒速い。ただし、この理想のケーブルは実際には存在しない。というわけで、あなたの優位性は何重にも保証されている。トンネル内にマイクロ波送信機を入れれば、往復伝送時間は3.7ミリ秒にまで短縮される——そして、あなたのトンネルは天候の影響を受けないので、地表のマイクロ波送信機なら妨害されてしまう大雨や大雪でも問題なく使うことができる（そして、もしもあなたがスプレッド・ネットワークスを彼ら自身の土俵で打ち負かしたければ、イリノイ州オーロラにある彼らのデータセンターとニューヨーク証券取引所のあいだに、地下直通トンネルを作ればいいが、これは非常にやりがいはあるが困難な作業で、可能性の限界まで追い込まれる難事業になるかもしれない——長さ1200キロメートル、最深部の深さ12.18キロメートルで、ソ連の科学者たちが達した深さの99パーセントの深さに相当する——が、スプレッド・ネットワークスの光ケーブルよりも1.4ミリ秒速く、マイクロ波を使えばさらに3.5ミリ秒速くなる）。

　今やあなたは、そしてあなただけが、トンネルの反対側にある証券取引所で何が起こっているか——そして、そのなかで取り引きされている何兆ドルもの株式について——地球にいる他の誰よりも数マイクロ秒早く知ることができるのだ。そして、金鉱は枯渇し、地球のコアでさえ掘り尽くされる可能性があるが、取引は人類が存続する限り続く。物理法則そのものが、あなたが結んだ2都市間であなたと同じ速さで情報を伝送することを禁じている——彼らも同様に大胆な穴を掘らない限り。*

　世界最長のトンネルの2つが、アメリカのデラウェア導水路（長さ137キロメートル、直径4.1メートル）とフィンランドのパイヤンネ水路トンネル（長さ120キロメートル、直径4.5メートル。硬い岩盤をくり抜いて作られた）だ。あなたのトンネルはこの2つよりも長いが、両者の径の大きさを考えると、あなたが実際に掘る土砂や岩の量は、これらのトンネルよりもはるかに少なくて済む。トロントとニューヨークの証券取引所間をつ

＊　念のため、本書をすべて買い占めたほうがいいですよ。

なぐ直径23センチメートルのトンネルを作るために掘るべき土砂と岩は、たったの2万2843立方メートルに過ぎない。一方、既存の世界最長のトンネルのどちらも、180万立方メートルを超える土砂と岩を掘らねばならなかった。そのような次第で、この計画には時間と資金がかかるけれど、不可能ではない。実際、「不可能ではない」というだけではなく、それよりずっといい。大胆不敵である。しかも、合法的であり、あるいは少なくとも、あなた自身と他の有力者たちのためにあなたが稼ぐお金で、この作戦を完了まで推し進められるのに十分合法的だ。そのうえ、この計画では、もっぱらあなた自身をリッチにするために、周りにいる他の誰も知らない情報を利用して、自分に都合いいように株式市場を際限なく操作することを目的に、地下に——しかも国境を越えて——秘密のトンネルを掘るのだから、これは間違いなくスーパーヴィラン的である。

　おわかりですか？　本書をここまで読んだだけで、この本1冊のためにあなたが支払った代金は十分取り返せたでしょう？　そして、まだ本書の半分も読み終えていないんですよ！

あなたが逮捕された場合に生じうる影響

　これまでのところ、このスタイルの高頻度取引はアメリカや他の多くの国際株式市場で批判されてはきたものの、違法になったことはないので、この事業計画は実行可能で、何の問題もありません。やっていることが合法的である限り、何をやっていようがそれがバレたとしても、何の影響もありません！

　しかし、合法的だったとしても、だからといってそれは必ずしも可能とは限らない。あなたや、ほかの高頻度トレーダーたちが利用できるスピードの優位性を徹底的に抑え込む目的で特別に設計された証券取引所が1つ存在する。ニュージャージーにあるインベスターズ・エクスチェンジ証券取引所、略称IEXだ。そういう取引所なので、IEX自体がニューヨークにある他の証券取引所と光ファイバーケーブルで直接接続している。このケ

ーブルは、320マイクロ秒以内に世界中に情報を伝送できるが、他のトレーダーたちが使わねばならない光ファイバーケーブルは必要以上に長くなっている。実際、61キロメートルも長い。この余分な長さのケーブルは、きっちりと巻かれて、IEXのサーバー室にある箱に収納されて、物理学によって課せられた最低350マイクロ秒の遅れを確実に生じさせる。どのトレーダーも、取引所自体のスピードを上回ることは絶対できないようにすることで、IEXは効果的に——そして自動的に——私たちの「誰よりも速く情報を入手する作戦」を阻止するのである。*

　あなたにとって幸いなことに、2013年の開設以来、IEXは3.4パーセント以上のマーケットシェアを獲得したことはなく、最近のマーケットシェアは2パーセント以下だ。

　どうやら、アメリカの株トレーダーたちは、彼らに——そして、まもなくあなたにも——大儲けさせてくれている金の鷲鳥を殺すことにはあまり乗り気でないらしい。このシステムは不公平ではあるが——そして、一部の高頻度トレーダーたちが5年ものあいだ、取引を行なった1日たりとも損したことなどない（他の人が知らないことをたくさん知っていない限り事実上不可能なこと）と吹聴しているにもかかわらず——この方法は、私たち全員が1つの社会として、金儲けをするいい方法だと決めたものであり続けている。それはいい方法なのだ！　それについてくよくよ心配するのはやめよう！　この種の取引は、価格を上昇させ、まるで寄生虫のように自らは文明のために生産的なことは一切せず、年に220億ドルもの金を自分の利益として吸い取ることを可能にすることで、株取引の足枷になっていると論じることもできるが、そのように論じている人は、えてして地殻を貫通する自分専用の秘密のトンネルなど持っていないし、何がわかるというのだ？

　トンネルについて言えば、もちろん、国境をまたがるものでさえも、合

＊　もちろん、これは完璧な対策ではない。現実には、必ず他の人々に先んじて情報を入手する連中がいるだろう。それでもこれは、この情報がまだ送信されているあいだに行なわれる取引の数を制限し、ひいてはこの間に上げられる利益を制限し、その結果作戦に水を差す。

法的に作ることができるし、あなたのトンネル——違った、データ・コミュニケーション経路だった——は人身売買に使うには細すぎるという事実が、ここでは有利に働く。では、正当な許可なしに掘り始めることにした場合はどうなるか、ですか？　そのことなら、許可なくケーブルを敷設することは、終身刑になるほどの罪ではない。合衆国法典第18編第1部第27条555項「国境トンネルおよび通路」は、「アメリカ合衆国と他の国との国境と交差するトンネルまたは地下通路を意図的に建設、または建設の資金を提供する者は、それが国土安全保障省長官に知られており、移民税関捜査局による査察を受ける、適法な委任を受けたものでない限り、本項に基づき罰金を課せられ、20年以下の懲役となる」と規定している。この20年というのは最悪の場合であり、しかも、公開されている株価のような地味なものを伝送する人ではなく、「外国人、物品、規制薬物、大量破壊兵器、あるいはテロ組織のメンバー」を密輸しようとする者たちを取り締まるための法律による罰則なのだ。それに、トンネルは非常に見つけにくい——人間を移動させるのに使えるほど大きなトンネルでさえ——ので、作ってしまえば、比較的安全である。

　そして最後に、秘密のトンネルが、少なくとも1つの国の内部に入口と出口の両方がある場合には、罪に問われなかったという前例がある。

　2015年のはじめごろ、3メートルの深さに作られた、幅1メートル、高さ2メートル、長さ10メートル以上のトンネルが1本、トロントのヨーク大学のキャンパスの近くで発見された。公園管理者が、鋼鉄の波板で覆ったうえに土をかぶせて隠されていた秘密の入口を見つけたのだ。トンネルはじつに巧妙に作られていた。天井は太い木の梁で支えられており、水が中に溜まらないように排水ポンプが設置されていたし、防湿照明器具がいくつか取り付けられていたほか、10メートルほど離れた場所にある専用の防音室のなかに発電機が置かれており、土中に埋められた延長コードを通してトンネルに電力を供給していた。あまりに見事な秘密のトンネルが見過ごされるはずもなく、カナダ、アメリカ、そしてイギリスにまで通報された。

　のちに、警察がトンネルを埋め、そこでは何の犯罪も行なわれていなかったと市民に保証したあとになって、エルトン・マクドナルドという才能ある22歳の建設作業員が、そのトンネルを作ったのは自分だと名乗り出た——証拠として、トンネルを建設する過程を撮影した写真を提示して。彼によれば、トンネルは自分と友人とで、自分たちがくつろぐための隠れ家として作ったものだとのことだった。2人が、夏は涼しく、冬は暖かく、のんびり過ごせる場所にしたかったと。ノートパソコンで映画を見たり、音楽を聞いたりできる場所だった。トンネル内でバーベキューもやったそうだが、トンネルはまだ完成していなかった。もっと大きな部屋を2つ作る計画で、その1つに、ゆくゆくはテレビを入れようと考えていた。マクドナルドは、2013年に趣味としてこのトンネルの建設を開始し、それは、見つかるまでのあいだずっと本業の傍らにやったことだった。

　彼は、警察がせっかくの楽しい隠れ家を埋めてしまったことは残念だと言った一方、「またやりますよ」と明言した。今度は自分自身の土地で——その土地が買えたときに。

　穴掘り技術者エルトン・マクドナルドを止めることはできないだろう。あなたも彼に倣おう。

事業計画概要
エグゼクティブ・サマリー

初期投資	期待収益	完了までの予測期間
3億ドル（地表に近いルートの場合）と10億ドル（もっと深い穴の場合）のあいだ。	少なくとも年4億2400万ドルから運営費を引いたもの。リースせず自分だけが独占的に使う場合、利益はさらに上昇。	10年未満

タイムトラベル

君が知るべきことがあるとすれば、それは、一度しか生きられないことこ
そが最大の難問だということ。

——オーシャン・ヴォン（2016年）

　私はずいぶん手を尽くし、あれこれ研究してきたが、時間を前進する以
外の方向でタイムトラベルを引き起こすのに成功したことは、一度たりと
もなく、しかも前進したときにしても、元の時間に対して毎秒1秒ずつし
か進んだことはない。

　この状況が変化することがあれば、私は時間をさかのぼり、この原稿が
印刷される前に修正し、世間に出回る本書がすべて自動的に更新されるよ
うにするつもりだ。

　本章をときどき確認するようにしてください。

<small>エグゼクティブ・サマリー</small>
事業計画概要

初期投資	期待収益	完了までの予測期間
未定	未定	成功時：**大いに変動し得る**

私たち全員を救うために
インターネットを破壊する

携帯電話が多すぎる。インターネットがはびこり過ぎている。こういう機械は捨てなきゃならない。

——レイ・ブラッドベリ（2010年）

　インターネットは一世代のうちに、それを使ってしばらく時間を過ごすのが待ち遠しいものから、多くの人々にとって常時オンで、どこにでもあり、完全に不可欠な生活の一部になってしまった。職場でも家でもインターネットに接続した機械を使い、外出時には万一に備えて携帯型のインターネット接続の機械をポケットに入れて持ち歩く。金儲けをするにも、金を使うにも、新しい友だちを作るにも、知らない人をやっつけるにも、食品を宅配してもらうにも、食品を宅配して料金を受け取るにも、私たちはインターネットを使う。友だちや家族の近況を常に把握するのも、人との交流、愛、セックスなどを見つけるのもインターネットにおいてだし、職場で使う大嫌いなパソコン画面や自宅で使う大好きなパソコン画面についてジョークを投稿するのも、インターネット上でだ。ソーシャルメディアにログインして、自分のユニークで素晴らしい考えを世界と共有する一方で、その同じ場所で、そうすることの代償に、地球で最も忌まわしい間抜けの考えを、求めてもいないのにしょっちゅう読まされるのだと、遅ればせながら気づく。

　インターネットはゴシップと誤情報、そしてヘイトに駆られた集団の場、匿名の脅迫とハラスメントをクラウドソーシングの手法で行なう場で、あなたを軽蔑する人たちが、あなたの信用を失墜させられるものがひょっとしたら見つかるかもしれないと、何十年分もの古い投稿を漁る場所だ。信用詐欺、ペテン、チェーンレター、マルチ商法、デマに当てこすりに窃盗に監視が行なわれる場所だ。すべてが保存され、何も忘れ去られることがない場所だが、それでもなお、あなたのいとこを陰謀論者にし、あなたの甥をネオナチにすることが可能な場所である。

　そして、気弱な人々なら、ただじっと座って、このようなことが起こるに任せておくだろう。なにしろ、「インターネットは重要だ」し、「もはやそれなしには生きられない」のだから、「どうしろって言うのさ」、というわけだ。だが、あなたは気弱な人ではない。あなたはスーパーヴィランだ。ネットのダークサイドなどクソ食らえだ。オタクたちが（そもそも自分たちのために）作ったコンピュータ・ネットワークごときに、あなたが振り回されるわけなどない。これまでに、あなたは間違いなくこう思ったことがあるはずだ。ある日、何らかの理由で、この「インターネット」がそっくりそのまま……消えてしまったなら、状況はずっと良くなるんじゃないのかと。

　そんなこと不可能でしょうって？

　確かめてみよう。

背　景

　私たちはインターネットを、私たちが暮らしているしがない現実からかけ離れたものだと思いがちだ。しかし、どんなによくできたウェブサイト、ストリーミング・プラットフォーム、サブスクリプション・サービス、あるいはヴィラン専用デートアプリも、物理的なハードウェアの上で動いているソフトウェアに過ぎない。頭の中で、現実の機械からいかに離れて抽象的になろうとも。そして、今日のインターネット・サービスの多くが、

それ自体「クラウド」上で動いている仮想サーバー上で運営されていることからすると、「お金を支払う人なら誰にでも使える地球全体に分布したコンピュータ・プラットフォーム」として機能するたくさんのコンピュータがあるわけだ。あなたがこれまでにオンラインで読んだり、見たり、聞いたりしたすべてのものは、あなたの個々のリクエストに応じた物理的なハードウェアの特定の部品から来たのである。インターネットの基本は、それが発明されたときから変わっていない。当初は、2つの研究機関をつなぐ短い1本の接続ラインでしかなかったが、今では世界中のあらゆる場所に分布している数十億台のコンピュータを結びつける120万キロメートルを超えるケーブルがそれを担っている。とはいえ、やはりそれは機械から機械へと伝送される信号に過ぎないという事実と、これらの機械は、基本的には、私たちが脳内で可能なよりも速く足し算ができるように作った、電流が流れる金属に過ぎないという事実は、まったく変わっていない。

　インターネットは次のように機能する。

　初期のコンピュータは、一台対一台で、相手に向かって直接話しかけていた。つまり、あなたのコンピュータは相手のコンピュータに直接つながっていたのだ。鍵が掛かった部屋のなかで誰かと一対一で話しているようなものだ。これでは満足できないのは当然で、やがて、もっと大きなネットワークが作られ、そのなかでは、同時に複数のコンピュータに話しかけることができるようになった。こうなると、鍵が掛かった部屋のなかにもう1台のコンピュータといるというよりも、ネットワークに含まれるすべてのコンピュータが1つの大きなプールのなかにたむろして、誰でも好きな相手としゃべることができるという状態のほうに近い。この比喩は秀逸だが、現時点において、これに対するフィードバックはお受けしておりません。

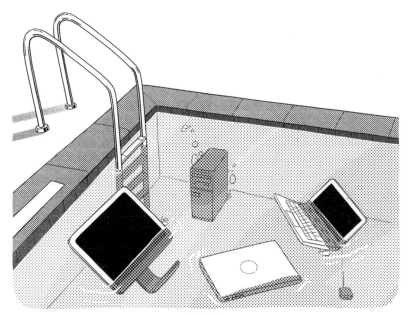

秀逸な比喩。

　だが、これはまだインターネットではなかった。というのも、このよう
な初期のネットワークは、「Aさんが、別の市に住んでいるBさんにどう
やって話しかけるか」という問題を、インターネットよりもずっと素朴な
方法で解決していたからだ。初期のコンピュータ・ネットワークは、先行
する電話網からヒントを得て、データを固定ルートで送るシステムを使っ
ていた。たとえば、当時あなたがロサンゼルスにいて、ニューヨークにあ
る私の会社に連絡したいと思っていたとしよう。その場合、あなたがかけた
電話はロサンゼルスのオペレータによって（当初は、人間が電話交換台上
でワイヤーを動かして電話を物理的につないでいた）、たとえばラスベガ
スにある電話交換所に送られて、次にそこからアルバカーキの交換所に送
られ、そこからカンザス・シティ、次にシカゴ、そしてそこからニューヨ
ークに送られて、そこでようやく、私のデスクの上にある電話機に直接つ
ながった電話線に接続される。この経路上にあるすべての交換所で、1人

ひとりのオペレータは、あの市からこの市への電話は電話網のなかのこの固定ルートを通るのだと知っていた。たとえば今私たちが見た、ロサンゼルスからニューヨークへのルートのように。そして、すべてが完璧にうまくいく限り、このようなシステムは見事に機能する——しかし、もしもアルバカーキの交換所が機能しなくなると、この市を経由するすべての接続が切断され、1人の人間が手作業でルートを復旧するまで回復しなくなる。これはつまり、電話が集中する交換所ほど、もしもそこが機能不全に陥ったなら、電話網が広範囲で停止してしまうため、大きな弱点になるということだ。このような方式で作られたコンピュータ・ネットワークは脆弱であり、アメリカ政府はもっと強靭なコミュニケーション・ネットワークを望んだ。たとえアルバカーキが核攻撃されたとしても、なおも機能し続けるネットワークが欲しかったのだ。じつのところ、彼らが欲しかったのは、アメリカの大部分が核攻撃を受けても機能し続けるネットワークだった。

　ここからインターネットの前身、ARPANETが生まれた。ARPANETの基本構造には冗長性が組み込まれている。1人の監視者が固定ルートを決定するのではなく、メッセージは「パケット交換」というプロセスを通して送られる。パケット交換では、1つのメッセージの全体が前もって決められたルートを進むのではなく、コミュニケーションは小さな単位で分割され——この単位をパケットと呼ぶ——1つひとつのパケットは個別の経路を進んで送信先に到着する。この方法では、すべてのパケットが目的の受信者に到着することは保証しない——ましてや必ず元の順序で到着するわけでもない。しかし、インターネット・プロトコル〔インターネットでデータを送信する際の通信規約〕がこの問題を解決する。それぞれのパケットを、それらが特定できるような仮想封筒に入れるのだ（この仮想封筒に、「やあ、こんにちは。ぼくはあのコンピュータが送ったこのメッセージの、全部で9個あるうちの7番目の部分だよ」とわかるようにラベルがついている）。そのうえで、失われたパケットがあれば、受信者が再送をリクエストできるようになっている。このような方式なので、仮にARPANETが核攻撃を受けたとしても（あるいは、普通もっとあり得るように、あな

たがメッセージをアルバカーキ経由で送るために使っているコンピュータが故障したとしても）、あなたは代替となる経路を使ってメッセージを送信することができる。故障しているコンピュータはすべて自動的に迂回されるので、ネットワークの大部分が破壊されても、システムは接続を維持できるし、1つのメッセージの断片が1つでもあれば、メッセージ全体を復旧するためのプロセスを開始させることができる。

　そしてこれは、インターネットを破壊しようとしている我々スーパーヴィランは、文字通り核爆弾をも生き延びるよう設計された強靭な機械のネットワークを倒す方法を見出そうと、あてもなく探し回らねばならないということだ。じゃあ、この仕事はまさに我々におあつらえ向きじゃないか……

妥当な量をはるかに超えた核爆弾

　……と、言いたいところだが、いかんせん、この数十年間の市民向けインターネットの発展にはあなどれないものがあるのだ！

人間のコミュニケーションについての数学的証明

　失ったデータを再送することにまつわる面白い事実がある。情報が失われるかもしれないネットワークを使ってやり取りしている2人が、同じ情報を共有していると100パーセント確信することは決してできない——そしてこれは、実際には何も失われることなどない場合にも言える。

　一例を挙げよう。あなたが、「ねえねえ、君、ヴィランっぽいやつって好きかなあ？　って言うのも、ぼくはヴィランっぽいし、**お望みのときにキスするから！！！**」という非常に重要なメッセージを送りたいと思っているとしよう。そのメッセージを送るこ

とはもちろんできるが、あなたは頭がいいので、このメッセージがちゃんと届いたと確認できるように、相手に受信したという旨を返信してくれるよう頼めばいい。簡単ですよね？　それで、万事計画通りに進むものとしよう。相手はメッセージを受け取り、受信確認のメッセージを返信する。だが、その返信が届いたとき、あなたは相手が「キスできるヴィランがいますよ」のメッセージを受信したとわかるが、相手はあなたがそれを知ったかどうかはわからない。なにしろ、相手が返信した確認メッセージがあなたに届いていない可能性もあるのだから！　そこであなたは相手に、「ありがとう。君の確認メッセージ受け取ったよ」というメッセージを送る。すると今度は、相手のほうはあなたが、あなたの最初のメッセージを自分が受け取ったことを知っているとわかるが、あなたのほうは相手が、メールがちゃんと届いたことをあなたが知っていると知っているかどうかわからなくなる。そして、これはどこまでも無限に続いてしまうので、あなたには２つの選択肢しかないことがわかる——このことは、情け容赦ない分散コンピューティングの数学によって証明されている。１つは、確認メッセージの確認メッセージ（の確認メッセージの確認メッセージ）を今後の生涯にわたって送り続け、世界のある状況に関する事実が２人の人間によって完全に理解されるという、一見単純だがじつは文字通り希望のない目標に向かって努力を続けること。そして２つめは、この堕落した世界で私たちは決して真に互いを知ることはできないということを受け入れ、生きていく。このいずれかしかない。

　同種の分散コンピューティングによる証明で、あるネットワークの参加者の３分の１以上が嘘をつくつもりだとすると、コンセンサスを得る（つまり、そのネットワークの参加者全員が、ある出来事について合意する）方法は存在しないことが明らかになっている。ともかく、これはコンピュータ・ネットワークについて

の面白い事実の1つで、人間社会にも当てはまるかもしれませんよ。

小悪党の間抜けなプラン

インターネットの経路選択は粘り強いので、ワイヤーを2、3本切断しても——あるいは、核爆弾を落として都市1つ分のワイヤーをすべて融かしてしまっても——インターネットの破壊には至らず、生き残ったコンピュータたちが壊れた部分を迂回してインターネットを続けるだろう。しかし、インターネットは、独立したコンピュータからなる分散型ネットワークとして始まったものの、この20～30年のあいだにほんの2、3の企業の手のなかでますます集中的になってきた。

前のセクションで「クラウド」に触れた。クラウドとは、多数のコンピュータが1つのコンピューティング・プラットフォームとして働けるようにしているものに過ぎない。クラウド・コンピューティング・プラットフォームを使うことで、あなたは1つの物理的な機械——たとえば、あなたの机の上にあるパソコンのようなもの——の能力にアクセスできるし、あるいは、2、3ドル余分に出せば、並行して稼働している数百台の同種の機械の計算能力をすべて合わせて利用することもできる。ウェブサイトを管理する責任を負う人たちにとって、これは非常に魅力的な話だ。物理的なコンピュータが1台だけだったら、ハードドライブが損傷したら大変なことになって、ウェブサイトが壊れてしまう。しかし、クラウドのなかで協力して1台の仮想コンピュータのように働く、大いに冗長なコンピュータ群全体のなかに、あなたのデータがバックアップされていれば、ハードドライブが損傷しても、1台のコンピュータが働かなくなるだけで、ほかのコンピュータたちが代わりを務めてくれるので、あなたはそれに気づきもしない。月額料金（あなたに都合がいいように、どれだけのコンピュー

ティング能力が必要かに応じて調整できる！）を支払えば、物理的ハード
ウェアを維持したり修理したりする、つまらない現実にどっぷり浸かった
つらい仕事の責任を、誰かほかの人に負ってもらうこともできる。そして、
この一層粘り強い仮想プラットフォームが使えるようになり、自由になっ
たあなたは、「私の密かにヴィラン的なレシピのブログに今日は何を載せ
ようかな」などの、もっと面白くてレベルの高いことに集中できる。なに
しろ、ほかのすべてのことはちゃんとうまくいくだろうとわかって安心な
のだから。これだけ魅力的な話なので、世界で最も人気の高いウェブサイ
トの多くが、昨今では１つまたは複数のクラウド・サービスの上で運用さ
れているが、複雑だし、立ち上げコストも高いので、クラウド・サービス
というものは概してアマゾンやグーグルなどの巨大企業によって提供され
ている。

　というわけで、こういう企業がターゲットとなる。

　アマゾンとグーグルのクラウド・プラットフォームをやっつければ、こ
の２つの企業に損害を与えるのみならず、今主流になっているインターネ
ットのかなりの部分を損傷させることもできる（もしもあなたが、グーグ
ルまたはアマゾンのなかで本書を読んでいるなら、とにかく涼しい顔をし
て、いつも通りに振る舞ってください。多分、このページを開きっぱなし
にしないほうがいいでしょう）。

それがどんな経験になるかは、あなたもときどき味わっているはずだ。たとえば2020年11月、アマゾンのクラウド・コンピューティング・サービスAWSの23カ所あるリージョナル・センターの1つが停止してしまったとき、Adobeのグラフィック・デザイン向けソフトウェア、Coinbaseの仮想通貨取引アプリFlickr、Rokuのストリーミング・メディア、Radiolabなどのポッドキャスト、Vonageによる家庭用ネット電話サービス、iRobotのロボット掃除機、1Passwordを使ったパスワード管理、《フィラデルフィア・インクワイアラー》や《ワシントン・ポスト》などの新聞のウェブ版など、さまざまなインターネット・アプリが影響を受けた。このほか、無数の小規模サイトやサービスが突然オフラインになってしまった。AWSの健康状態やステータスを契約者たちに知らせるアマゾンのウェブサイト自体もアクセス不能になった。

つまり、たった1つのデータセンターの停止がインターネットの大部分を停止させてしまったわけだ。核爆弾の破壊力に耐えられるように作られていたのだが、資本主義の力——広告の力、「規模の経済」の力、独占に近い状態の力など——は、ある意味、核爆弾よりも強いということだ。個々のユーザーは2、3のサービスのどれか1つだけに頼っており、しかも、どのサービスもそのなかの1カ所が故障しただけで停止し得るという状況なのだから、この事件から、インターネットの大部分が再び脆弱になっていることがわかる。このときAWSが停止したのは、たいていのクラウド・ホスティングの停止がそうであるように、意図的なものではなかったということは、強調しておくべきだろう。このときの停止は、単なる定期的なアップグレードの失敗が原因だった。*このことは、1つの驚くべき結論を指し示している。世界で最もリッチな企業のいずれかにおいて、

＊　何が起こったのか詳しく知りたい人のために、ここに記しておく。AWSのクラウドの個々のフロントエンドサーバーは、集団内の他のすべてのコンピュータとの接続を維持しており、すべてのサーバーとやり取りをし、連携していた。新しいサーバーがいくつか加えられたとき、個々のサーバーが他のすべてのサーバーとやり取りするために必要な接続の数が、全体のオペレーティング・システムが扱える量を越えてしまい、集団全体で連鎖的に障害が生じた。

ネット上で仕事をしている人々のなかで最も意欲的な人たちの一部、つまり、クラウド・コンピューティングのプラットフォームの圧倒的な成功のおかげで、自分の仕事が非常に現実的なかたちでインターネットが崩壊するのを防ぐようになったという経験をしてきた人々でさえも、自分の仕事で偶然失敗することはやはりある、というのがその結論である。

　あなたが成功したらどうなるかをさらにシミュレートしたければ、科学技術レポーターのカシミール・ヒルの足跡（そくせき）をたどるといい。2020年7月、彼女は《ニューヨーク・タイムズ》で、グーグル、アマゾン、フェイスブック、アップル、マイクロソフトを遮断してインターネットを使ってみた経験についてリポートした*（彼女は、これらの企業のハードウェアを使わないことにしたのに加え、それらの企業のIPアドレスを、いわゆる「ブラックホール」にしてブロックし、実質的に――彼女のコンピュータには――――これらの企業がすべて完全にオフラインになっているかのように見えるようにした）。「アマゾンとグーグルは、ダントツで最も避けにくい企業でした」と彼女は記し、インターネットのいかに大部分がこれらの企業のサーバーをホストとしているかを指摘した。アマゾン・プライム・ビデオのストリーミングサービスが使えなくなったのは当然だが、そのライバルに当たるネットフリックスも、ＡＷＳをホストとしていたため使えなくなった。一見関係なさそうなサイトも予期せぬかたちでアクセスできなくなった。たとえば、グーグルを遮断したために、広く使われているキャプチャ認証サービス〔人間と機械を区別するためのテスト〕も遮断された。そのため彼女は、自分が人間だと証明できなくなり、このサービスを使うウェブサイトにはどこにもログインできなくなった。さらに、これらの企業のマップ・プラットフォームを使うアプリ――配車アプリのウーバーやリフトなど――がすべて機能停止した。プライバシーの保護を運営方針とする、グーグルの代替となる検索エンジンであるDuckDuckGo（ダックダックゴ

---

*　《ニューヨーク・タイムズ》に掲載された彼女の記事は、彼女が以前にテクノロジーメディアサイト「ギズモード」に書いた一連の楽しいディストピア記事――まず1社ずつ遮断したのち、5社すべてを同時に遮断した――の結果をまとめたものだ。

ー）さえ、アマゾンのAWSをホストとしているため、使えなかった。結局彼女は、イギリスのユーモア小説に出てくる有能な執事を範とする検索エンジンAskJeevesの子孫であるAsk.comに切り替えることにした。あちこち行くために使っていたマップ・アプリはもはやあきらめ、最終的には紙の地図を買い、こう述べた。「アマゾンとグーグルは、インターネットのインフラそのものの提供者なのだと、私は考えるようになりました。彼らのライバルたちでさえ彼らのサービスに頼らざるを得ないほど、デジタル世界の構造に埋め込まれているのだと」

これはつまり、現代のインターネットは、以前にはなかったかたちで脆弱であり、また、そのように脆弱なものに誰かがしようとしてなったのではないということだ。ここでのあなたの成功は、世界の姿と、世界がいかに働くかの両方を根本から変えるだろう。アマゾンとグーグルを排除してもインターネット全体がつぶれるわけではないが、あなたはその大部分を混乱させることになるし、この2社がやっているのと同じことをすぐに始めてインターネットを復旧できるものなど他にはいないだろう。この2社が、彼らのクラウド・ホスティング用コンピュータのサーバーを設置した拠点が世界各地に何カ所もあり、それらの場所は可能な限り秘密に保たれているだろうが、それでもやはり、これは1つの弱点だ——なにしろ、本セクションの冒頭で紹介したAWS停止の事件はたった1つのデータセンターから始まったのだから。

そういうわけなら、あなたはアマゾンとグーグルのデータセンターのうちのどれかの場所を突き止め、穴を掘って重要そうに見えるワイヤーの束を一気に切断すればいいだけ、なのだろうか？　率直に言って、それは可能だろう。そして、それができれば確かにインターネットの大部分を混乱させて大勢の人々を困らせることができるだろう……

……ただし、しばらくのあいだだけ。

　両社とも、データセンターを稼働させ続ける大きな金銭上の動機があるため、大規模な停止は、総動員の、いかなる代償を払っても復旧すべき、「金が流れてくるホースをなぜ止めたんだ今すぐ復旧しろ」的な事態なのだ。あなたは、世界で最も大きくリッチな企業に数えられる相手と対決しようとしているのであり、せいぜい犠牲が大きすぎて割に合わない勝利を収めるだけで、しかもその勝利は長続きしないだろう。というのも、先ほ

どから検討しているAWSの障害は、たった2、3時間で復旧したのだ。おまけに、これらのデータセンターは一層堅牢になり、警備がより厳重になっているので、あなたの計画は実行しにくくなるばかりだ。もっと脆弱な標的を攻撃してみることも可能だ――ヨーロッパとアメリカのあいだのインターネット・トラフィック〔インターネットの回線でやりとりされているデータの流れ〕は、大西洋を横切るたった数本の海底ケーブルを通って行き来しており、海を攻撃から守ることのできる者などいない――が、たとえあなたがこれらのケーブルの正確な場所を突き止めたとしても、世界で最もリッチで強力な企業は、そんな公共性が高く自社だけの責任ではないようなものでも、出来る限り早く障害を復旧することに最上級の熱意を示すだろうし、その理由はやはり同じだ。海底ケーブルは早く復旧したほうが自らの大きな利益につながるのだ。

　2008年、地中海の海底ケーブルが切断された事故では、その直後から、エジプト、サウジアラビア、インド、カタールをはじめ、多くの国の数百万の人々がインターネットに接続できなくなった。おかげで、バックアップルートもすぐに超過密状態になり、エジプトのインターネット容量は通常の20パーセントに低下してしまった――のみならず、エジプトの通信省は、重要な業務上の必要で使えるように回線を開けておくために、市民にダウンロードを一切やめるよう求めざるを得なくなった。数カ国にとって重要なインフラに対する衝撃的な攻撃をやり遂げたのは、ハッカーでも、マティーニをちびちびやっているエリート・スパイでもなく、テロリストですらなかった。魚釣りをしているあいだに潮に流されたくなかった人たちのせいだったのだ。ある船の錨が、不注意から海底ケーブルの上を引きずられたことが、すべての始まりだった*。しかし、このようなケーブルを切断するのは難しいことではない――なにしろ、うっかりしただけで起

＊　錨によって海底のインターネット・インフラがたまたま損傷する事件は、かなり頻繁に起こっている。2008年だけでも他に数件あったし、それ以前にも、それ以降も起こっている。錨のほか、潮の流れなどのありきたりのものや、サメの攻撃などのショッキングなものによっても、海底インターネット・ケーブルは損傷を受けている。

こるのだ──ものの、その修復も不可能ではない。応急的な修復は1週間以内で終わった。

　資本主義はインターネットを中央集権化してしまったが、その中央主権化によって利益を得ている人々に、何が起ころうと自分の会社のサーバーは止めないと固く決意させたのも資本主義だ。使用不能状態は長くは続かず、国際海域の底にある無防備なインフラでさえ、即座に修復されるが、それは停止時間が1秒延びるごとに、どこかの超リッチな権力者が金を失っていくからだ。あなたの計画が最も成功した場合でも、あなたはせいぜい、こういった巨大企業をイラつかせるぐらいのもので、彼らを心底怖がらせることなど決してできないだろうし、彼らがあなたの前に身をすくませることもないだろう。なお悪いことに、あなたが彼らをそうさせようと試みても、猫の写真をアップロードしてから、他の人が撮った別の猫の写真をダウンロードしたかっただけの、夥しい数の第三者をイラつかせ、不便な思いをさせるだけだろう。

これこそ、「自分のわなに自分が落ちる」だ。

　こういうときは、一歩下がって、自分を取り戻してから、この「インターネット」なるものをもう一度見つめるのがいいかもしれない。

　確かに、インターネットにはいろいろ問題があるが、良い面もたくさんある。そうでしょう？　たいていの人は、インターネットがなければ決して会うことはなかった相手との、とても大切な関係を持ったことがあるか、あるいはそんな関係をまだ続けているはずだ。インターネットには、想像もつかなかったような素晴らしい事実や、言葉をしゃべる恐竜たちが登場する楽しくて面白いウェブコミックがたくさんあるし、その後二度と思い出さないにしても数分間楽しませてくれる動画に溢れている。そして、もしもあなたがすでにこの後出てくる章を先に読み終え、第9章の最初の計画を遂行して成功を収めておられたなら、あなたの永遠のヴィラン性が顕

現するのはインターネットにおいてである。COVID-19のパンデミックが続くあいだ、私たちが愛する人々とビデオ会議で交流しなかったなら、あるいは、自宅で会社の仕事をすることができなかったなら、状況はあらゆる点で恐ろしいほど悪化していただろう。そして、ソーシャルメディアが多くの人間の脳をぐちゃぐちゃにしてしまったのは確かだとしても、いつまでもそんな状態でなければならないという理由はない。最大のソーシャルメディア・プラットフォームは、ヘイトを含む投稿に寛容でなければならない、ミャンマーの大虐殺を促進しなければならない、あるいは、登録者たちがより長時間サイトに留まり、ひいてはプラットフォームの会社の収益が上がるという理由から、最も凶悪なヘイトの例を自動的に登録者の大部分の前に曝け出すアルゴリズムを開発しなければならないという法律は存在しない。このような状況の一部、またはすべては、打開することができるし、私たちが協力し合うことで、いつの日か、ワイルドでオープンで自由であると同時に無毒で、かつ大虐殺を推進せず、しかも私たちの心の健康にいいインターネットを作ることができるはずだ。

　というのが、インターネットを救うための、楽観主義に基づいた１つの議論である。

　２つめの、もっと実際的な議論は、インターネットが機能していて、かつあなたに利用できる状態であることを前提とした次のようなヴィラン的計画なら、あなたは世界を……あるいは、少なくともそのかなり広い範囲を、本当に征服できるという話だ。

あなたの計画

　世界中とつながっている膨大な数の機械のシステムがあって、それが命じられたことは何でもやってくれるということには、実際にいくつか利点がある。あなたがそのシステムを利用する方法はいろいろあるが、なかでも最も大きな影響力が生み出せるのは、インターネットを機能させたままで、それを利用して、汚いやり方で選挙に勝つことだ。確かに、既存の国

家を乗っ取っても、絶対的な権力を手に入れることはできない（その理由は第２章を参照のこと）が、選挙で不正に勝つことは、自分自身の国を立ち上げるという苦労なしに、その状態に可能な限り近づける方法なのだ。すでに、完璧なまでに良い国がいくつも存在している——それを利用しない手はなかろう！

　まず、選挙というものは、ほとんど選挙独特とも言える困難な課題を突きつけるものだと認識しなければならない。機能している民主主義において、選挙は次の５つの基準を満たしていなければならない。

1．資格のある人々が投票することに対して、一切障壁があってはならないので、選挙は「開かれて」いなければならない。
2．資格のない人々（たとえば国民でない者）が投票できないように、あるいは、資格のある人々が一度ならず二度以上投票しないように、「厳重に警備」されていなければならない。
3．だが同時に、選挙は「匿名性」を保たなければならない。なぜなら、もしも市民が自分の投票行動に基づいて報復されることを恐れるようなことがあれば、当然ながら彼らは自由な選択を行なうことができなくなるからだ。そして逆に、ある人がどんな投票行動を取ったかを証明することはできないので、必然的に、自分の票を他人に売って儲けるのは難しくなる。このことはどんな民主主義においても、その全体的な健全性にとって好ましい。
4．それは「透明」でなければならない。なぜなら、選挙に信頼性があるのみならず、人々がその信頼性を信じることが、非常に重要だからだ。これを実現する唯一の方法は、投票がどのように行なわれ、集票され、集計されたかについて完全にガラス張りにすることである。
5．そして最後に、選挙は「正確」でなければならない。なぜなら、一度の選挙で一票しか投じることはできず、やり直し、撤回、あるいは、「おーっとっと」は利かないからだ。やり直したいからと言って、選挙の結果を取り消そうとすると、元々の選挙で勝利したと見られる

　人々は、至極正当なこととして、自分たちの勝利が不当に奪われよう
としていると思うだろうから、大騒動になるだろう。

　ここで早くも、両立するのが困難な基準があることがわかる。人々が１
回しか投票できないように、選挙は「厳重に警備」されていてほしいが、
その一方で、特定の誰かがどのように投票したかが絶対わからないように、
「匿名性」が保たれていなければならない。この２つの制約を同時に満た
すのは難しいが、投票用紙を使って投票することにすれば、両者はうまく
両立する！　投票所の係員たちは、身分証明書を確認しさえすれば、確実
に正当な市民だけが投票するようにできる（「開かれている」：オーケ
ー！）。そして同時に、その正当な市民たちが、決められた投票所で１度
だけ投票していることも確認できる（「厳重に警備」：オーケー！）。しか
し、ある投票者が投票所に入場し、他の人のものとまったく区別できない
正規の投票用紙を与えられ、投票ブースに行ったと確認されたなら、その
人が投じた投票用紙をその人に結びつける方法はまったく存在しないので、
「匿名性」が保証される。そしてそれは「透明」でもある。なぜなら、投
票用紙への記入は他人に見えないところで行なわれたものの、その後その
投票用紙は、立会人たちの目の前に置かれ、誰にでも見える投票箱のなか
に投入されたからだ。選挙が終わったとき、これらの投票用紙は、やはり
公に集計される——選挙の立候補者全員を代表する人々が注視する前で行
なわれるのが理想的だ。これにより、選挙結果は証明可能な正確さを維持
すると同時に、検証可能なものとなる。というのも、結果に対して異議が
上がった場合には、再集計を行なうことによって解決できるからだ。投票
用紙を集め、もう一度集計し、それで終わりである。
　だが、投票用紙を使うことにはマイナス面もいろいろある！　物理的に
——手で！　石器時代の人みたいに！——票を数えるのはものすごく時間
がかかる。パンチ式投票機で投票用紙に穴を開けたときに落ちずに残って
しまった穿孔くず（チャド）〔アメリカの選挙では、州によってはパンチ式の投
票用紙を使う。チャドが原因で票の集計に問題が生じることが多い〕や、署名の不

一致〔アメリカで郵送投票する場合、州によっては有権者が登録した際の署名と郵送された投票用紙の署名が一致しないと無効になる〕や、チェックマーク式の投票用紙で、あのチェックは無効にしたけど、このチェックは有効にできるほど枠に近いかどうかが、投票所係員と監視員とのあいだで議論になる。それに加えて、投票ブースまでわざわざ行かなければならないのは本当に不便だ、とりわけ、投票日が祭日でない郡にあなたが住んでいる場合は。投票するための時間と、投票するために仕事を休むことで失うお金は、国全体で見れば相当なものだ。したがって、オンライン投票が実現すれば、時間もお金も大幅に節約できるわけである。もはや19世紀ではないことは誰もが知っているのに、どうしていまだにこんな方法で投票しているのだろう？　私たちは毎日、オンライン・バンキングを使い、オンラインでショッピングを行ない、オンラインで税を申告し、リアリティーテレビ番組に出ているお気に入りのスターのためにオンラインで人気投票に参加し、自分の最高のヌード画像をオンラインでシェア*している！　このリストに国の選挙の投票を加えるのは、それほど難しいことではないのは間違いない。そして、シンプルな投票アプリを作るのが、どういうわけか不可能だったとしても、せめて投票所でコンピュータを使って投票することぐらいはできるのではないだろうか？　そうすれば、少なくとも選挙結果は数時間後ではなく数秒後に出るだろうし、票の数え直しも瞬時に処理できる！

　民主主義を乗っ取ろうとするスーパーヴィランとして、あなたには絶対にこの直前の段落に記されている「思い」を支持し、広めるようにお勧めする。現時点で、電子投票システムを売り込んでいるコンピュータ科学者が皆無だということからもわかるように、じつのところ、どんなコンピュータにも絶対の信頼を置くべきではないというのが本当で、重要なことをオンライン投票で決めるのは、途方もなく無謀で危険なことなのである。これは重大な主張であり、即刻懐疑的な反応が出てきそうだ——しかし、それは私たちの目的には好都合だ。オンライン投票またはコンピュータに

＊　毎日というわけではないでしょうが、いい日には。

よる投票は安全で、簡単で、便利だと思う人が多くなるほど、あなたは彼らの国を盗みやすくなるのだから。

　じゃあ、がんばってやってみよう！

楽しく利益を得るためにコンピュータをハッキングする方法

本ヴィラン的計画を実施するために可能な１つの選択肢

　これを成功させるためには、まず、コンピュータは実際どのように機能するかを、もう少し詳しく見る必要がある。コンピュータが二進法で、つまり１と０で動いていることはご存じだろう。また、手作業で何かを二進法で書くのは難しいこともご存じだろう。実際、非常に難しいので、誰もそんなことはやりたくないと言っていいくらいだ。たとえあなたが二進法で何かをうまく書いたとしても、あなたが作り出したものは数の羅列に過ぎず、あなたが作ったそのコードの役割は何なのか、理解するのは誰にとっても──２、３日経ってあなたが自分が何を書いたか忘れてしまったら、あなた自身にとっても──極めて困難だ。次に挙げたプログラムは、どんな働きをするでしょうか？

11001100 11001101 10001010 10101010 10101100
11001100 11011000 10101010 10101010

二進法で書かれたコンピュータ・プログラムかもしれないし、ジョージ・マイケルの「ケアレス・ウィスパー」のなかに出てくるサクソフォーンのソロパートのメロディーを、1本目の指で1、2本目の指で0のキーを叩いて奏でた結果かもしれない。

　率直に答えると、「どう解釈するかによって、どんな働きでもする――これがどんなコンピュータ上で実行されるかによるが、コンピュータの種類が明らかになったとしても、このプログラムが具体的にどう働くかを明らかにするのは極めて困難だ」ということになる。

　この問題を回避するために、私たちコンピュータ科学者は「アセンブリ言語」と呼ばれるものを発明した。アセンブリ言語は、コンピュータがその上で働くハードウェアと二進コードに直に基づいており、しかも、それらに結びついているが、私たち人間が実際に話す言葉により近いため、多少は理解しやすくなっている。アセンブリ言語では、「10足す20」は、たとえば次のように表される。

MOV 10, REG1
MOV 20,REG2
ADD REG1, REG2, MEM3
MOV MEM3, SCR

架空のものではあるが、典型的なアセンブリ言語で表した「10足す20」。ここで架空の言語を使った理由は、そのほうがわかりやすいからというほかに、私自身コンピュータ科学の学位を2つ持ってはいるが、それでも実際の言語を使ったら、間違えそうな気がするからでもある。だが、この架空の言語で書いたものは絶対に間違っていない。なぜなら、私はここに、私が発明したこの言語を、「とにかく30という数字が出てくるコード」と正式に定義するからである。

　おわかりのとおり、ここには明らかなマイナス面がいくつかある。アセンブリ言語は苛酷であり、退屈であり、さらに、膨大な量の事務的な細か

いこと（メモリーの位置、レジスタに空きはあるか、等々）を追跡しなけ
ればならないなどのことから、非常に間違いやすくなってしまう。アセン
ブリ言語で書くには、そのコンピュータのハードウェアを熟知していなけ
ればならないし、プロセッサごとにアーキテクチャが微妙に異なっている
ため、常に新たに学ぶべきことが出てくる。しかし、二進コードと比べた
とき、少なくともアセンブリ言語で起こることは、無限に続く1と0の流
れを読もうとしているときよりも、ずっとわかりやすい！

　アセンブリ言語の一段階上に行くには、「加算器」や「レジスタ」など
のコンピュータ・ハードウェアを構成している小さなピースの位置を（あ
るいは、それが存在するか否かさえ）知る必要がなくなるように、ハード
ウェアから離れ抽象化する。これを行なう言語が高水準プログラミング言
語で、これを使えばプログラムをもっと直観的に作ることができる。この
言語を使った場合、「10と20を足し合わせ、その結果を画面に表示しろ」
という文章に非常に近いものを書くことができる。それはしかも、ちゃん
と機能する。そして、それがちゃんと機能する理由は、プログラムを実施
する準備ができたら、「コンパイラ」と呼ばれる別のプログラムを並行し
て実行し、このコンパイラに、高水準言語で書かれたコードを、あなたが
ターゲットとしているコンピュータにとって最も効率的な二進コードに翻
訳してもらうからである。高水準言語で、「10と20の和を画面に表示し
ろ」は、じつにシンプルで、次のように書けばいいだけだ。

```
print 10+20
```

高レベルプログラミング言語で書いた「10と20の和を画面に表示しろ」という命令。結果は
30である。約束します、30です。

高水準言語をコンパイルする喜び

　これまでに高水準言語でプログラムを作ったことがある人は、すでに頭のなかで私宛ての怒りのメールを書いている最中だろう。先ほどの、「コンパイラはちゃんと機能する」という一節に憤って。なにしろ、その経験がある人なら、プログラム中のバグは、じつに微妙なことで生じ得ることをよく知っているからだ。私自身、コンピュータ科学を学び始めたころ、自分が書き上げたプログラムがどうしてもちゃんとコンパイルしないのはなぜかを突き止めるのに4時間かかったことがあった。最後にようやく気づいたのが、私が使っていた言語では、すべての行はセミコロンで終わらなければならなかったのに、1つの行で、私がシフト・キーを離すのがたまたま遅れたために、セミコロンではなくコロンを打ってしまったということだった。この打ち間違い——「シフト」キーを押す時間がおそらくマイクロ秒レベルで違っていたために、画面上で1画素分だけの違いが生じた結果である——のおかげで、その日の午後は丸々つぶれてしまったわけだ。それはともかく、コンピュータは素晴らしい！

　今日では、高水準プログラミング言語には数百種類が存在しており、それぞれの言語が独自の哲学、特徴、そして用途を持っているが、目的はみな同じだ。コンピュータ・コードを人間にとって読み書きしやすくし、ひいては、コンピュータ・ソフトウェアを作りやすく、理解しやすく、そして維持管理しやすくするというのがそれだ。高水準言語はコンピュータの可能性を解き放ち、私たちがより大きく、より複雑で、より美しいソフトウェアを作ることができるようにしてくれた。高水準言語のおかげで、コ

ンパイラが自動的に、実装にまつわる複雑で単調だが核心的な機械レベルの詳細に対処してくれるあいだに、私たち人間は、アイデアのレベルで活動できる。趣味の領域のものや、一部の限定的な領域の特殊なソフトウェアを除き、今日すべてのソフトウェアは高水準言語で書かれている。

　それこそまさに、それらのものが、あなたがこれから成功させようとしている陰謀の格好の餌食である理由なのだ。

高水準言語への卑劣で卑怯な奇策

　弱点は、当たり前になっていて誰も気にも留めないことのなかに潜んでいる。どんな高水準言語でコードを作成するときでも、コンパイラはあなたが書いたコードを二進コードへと正確に変換してくれるものだと、あなたは信頼しきっているはずだ。誰かのプログラム作成作業を妨害するには、彼らのコンパイラを妨害すればそれでいい。これを実行する、誰でもすぐに思いつく方法があるが、それとは別に、狡猾に、ほぼバレることなく行なう方法が1つある。

　誰でも思いつく方法を先に見よう。

　高水準言語で書かれたアプリケーション・プログラムをコンパイルするときには、普通次のようなことが起こる。

＊　20〜30年前、コンパイラが人間ほど効率よくコードを書くことができなかったころ、ソフトウェア開発者はしばしば、作成中のプログラムの重要な部分を書いているときに、アセンブリ言語に降りて作業をし、コンピュータのパフォーマンスのありったけを引き出そうとしたものだった。だが最近では、そんなことはめったにない。コンピュータが速くなったのみならず、今ではコンパイラが、平均的な人間のソフトウェア開発者が作成できるよりもはるかに効率的なプログラムを作成できるからだ。そうなって当然だ。なにしろ、ある賢い人間がより良いコンパイラを作ったなら、その時に行なわれた最適化を、同種のコンピュータでも採用すれば、全体として進歩できるし、これを繰り返せば、時が経つにつれてそれらのコンピュータはますます効率的になっていくのだから。

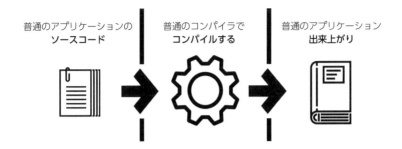

普通のアプリケーションの
ソースコード

普通のコンパイラで
コンパイルする

普通のアプリケーション
出来上がり

あなたはインターネット経由で、敵のコンピュータに侵入したと仮定しよう。そして、敵のコンパイラにこっそり手を加えて、「print」コマンドが含まれるコードをコンパイルする際に、答えの数に1を加えたものを画面に表示するように変更してしまったとしよう。すると、誰かがこのコンパイラを使ってアプリケーションをコンパイルしようとすると、次のようなことが起こるだろう。

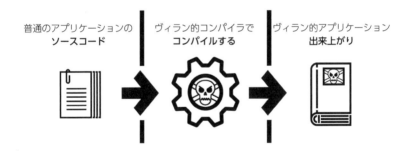

普通のアプリケーションの
ソースコード

ヴィラン的コンパイラで
コンパイルする

ヴィラン的アプリケーション
出来上がり

この変造コンパイラを使って作成されたすべてのプログラムは、突然、「10＋20＝31」だと、得意げに世界に知らせ始める――プログラマーが作成したプログラムには何の間違いもないのに。すべてのアプリケーションは、まったく予期せぬ振る舞いをするようになり、餌食となったかわいそうなプログラマーは、自分たちのソースコード――こういう場合真っ先にチェックする場所――をいくら探しても、この「10＋20＝31」問題を解決

することはできない。なぜなら、この変化の大元があるのはここではないのだから。それはコンパイラのソースコードのなかにあるのだ。

不正侵入成功

　もちろん、こういう人たちはすぐに何かおかしなことが起こっていると気づくだろう。なんといっても、彼らのプログラムは、あまりにあからさまで、見落とすことなどあり得ない形で誤動作しているのだ。どの数も1ずつずれているという形で。しかし、あなたがもう少しこっそりとやったらどうだろう？　コンパイラを「print」コマンドについて細工する代わりに、パスワードに関わるコードを見つけ出すたびに、「ryaniscool」という文字列もパスワードとして働く、というように変造してしまったとしたらどうだろう？（あなたの名前の文字列でもいいわけだが、私の名前を使うようにと、ここでこっそりお勧めするのは、そうすればしばらくのあ

いだ当局の追跡を攪乱できるからだ。あなたへの私からの贈り物です)

そうすればあなたは、あなたが変造したコンパイラを使って作成されたすべてのコンピュータ・プログラムに、こっそり侵入できるいわゆる「バックドア」を仕込むことができる。「バックドア」というのは、あなたの餌食になった人は、玄関に好きなだけ鍵と警報機を付けて安全を図ることはできても、あなたには誰も知らない秘密の裏口があるので、そんなことは何の意味もないという状況の比喩である。プログラム開発者がどんなに才能があり、彼らのパスワード・コードがどんなに安全なものでも、あなたのヴィラン的コンパイラを使って作られたものはすべて、パスワードとして「ryaniscool」を使うすべての人を中に入れてしまうのだ——そして、これに対処しようとするプログラム開発者がたまたまランダムに「ryaniscool」を試さないかぎり、彼らには決してわからないだろう。

今あなたはおそらく、こう考えているだろう。「でも、さっき、コンパイラは他のものと同じようなコンピュータ・プログラムなので、誰でもコンパイラのソースコードを見れば、私が加えた変造は見つけられるだろうって言いましたよね。『ryaniscool』を有効なパスワードとしてしまう部分を彼らが削除してしまったなら、私の計画は失敗ですよね」と。

確かにあなたは正しい。誰にでもそれは可能だ。しかし、あなたもおっしゃったように、「コンパイラは他のものと同じようなコンピュータ・プログラム」だ。つまり、コンパイラ自体がコンパイルされているのだ。

ここに狡猾さが活きる場所がある。

ステップ1

まず、つい今しがた一通りお話しした例とまったく同じ作戦を展開しよう。コンパイラに、「ryaniscool」へのバックドアを付け加えるのだ。ただし今回は、もう少し詳しくご説明しながら進む。あなたが手を加える前の、コンパイラをコンパイルする、変造されていないプロセスは次のような形をしている。

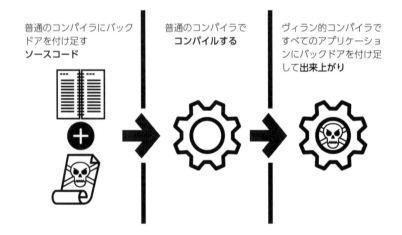

普通のコンパイラの
ソースコード

普通のコンパイラで
コンパイルする

普通のコンパイラの
出来上がり

　先ほどと同じように、コンパイラが作るすべてのアプリケーションが「ryaniscool」を有効なパスワードとして扱うように、コンパイルのソースコードを改変する。そうすると、そのコンパイラをコンパイルするプロセスは次のようになる。

普通のコンパイラにバック
ドアを付け足す
ソースコード

普通のコンパイラで
コンパイルする

ヴィラン的コンパイラで
すべてのアプリケーショ
ンにバックドアを付け足
して**出来上がり**

　そして、やはり先ほどと同じように、これでヴィラン的コンパイラが出来上がったわけだが、それでもやっぱり、誰かがそのソースコードを調べた瞬間に、あなたの悪事はバレるだろう。なぜなら、そこにはあなたが加えた変更がすべて、しっかりと見て取れるのだから。まだ実行しなくてよかったですね！

ステップ2

　では次に、このコンパイラに、悪意あるコードをさらに追加しよう。コンパイラが、自らをコンパイルしているとき、それを検出するようにするコードだ。そのような事態が起こるたび、今後そのコンパイラは、「関与するすべてのアプリケーションに、あなたのバックドアを付け加えるようコンパイラに指示させる目的であなたが作成したコードを再導入するようになる」。すると、そのプロセスは次のようなものになる。

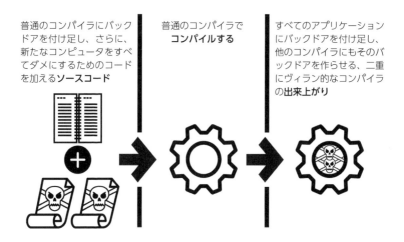

普通のコンパイラにバックドアを付け足し、さらに、新たなコンピュータをすべてダメにするためのコードを加える**ソースコード**

普通のコンパイラで**コンパイルする**

すべてのアプリケーションにバックドアを付け足し、他のコンパイラにもそのバックドアを作らせる、二重にヴィラン的なコンパイラの**出来上がり**

　出来上がったこの新しいヴィラン的コンパイラは、2つの場合を除いて、元のヴィラン的コンパイラとまったく同じように振る舞う。この新しいコンパイラがアプリケーションをコンパイルする際には、例の秘密の「ryaniscool」へのバックドアをそのアプリケーションに付け加える――この点は、元のヴィラン的コンパイラと同じである。

普通のアプリケーションの
ソースコード

すべてのアプリケーション
にバックドアを付け足し、
他のコンパイラにもそのバ
ックドアを作らせる、二重
にヴィラン的なコンパイラ
で**コンパイルする**

ヴィラン的アプリケーション
の**出来上がり**

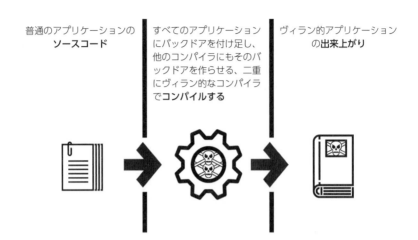

　そして、そのコンパイラが自らをコンパイルするとき、その結果出来上がった新しいコンパイラは、それが作るすべてのアプリケーションにも、あなたのバックドアを加える。こうなると、あなたが加えた改変は、もはや取り除くことはできなくなる。たとえ誰かが、検証済みの、信頼のある、改変されていないソースコードから新しいコンパイラを作ったとしても。

普通のコンパイラの
ソースコード

すべてのアプリケーション
にバックドアを付け足し、
他のコンパイラにもそのバ
ックドアを作らせる、二重
にヴィラン的なコンパイラ
で**コンパイルする**

すべてのアプリケーション
にバックドアを付け足し、
他のコンパイラにもそのバ
ックドアを作らせる、二重
にヴィラン的なコンパイラ
の**出来上がり**

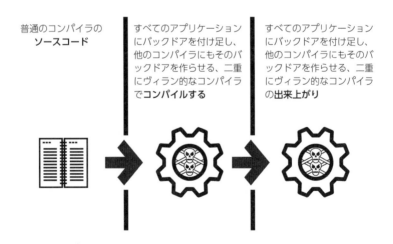

ステップ3

この陰謀も完遂まであと一歩だ。最後にあなたに必要なのは、自分が加えた悪意ある指示をコンパイラのソースコードから削除することだけだ。それであなたは、自分の痕跡を完全に覆い隠したことになる。今やこのコンパイラは（わかる範囲では）期待されるとおりに振る舞い、誰が見ても何の改変も受けていないかのように見えるプログラムを次々と作成し始める。だが実際には、それはどうしようもないほど損傷している。それが作るアプリケーションはすべて、あなたの仕様に従っており、また、それが作る新たなコンパイラにも、あなたの指示が焼き付けられている。

しかも、どのソースコードにも、たった1行の証拠すら残さずに、成功させることができるのである。

もっと成功した陰謀

以上です！ あなたの作戦は終了です。私たちが一例として使っていた

パスワードを、「他の人の票よりあなたの票を多く数える」に変えたなら、この陰謀は完遂されたと考えていいでしょう。

　ああ、そうそう！　デジタル投票におけるあなたの勝利、おめでとうございます、マダム・プレジデント。

あなたが勝ちたい選挙を争うヴィランがもう１人いる場合、あなたが絶対に
誰よりも速く読めるよう万全を期し、本章をライバルより先に読み終えること。

すばらしい。

　すばらしい。非常にすばらしい。あなたの餌食になった人たちがあなたが細工したプログラムのバイナリーコードを１つずつチェックする可能性があると思うかもしれないが、その作業は始めから困難で、プログラムが複雑になるにつれ、ますます困難になる。比較のために申し上げると、ウィリアム・シェイクスピアの全集は——少なくともこれは英語で書かれている！——情報量としては６メガバイト未満だ。そして、それに対応する5000万ビットを超えるデータを読みとおすのには数日を要するだろう。ファイアフォックスはインストールするだけで200MB以上が必要で、しか

もそれは、あなたのコンピュータ上の1つのプログラムに過ぎない。その200MBのバイナリーコードをすべて読んだ人など、きっと存在しないだろう。そもそも、人間が読むための言語で書かれてはいない！ そしてもちろん、自分たちのコンピュータはあなたによって損なわれたのではないかと訝る人がいれば（あなたが自分の仕事をそつなくこなしていれば、そんなことは決して起こらないだろうが）、そういう人は、少なくとも、それを信頼できるコンパイラと比較して、変更されているバイナリーコードのセクションを調べることができる。しかし、信頼できるコンパイラをどこから入手するかという問題は脇に置いておくにしても、それを実施しても、わかるのはそれが変更されているということだけで、変更される前と違うどんなことをやっているのかまではわからないだろう。前と違うどんなことをやっているのかを明らかにするためには、バイナリーコードを1つずつチェックし、リバースエンジニアリングで最初のソースコードを突き止めなければならない。

　この計画の一番いいところ（あるいは、見方によっては最悪のところ）は、この計画には秘密に相当するものが一切含まれておらず、また、この弱点は何十年も前から知られていたという点だ。1984年、ケン・トンプソン──たいていのコンピュータや携帯電話がその上で働く、オペレーション・システムの祖先、Unixを開発し実装した人物──は、「信用を信用することについての考察」という論考を発表したが、そこでもやはり、同じ結論に達している。「教訓は明らかだ」と彼は記した。「あなた自身が最初から最後まで作ったのではないコードを信用することはできない（とりわけ、私のような人々を雇っている会社で作られたコードは）。ソース・レベルでの検証や調査をいくらやってもあなたを守ることはできないだろう……」と。彼が「あなた自身が最初から最後まで作った」と言う意味は、単にあなたが書いたプログラムということではなく、あらゆる階層をあなた自身が作った、つまり、大元のコンパイラまですべて自作のプログラムという意味だ。ゼロから完成まで、コンピュータを自作し、そこで使用するソフトウェアまで自ら作成できるような時間、スキル、そして資金

を持っている人はごくわずかだ。コンピュータについて何かを無邪気に信用していると、ある日突然、こんな致命的なトラブルに遭ってしまうのだ。そして、率直に申し上げると、ヴィラン的に笑ってみたいと思ったことがあるあなた、ここ、笑うとこですよ。

信用してはならない

ViL-N80はただのコンピュータではない。この汎用マシンはあなたの個人情報をすべて保存するのみならず、あなたより数学的能力が優れている。その謎めいた小さな画面を見よ——それこそが犯罪の首謀者の顔だ。

前々から警告されていたでしょう!

勝利。

　だがそれなのに、私たちは依然として、あらゆることについてコンピュータを信用している！　一体どうなってるんだ？　こんな悪夢的機械を、どうしてみんな自ら進んで使っているのだろう？
　すべては、選挙の必須条件に戻ってくるのだ。開かれており、厳重に警備されており、匿名性が保て、透明で、正確という必要条件である。私たちがコンピュータを使ってやることの大半——あろうことか、私たちが実生活で出くわすたいていのこと——は、この必要条件のすべてを満たしているわけではないか、あるいは、満たしていたとすればそれは、大して重

要ではないかのいずれかである。人々は自信をもってオンラインでクレジットカードを使うが、それはクレジットカード会社が、もしも詐欺が起こった場合、それを経費として補償する意思があるからだ。金（と収益）がスムーズに流れ続けるようにするため、そうすることには価値があるわけである。銀行が、彼らのウェブサイトを使った取引は安全だと約束するのも、同じ損得勘定からだ。犯罪者たちが実際に金を盗んで逃げ切る場合もあるが、そのような場合、銀行は損害を補償する。それは、誰もが彼らの事業を信頼してくれることの価値は、詐欺被害の金額よりも大きいからだ。選挙でオンライン投票するというシステムが成り立つのも、リスクがそれほど高くないからだ——票が改竄され、廃棄され、あるいは無視されても、民主主義の運命が危機に瀕するわけではない。なぜなら、それはオンラインで投じられたいくつかの票に過ぎないのだから。そして、ヌード画像が流出するとき、それはたいてい、その画像が保存されているコンピュータがハッキングを受けたからではなく、持つべきでない人の手にその画像が渡り、その人が自ら拡散したからである。＊ 実際は、コンピュータは楽しく便利なもので、コンピュータがやることに絶対の信頼が本当に必要な場合はそれほど多くないのだ。

　しかしある選挙が全体として攻撃された場合は、そういうよくある低リスク事例の１つではない。

　選挙は、ハッキングが、修復不可能な大きな影響を及ぼし得るケースだ。なぜなら、終わってしまったあとで、ある選挙全体の最終結果を修正するのは容易ではないからだ。しかも選挙は、まさにその特質によって極めて公的なもので、投票がいつどこで行なわれるか、十分前もって知らされる。なお悪いことに、選挙の結果を変えることには、明白な、望ましい、強い

＊　だがもちろん、コンピュータがハッキングされたせいで画像が拡散した例も起こっている。特に注目すべきは、2014年にアップルのiCloudフォト・ホスティング・サービスが侵入を受けた結果セレブたちの私的な写真が大量に盗まれてしまった事件だ。当時、アップルのサービスはパスワードの試行を無制限に許可していたため、悪意あるハッカーはパスワード試行過程を自動化し、正しいパスワードが得られるまで繰り返すことが可能だったわけである。

動機づけがあり、そしてかなり大きな報酬が期待できる——そしてこの、強く動機づけられるという点は、とりわけ他国に当てはまる。これほどの規模の計略、つまり、民主主義そのものの強奪を成功させるのに必要な資源をより容易に集めることができるような国に。そしてこの計略は、機械に物理的にアクセスすることによって実行できる。インターネット経由で遠隔的に機械に侵入するか、あるいは、欠陥のあるUSBドライブ１本を、プライベート・ネットワーク上にある１台のコンピュータに接続することによって、物理的にアクセスするわけだ。

　アルミ箔で作った帽子で電磁波攻撃などから脳を守ろうとする陰謀論者が考えそうな、非現実的な話に聞こえるだろうか？　警戒を要するのは確かだが、やはり仮説上のもので、現実の世界で成功させるにはあまりに複雑すぎる計略だろうか？　じつは、これに大変よく似た攻撃が、すでに何度も起こっている。しかも、それらが行なわれたのは、市民がアクセスできる投票機に対してではなく、それよりもなお堅牢で厳重に警備された、ウラン濃縮用遠心分離機に対してだ。

楽しく利益を得るために他国の原子力計画に妨害工作を仕掛ける方法

2010年、ウィンドウズのなかにあったものの、当時はまだ知られていなかった欠陥を突いて侵入する悪意あるソフトウェアが発見された。スタックスネットというワームだ。スタックスネットの驚異的なところは、それがいかに選択的に、特定のターゲットのみを攻撃するかという点だった。スタックスネットは、自分がシーメンス社製の特定のプロセス制御システム、すなわち、イランのウラン濃縮施設で使われているハードウェア・プラットフォームに感染したことがわかるまでは何もしなかった。もちろん、このターゲットが選ばれたのは偶然ではない。しかもスタックスネットは、自らの存在が気取られないよう上手く身を隠していた。感染しても、無関係なシステムには一切損傷を与えなかったし、さらに、2012年6月24日になると自らを完全に消去するようプログラムされていた。だがその日までは、ターゲットのハードウェアに自分がいることを発見すると、スタックスネットは非常に手の込んだ不正を行なった。ランダムに、しかも毎回ではなく稀にだけ、感染した遠心分離機への指示を書き換えたのだ。スタックスネットは、餌食となった遠心分離機を異常に高速回転させ、ばらばらに吹き飛ばしてしまい、しかもそれと同時に接続されているすべてのコンピュータが「まったく異常なし」という診断しか示さないようにしたのである。それはイラン人たちにとって、極めて腹立たしく、イライラし、外から診断することは不可能なバグだった。診断報告にも記録にも、問題なしとしか示されなかったのに、時々、見かけ上何の理由もなしに、非常に高価なハードウェアの一部が、ただもう自爆してしまうのだ。

そして、私たちが得ているすべての証拠が、スタックスネットは成功したのだと示している。イラン当局は、そのようなことが起こったとはいまだに認めていないが、2009年と2010年にイランのウラン濃縮施設における事故や故障が急増し、通常のレベルをはるかに越えていた。国連の査察団が確認したところによると、ナタンズの濃縮施設の9000台の遠心分離機のうち約2000台が閉鎖され、解体され、その後再建されていた。スタックスネットはインターネットによってコントロールされており、最終的にはイ

ンターネットを介して拡散した——そしてインターネット経由で、デンマークとマレーシアの特定のサーバーに接触し、コマンドを受け取り、コードの更新を受けていた。しかし、外部のインターネットからは分離された内部ネットワークにしかつながっていない遠心分離機に対しても、それに接続しているウィンドウズのコンピュータさえあれば、スタックスネットに感染したUSBを誰かがそのコンピュータに差し込めば、このマルウェアは侵入できたのだった。

イランのウラン濃縮施設を制御していたコンピュータはすべてセキュリティ上の理由でインターネットには接続されていなかった——イランの当局者たちも、インターネットに接続するなんてとんでもない考えだということは、今のあなたと同様によく知っていた。そのため、施設内の遠心分離機が感染したのは、感染したUSBを通してだった可能性が高い。そして、それを実施するには、エリートの最優秀スパイがイランの施設に侵入することなど必要なかった。おそらく、そのUSBをたまたま見つけたか、誰かから与えられた気の毒な作業員が、自分が何をやっているかも知らずにやったのだろう。[*]スタックスネットの最初期の感染は、イランの核開発事業の請負業者だった、国内の５つの企業の内部で起こっていた。そこを出発点に、スタックスネットはシステムからシステムへと徐々に感染を広げ、最終的にはターゲットに到達したということだろう。

スタックスネットの作成者が公に名乗り出たことはこれまで一度もない。しかし、それは、アメリカとイスラエル両国の政府の協同の取り組みの一環として作成され、その後イランの核開発事業だけを標的に実行されたサイバー兵器だと考えられている。というのも、感染の半分以上がイランで

＊　2019年、《エルサレム・ポスト》紙が次のように報じた。いわく、オランダの情報機関AIVD（総合情報保安局）のスパイが、この最初の感染USBキーをイランに持ち込むことを命じられ、イランに入ったその人物は、自らそれをターゲットとするコンピュータに接続したか、あるいは誰か他の者を操ってそうさせたのだと。この大元のUSBは、イランに入った当初は感染すらしていなかった可能性がある。デジタルの禁制品を国境を越えて移動させる最も容易な方法は、次のとおり。不審に思われることなく安全に目標の国に入ったら、前もって準備しておいた秘密のインターネットサーバーから、それをダウンロードすれば、それで完了だ。

起こっていたからだ。スタックスネットの複雑さと精緻さからすると、30人ほどのプログラマーが6カ月以上かけて作成したものだと推測される。のちに分析を行なったカスペルスキー〔ロシアのコンピュータ・セキュリティ会社〕のセキュリティ研究者たちは、「これは、SCADA〔システム監視とプロセス制御をコンピュータによって行なうシステム〕技術に精通した、高度な技能を持つ攻撃チームが潤沢な資金を得て支援する、比類なく洗練されたマルウェア攻撃である。このような攻撃は、国家の後ろ盾と支援がなければ行なえない」との結論に達した。

　別の言い方をすれば、主権国家の多くはすでに、自国の権益を促進するためには、他国のコンピュータにちょっかいを出すのが一番いいのだと決めてしまったということだ。イランの装置はインターネットにつながっていなかったにもかかわらず、それでもなお、検出することが不可能となるように計画された、インターネット経由の遠隔攻撃を受けた。イラン国内の妥当な人物の手に渡らねばならなかった最初の感染USBを除くと、この攻撃のそれ以外の部分のすべて——開発、管理、監視、そして更新——は別の国のセキュリティと安全のもとで行なわれたもので、ハッカーとその標的は数千キロも離れていた。そして、これに関連して起訴された者はまだ誰もいないのだ！　私たちがスタックスネットのことを知っているのは、このマルウェアがイランの事件のあとも、2012年の自滅の日までに、インターネット上にあるさらに多くの公的な機関のコンピュータに感染したからである。

　だが、誰かが実際に起訴されるなんてことがあるだろうか？　開発者はイランの司法権の外側におり、このマルウェアの責任を認めた国などいまだにないし、これを作った開発者に感謝しているに違いない国がたくさんあるのだ。スタックスネットによる妨害工作のおかげで、国際社会は時間を稼ぐことができたし、イラン政府に圧力をかけることにもなった。そしてさらに、2015年にイランが核合意に署名し、国際的な経済制裁を解除してもらう代わりにウラン備蓄を削減し、遠心分離機の大半を閉鎖することに同意するに至った一因となった可能性もある。このような、対象を絞っ

て、エリート層を狙い、戦略的に重要なコンピュータをハッキングすることにより、秘密裡に損傷を加え、他人の利益を犠牲にしてあなた自身の利益を促進する作戦は、単に理論上のものではなく、すでに実施されているのである。

　以上のことから、1つの結論が導かれる。コンピュータは安全ではないというのがそれだ。つまり、電子投票も安全ではなく、しかもインターネットのおかげで、電子投票に使う機械は地球の裏側からでも操作できるのだ。コンピュータを使って選挙を行なう、安全というのに近い唯一の方法は、投票する人が直接投票所へ行き、目の前で投票用紙を印刷してもらい、それを承認したうえで、記入したあとで、誰もが見える場所にある厳重に警備された投票箱に入れるというシステム、すなわち投票者が検証する物理的な投票法を使うことだ。そうすれば、そのコンピュータシステムが損なわれていると思う人がいれば——誰かが不適切な方法で票を加えたかもしれないと疑うべき理由が少しでもある場合は——紙の痕跡が存在する。この場合、コンピュータは便利なツールとして使われただけで、実際の票、実際の力は、投票用紙にある。この紙の痕跡がなかったなら、市民はコンピュータを信用するほかない。

　そして、みなさんももうおわかりのように、コンピュータなど決して信用してはならない。

　だがありがたいことに、たいていの人は、スタックスネットのことやコンパイラの性質などよく知らないし、そういう人たちは、本当に、心からコンピュータを選挙に使いたいと思っているのだ！　したがって、市民の背中を押して、コンピュータ、インターネット、あるいは、コーヒーを買う列に並んでいるあいだに何かの小さなフリー・アプリを使って投票させれば、あなたが、彼らの政府を攻撃したり、あるいは乗っ取ったりするのはかなり簡単になるだろう。しかも、安全で居心地のいい自宅や、秘密基地や、あるいは敵対する他国のなかにいながらにしてこれを実行できるのだ。

　実行される際には私を思い出してください。名誉ある官僚の地位でした

ら、何にでも喜んで就任しますので。

スーパーヒーローとのスペシャル対話型QアンドAコーナー

いけいけ！

　それは質問というよりコメントだと思うが、確かに、「10＋20の答えの値を変える」作戦の例では、何が変更されたのかを検証し、突き止めるのは比較的簡単なのは誰でもわかる。しかし、そもそも誰かがそれを検証しようと思ったとしても——でも、そんなこと誰も思わないでしょう？——中核にある問題は解決しない。あなたが頭がいいなら、悪意あるコードを作成するときに、そのコードが検証されているときには通常通りに振る舞い、誰も見ていないときにだけ違うことをやるように設計することができるだろう。

　SFみたいな話だと思われるだろうか？

　じつのところ、これもすでに実施されているのである。2015年に発覚したフォルクスワーゲンの排出ガス不正問題では、車両に搭載されているコンピュータが、排出ガスのテストが行なわれていると検出すると低出力の環境に優しいモードでの走行に切り替え、テストが終了すると高出力の環境汚染モードに戻すという操作をしていた。検査を受けているときには行儀よく振る舞い、それ以外のときには合法的な基準値の・40・倍を超える・汚染物質を大気中に吐き出していた。この不正が発覚し、フォルクスワーゲン社はこれまでに370億ドルを超える罰金や和解金を支払ったが、今後さらに20億ドル程度を支払う義務がある。

　フォルクスワーゲンがそもそもこんなことを行なった唯一の理由は、儲かりそうな話だからやってみようと彼らが思ったからで、さらに、見つかりっこないよと思ってもいたのだろう。これとまったく同じ動機は、汚いやり方で選挙に勝とうとする場合には、一層大きく作用する。

絶対的な意味で「イエス」だ。どんなコンピュータシステムも、100パーセント信じてはならない。しかし、そんな考え方でコンピュータを使っていくのも実際やりにくい。それに、たいていの場合、コンピュータを100パーセント信じる必要などないのだ。思い出してほしい。私たちがコンピュータを使って行なうことの大多数については、コンピュータの不具合——悪意あるものでも、偶然のものでも——による損失は補償される。損害を受けてもそれは回復でき、その後も人生は続く。2019年、私が使っている銀行がハッキングを受けて、私の個人情報が盗まれたとき、その銀行は公式な対応として、電子メールで短い手紙を送ってきた。その手紙で、銀行は一応謝罪しているようでもあったが、完全に非を認めているわけではなく、ただ今後そのようなことが再び起こらないよう最善を尽くすと請け合い、いずれにせよ大したことではないだろうと示唆していた。ただ念のためにということで、最後に5年間の無料の信用モニタリング・サービスのパスワードを提供してくれた。私はこれを、3つの理由から受け入れ

た。まず、金はまったく盗まれていなかったし、犯人は決して見つからないだろうから、私が勝ち取れる正義はせいぜいこれくらいだろうと思われたし、さらに、私が使っているもう1つの銀行は、ちょうど1週間前に、これとは別の無関係なハッキングの被害に遭ったとき、非常によく似た手紙を送ってきたが、こちらのダメ銀行は1年間の信用モニタリング・サービスしか提供しなかったからだ。

　個人ファイナンスにおけるリスクさえ、民主主義そのものの運命に比べれば小さいことがわかるので、譲歩することは可能で、私たちは喜んで譲歩しているわけだ。しかし（私たちスーパーヴィランにとってはありがたいことに）、収拾がつかなくなった選挙は、終わってしまってから修正することは不可能である。

　ブロックチェーンをご存じない方のためにご説明すると、ブロックチェーン（ビットコインなどの仮想通貨の生成、購入、販売のために使われる一種のデータベース技術）とは実質的に１つの分散されたデータベースのようなもので、そのなかでは、一旦承認された変更はすべて永続的で公開されたものとなり、あなたのブロックチェーンIDに紐づけされる。もしもあなたの票がブロックチェーンに記録されたなら、誰かがあなたのブロックチェーンIDをあなたの本名と結び付けたその瞬間に、それまでにあなたが投票したすべての選挙の履歴が公開され、それを取り消すことはもはやできなくなってしまう。この匿名性が破れてしまうという脅威だけでも、ブロックチェーン投票は民主主義を支持していないということになるし、ブロックチェーンは私たちが利用しているセキュリティ上の弱点を解決するわけでもない。お気の毒です！

　まったくおっしゃるとおりだ。しかし、紙の投票用紙には２、３の大きな長所がある。投票用紙を使うことの欠点は、直感でわかるので、よく知られており、しかもその脆弱性が問題になるのは、物理的にアクセスできる者からそれを突かれる場合に限られる。

　紙の投票用紙による選挙にちょっかいを出したければ、投票用紙を盗むか、改竄するか、あるいは水増ししなければならない——つまり、そのどれを選んだとしても、その投票箱に物理的にアクセスする必要があるわけだ。そしてそのことが、１人の悪人の行為で与えられる損傷の大きさを制限してしまう。これは、損害の規模の問題だ。紙の投票用紙による選挙の場合、１人の人間は、せいぜい１つの投票所、あるいは、投票日の夜に猛スピードで町を車で回ったなら、２、３カ所の投票所で、投票に干渉することができるだろう。コンピュータ投票による選挙なら、すべての票に、同時に、しかも文字通り地球上のどこからでも、干渉することができる。

　このすべてに加え、プログラム作成者は完璧ではないという純然たる事実がある。ここで私が詳しく紹介した攻撃が使われなかったとしても、あなたのコンピュータ投票システムが安全だというわけではない。あのグーグル——非常に頭のいい人々を雇うことで広く知られている会社——には、グーグルのソフトウェアのなかにバグがあるのを見つけた人に報奨金を支払うという制度がある。なぜならグーグルは、どこかでしくじった、なんてことはありませんよと保証することはできないからだ。倫理的な善玉ハッカーに金を支払って、彼らに誤りを教えてもらうほうが、一度見つけた同じ弱点をあちこちで利用しまくる非倫理的な悪玉ハッカーが引き起こした混乱を片づけるよりも、長期的に見ればはるかに安上がりだとわかる。先ほど見たスタックスネットのワームは、未修正だったウィンドウズ内のバグを使うことで成し遂げられた。それは、マイクロソフト自体がそのバグを知らなかったからである。

　ソフトウェアのプログラミングは難しい。コンピュータは難しい。だから、才能ある、悪意のないソフトウェア開発者でも、つい犯してしまった１つのミスがシステム全体を不正な侵入が可能な状態にしてしまうような

ことが起こり得る。その一例としては、ウェブサイトの暗号化に使われるフリーソフトウェアのなかでも最も普及しているOpenSSLという、あなたにも身近なもので発覚したバグのエピソードがある。

2011年、OpenSSLに加えられた1行のコードが、やがて「ハートブリード」バグと呼ばれるようになるものをこのフリーソフトに導入してしまった。プログラミング時に単純な見落としをしただけだったのだが、おかげで攻撃者たちは、OpenSSLの下で機能しているコンピュータのメモリーに保存された、パスワードも含めた・す・べ・て・の・も・の・が読めるようになった。その後そのバグは、OpenSSL——理屈の上では世界中の誰もがダウンロードし、調べ、修正することが可能なオープンソース・ソフトウェア——のコードベースのなかに丸見えの状態でずっと存在していた。2014年になってようやく発見され（それを悪用するのではなく、公開した人物によってであることだけは確か）、その時点で即座に修正された。だがそれまでに、インターネット上の安全なサーバーの17パーセントがこのために脆弱になっており、それらのサーバーがすべて、更新されるまでは脆弱なままだった。その直後に、オペレーティング・システムのアップグレードが必要となり、実際にハッキングを受けたかどうか判別できないものの受けた恐れがあるウェブサイトは、ユーザーたちにパスワードのリセットを求め、カナダ政府は、公知のものとなったバグを当局が即座に修正する前に悪用した者たちに数百名分の社会保険番号が盗まれたため、歳入庁のウェブサイトをオフラインにせざるを得なくなった。《フォーブス》誌はこれを、「インターネットが民間の通信に使われ始めて以来発見された最悪の脆弱性（少なくともその潜在的影響の点において）」だと述べた。

ハートブリードをもたらしたコードは・偶・然・生まれた。

本書の「はじめに」で登場したトマス・ミジリーのように——覚えていますか？　「彼は生涯で二度も、世界のすべての人々の命を脅かすようなことをしでかしたが、それは偶然だったのだろうか？」——、十分な動機を持ったソフト開発者が本気で取り組んだなら、どれだけのことが可能か、

想像してみてほしい。[*]

　確かにそうだ。コンピュータを票の集計に使っている国はいくつもある
し、オンライン投票が可能な国もある。だが、それはコンピュータが安全
だという証明にはならない。人気があるというだけのことだ——少なくと
も、すでに権力を手にしており、そういう状況を維持したいらしい人々の
あいだでは。一部の国は、コンピュータ投票に制限をかけることで安全を

＊　これまでに起こったコンピュータ投票ソフトのエラーには（ともかく、発見されたもののな
かでは）次のようなものがある。2003年のバージニア州フェアファックス郡の選挙（集計機が
100枚につき1枚の票を、ある特定の候補者がライバルよりも優勢になるように改竄した）、
2003年のアイオワ州ブーン郡の選挙（オペレータがしくじって、5万人しか人口がない郡なの
に、合計14万票が投じられたと集計機が報告した）、そして2000年のフロリダ州における連邦
選挙（大統領候補のアル・ゴアがマイナス16022票を獲得したと、コンピュータ投票システム
が報告した）。

期している。たとえばスイスでは、オンライン投票できるのは有権者の10パーセントだけだ（これはおそらく、オンライン投票が選挙に及ぼす影響を限定的なものに留めるためだろうが、当然ながら、接戦の場合は、コンピュータに細工が加えられて、選挙結果を左右するような影響が出る可能性がある）。フランスでは2003年にオンライン投票が可能になったが、2017年、セキュリティ上の懸念が生じたため中断された。ドイツは2000年代初頭にコンピュータ投票の実証実験を始めたが、一般市民が投票に使うコンピュータのソースコードを理解できないということが憲法に違反すると判断し、2009年にはそれを停止した。そして2019年になると、スイスでさえ、インターネット投票のシステムに、票の数が改竄されても見過ごされてしまい得るような欠陥が発見されると、システムの利用中止を求める声が上がった。

しかし、心配はご無用だ、スーパーヴィランたちよ。まだまだブラジル（1996年以来コンピュータ投票が続けられている）、インド（1998年以来電子投票が行なわれている。ただし、2014年に不正投票を指摘する苦情が出て、紙による記録が導入された）、そしてアメリカ（一部の州ではコンピュータを使っての投票を市民に強いているが、そのシステムはプログラマーらが、自分が設計したのではないコンパイラを使って作成した可能性が非常に高い）などの国々がある。手始めに、入門者レベルの乗っ取りを練習としてやってみる国を探しておられるなら、これらの国はあなたのためにすでにたくさんの予習をやってくれている。

＊ だが、みなさんご存じのとおり、ソースコードを調べたからといって、悪意あるコードがあったら必ず見つけられるとは限らない。

＊＊ 2020年に行なわれたアメリカの連邦選挙では、退任するはずのトランプ大統領が不正選挙が行なわれたと文句を付けた州──ジョージア州など──は、旧式の、紙による記録がないコンピュータを使った投票機を、実際に数えられる、投票者が確認する方式の物理的な投票用紙を出力する投票機に交換するのに何百万ドルも費やした。しかし、アメリカでまだ紙の記録がないコンピュータ投票システムを使っている8つの州（アイダホ、カンザス、ケンタッキー、ルイジアナ、ミシシッピ、ニュージャージー、テキサス、テネシー）は、接戦州ではなく、ニュージャージー州以外はトランプが余裕で勝利していた。どういうわけか、これらの州はトランプ大統領の陰謀論の焦点ではなかったということである。

マイナス面

　この陰謀を成功させることのマイナス面は明白で、次のような疑問をもたらす。本当にインターネットを使ってコンピュータにハッキングし、選挙を操作して、ある国を掌握すべきなんだろうか？　これを実施することには、何か非常に重大なマイナス面があるように思える——あなたにとってではなかったとしても、少なくとも民主主義全体にとって。そして、ここで私たち全員がスーパーヴィランなのは確かだとしても、私は危険を冒して——たぶん柄にもなく——こう言おう。「民主主義に干渉するのは実際に良くないことで、そのような目的が手段を正当化するはずがない。しかし、私があなたに汚いやり方で選挙に勝つ方法を詳しくお教えし、そのあとで、それについて聖人ぶってあれこれ説教するのは、より大きな『ヴィラン道』のためになる」

　今あなたは、そのやり方を知っているし、また、重要なことを決める際にコンピュータ投票は絶対に信じてはならないことも知っている。しかし、ここでもっと重要なのは、コンピュータやインターネットを使って投票を行なうという脆弱で無防備な茶番劇よりも、ずっと価値のあるものを、選挙で選ばれた議員たちに——そして、あなたの選挙に——要求できるということもあなたは知っているということだ。だからあなたは、彼らの目の上のこぶ——というより、「目の上のスーパーヴィラン」と言ったほうがいいかな——になって、彼らがますます良いことを行ない、ついには実際の紙の投票用紙を使う選挙を行なえというあなたの要求を受け入れるところにこぎつけるまで、議員を責め続けることができるのだ。第2章で見たこととある意味同様に、権力者をあなたの要求に強制的に従わせるには、彼らがあなたを確実に恐れるようにすることだ。

　そして、最終的には、世界で最も大きな権力を持つ者たちから恐れられるようになること以上にスーパーヴィラン的なことはないのである。

あなたが逮捕された場合に生じうる影響

　もしもあなたが、軽い気持ちで、えい、やっちゃえとばかり、汚いやり方で選挙に勝つことに決めたなら——つまり、今読んだ短い３つの段落と、ほとんど法的義務と言ってもいい「いいですか、この陰謀は実行しないほうがいいと思いますよ」という助言を無視して、極めて詳細な、章１つ分の長さの「ねえねえ、友だちとして君だけに教えるよ、この陰謀を成功させるには、このとおりにやればいいんだよ」という私の助言を聞き入れることにしたなら——あなたは危険な賭けをすることになるだろう。どの国も、選挙に手出しされるのはまっぴらごめんだ……しかし、すでに見たように、「手出し」をしている人物が、その国の外にいて、そこから干渉している場合は、その国の誰であっても、相手に対してできることは限られており、法的な影響も及ぼすことはできない。そして、あなたがその国を預かることになったなら、どの犯罪を法の及ぶ限り起訴し、どの犯罪を密かに片づけて永久に不問にするかの決定に、あなたは総じて大きな力を及ぼせることになるはずである。

　注意してほしいのは、この計略に関しては、影響はあなたが捕まるかどうかだけでなく、いつ捕まるかによっても異なるということだ。人々が選挙は公平だったと信じているなら、次の次の選挙も終わったころに、不正があったと発覚したって、できることなどほとんどない。フォルクスワーゲンの排出ガス不正の話を覚えておられるだろうか？　発覚したのは2015年後半だが、それまでに、フォルクスワーゲン社は６年ものあいだ排出ガステストで不正を行なっていたのだ。アメリカでは、その６年があれば、大統領に選出され、１期目を務めあげるのみならず、２期目の半ばまでその椅子に座っていられる。そのあたりで、ようやく誰かが何か不正があったと気づく、というわけだ。たとえあなたの不正が、選挙の数カ月後に発覚したとしても、それだけの期間大統領であり続けたなら、国民の大多数は、あなたが勝者だと思い込んでいて、そうではないという話など聞きた

くなくなっている可能性が高い。選挙結果を覆すのは、非常に高くつく——社会的にも、金銭的にも、政治的にも。そして、発覚せぬまま長く過ごせれば過ごせるほど、このコストは誰にとっても次第に高くなる。もしもあなたが幸運なら、選挙結果を覆すことのコストが非常に高くなって、それを払いたくないと思う人が十分多くなるという状態に、かなり早く達するかもしれない。そうなったなら、彼らにとっては、ゆっくり座ってくつろぎ、あなたが今や責任を負っているその地位で何を行なうかを見守るほうがずっと楽で儲かる。これもまた、あなたが本当に勝ったと言える状況であることは、注目に値する。

それに、本当にインターネットをぶち壊す必要もなく、成し遂げたわけである。

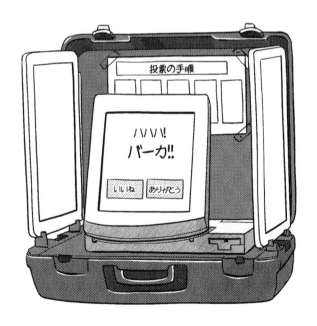

エグゼクティブ・サマリー
事業計画概要

初期投資	期待収益	完了までの予測期間
約30名のエリート・ソフトウェア開発者チームが年俸50万ドルで6カ月間働くとして**750万ドル**。 さらに未知のウィンドウズの欠陥を買うための潜在的費用として**100〜300万ドル**。[*]	主権国家のコントロールには**値段の付けようがない**。敢えて値段を付けるなら、2019年のアメリカのGDPは**20兆ドル超**。	**選挙周期1つ分**

＊　この値段は、未知の脆弱性の情報を買い取り、それによる被害を低減するための情報をクライアントに提供する企業Zerodiumが支払う金額に基づいている。Zerodiumは、ユーザー側の操作を必要としないウィンドウズの脆弱性に対しては最高100万ドル、同種のアンドロイドの脆弱性に対しては最高250万ドルを支払う。私がここで「100〜300万ドル」としているのは、あなたがZerodiumよりも余裕で高額の報酬を提示できるようにと思って、上限を300万ドルにしたのだ。

第3部

犯罪が罰せられなければ、犯人はそれを犯したことを決して悔いない

不死身となり、文字通り永遠に生きるには

人生は途方もない悲劇だと私は考える。万事順調に進む——人々は人生を楽しみ、学び、結婚し、離婚し、将来への希望を抱き、キャリアを積む……そして、生きながらにして腐敗し始める。

——ミハイル・バチン（2013年）
〔ロシアの実業家兼政治家〕

　今生きている人々は無視して、これまでの20万年のあいだに生きていた先人たちに注目することにしよう。彼らを見てみると、ある非常に稀な事例が見つかる——人類の歴史の広大な範囲にわたって、これまでに存在したことのあるあらゆる文明において、天才であれ怠け者であれ、裕福であれ貧乏であれ、奴隷であれ君主であれ、科学者であれシャーマンであれ、先史時代にさかのぼり、先史時代の前、最初の人間（「人間」の線引きをどう決めようと）が受胎され、生まれ、可能性に満ちた存在として目を開き青空を見た瞬間に至るまで——このすべての人々、私たちにはやっとのことでおぼろげに理解するのがせいいっぱいであろう時代や場所に生きていたすべての人々に対して、普遍的に成り立つことが1つある。文字通りその万人に対して成り立つ、つまり、どの1人の男、女、そして子どもにもまったく正しく当てはまることが1つある。永遠に生きようとしたすべての人間は、その努力の半ばで亡くなったというのがそれだ。
　不死への道を見出したと思った人はみな、例外なく完全に間違っていた。

この考えの失敗率は100パーセントで、宇宙開闢以来の138億年のなかで永遠に生きてきた人間など1人もいない。1人だっていないのだ。

しかしここでも、言えることがある。この138億年という長い長いあいだに、あなたのような人が存在したことはまったくないということも、それとまったく同じく真実である。

背 景

「手っ取り早く長生きする」ための秘策は、文明そのものと同じぐらい古い。ここに、その古典的な例を時代の順に挙げよう。

・その水を飲んだり、その水に浸かったりすると病気が治り若さを取り戻すことができるという「青春の泉」（紀元前400年代、ギリシャ）
・「賢者の石」。鉄を金に変える物質で、服用すると不死となるという（紀元前300年代、ギリシャ）
・本来致死性である水銀を十分多量に飲むと不死となる（紀元前210年、中国*）

---

* これは、紀元前221年、38歳にして初の統一中国の皇帝となった始皇帝の逸話である。始皇帝は「皇帝」の称号を自分のために考案した人物だ。彼は亡くなるまでの11年間皇位にあったが、その間、不老不死になることに執着した。食べると不老不死になるという魔法の果実が成る樹木があるという伝説の蓬莱山という島へと、数百人の男女を派遣した。ついには、不老不死をもたらすあらゆる薬を見つけるために、中国全土を隈なく探すよう命じた。2002年、湖南省にある放棄された井戸のなかから古代の竹簡と木簡〔里耶秦簡〕が発見され、そのなかに、始皇帝が下した不老不死薬探しの勅令のみならず、一部はそれに対する回答が記されたものがあった。ある村は、不老不死薬を見つけることはまだできていないと報告していたが、また別の村は、近くの山の薬草を試してみるよう勧めていた。まだ中年と言える49歳で死去した始皇帝は、不老不死となる望みを託した水銀をそれまでに大量に摂取していた可能性が高い。始皇帝は、「薬中毒」と呼ばれるもので亡くなった最初の人物でもなければ、最後の人物でもなかった。じつのところ、それから700年以上経っても、中国の錬金術師たちはなお、今日我々が重金属中毒の症状と見なす変化を、その薬が有効である証拠だと記述していた。西暦500年ごろの文書にはこうある。「秘薬を飲んだあとに、顔や体に虫が這い回っているように痒く感じたり、手足が水腫のように腫れたり、食べ物の臭いが不快で食後に吐き戻したり、ほぼ四六時中気分が悪く感じたり、四肢に力が入らないように感じたり、たびたび厠へ行かねばならなかったり、頭や胃が激しく痛んだりした場合——驚いたり不安に思ったりしないように。これらの効果はすべて、あなたが飲んでいる秘薬があなたに潜在する不調を上手く除去しつつある証拠に過ぎない」

- 老人の血液を若者の血液と入れ替えて若さを回復する（1600年代、イギリス*）

- 旧約聖書のエデンの園に生えていた「生命の樹」そのものを見つけ出し（ノアが方舟に積んで生きながらえさせたか、ノアが方舟を作るのに使ったか、あるいは、どこかにその子孫に当たる木が生えていて、そのなかで生き続けているかのいずれかの、「最も健康に良い、香しい木」だそうだ）、その木材から抽出した秘薬を使って永遠に生きる（1600年代、スペイン領ネーデルラント）

- 罪を犯さずに生活すれば、決して死ぬことはない（1650年、イギリス）

- ヒ素、水銀、アンチモン、その他の毒でできた丸薬を服用する。その後起こった、皮膚が干からび、髪が抜け落ち、爪がはがれているという事実を、丸薬がきいている証拠だと考え、もしもその後生きながらえたなら、新しい髪、爪、皮膚が成長してきたという事実を若返りの証拠だと

---

* この、まさに吸血鬼的なアイデアは、当時のイギリスでは人気があり、ロバート・ボイル（近代化学の創設者の1人）はそれに深い関心を抱いていた。17世紀中ごろに、生きた動物どうしのあいだで輸血が初めて成功したとき（それは、麻酔なしで行なわれたおぞましい施術で、供血者となった動物は哀れっぽく泣きながら施術中に死んだ）、ボイルは専門誌の記事のなかで、今後更なる実験で研究してほしい疑問を多数挙げた。臆病な犬に猛犬の血液を輸血すると、その犬は獰猛になるのか？ 輸血前に覚えた芸や主人を輸血後も覚えているだろうか？ 輸血で病気が治せるのだろうか？ そして、次々と新しい犬をドナーとして連れてきて、頻繁に輸血を行なえば、年老いた犬でも無期限に生き続けられるのだろうか？ この犬を使った実験はその後、病気をなおし、高齢者を若返らせる目的で、子羊と人間のあいだで輸血を行なう実験へと発展した。期待されたようなことは何も起こらず、その後この試みが公然と嘲笑されると、イギリス国内での輸血の実験は何十年ものあいだ停止した。しかしボイルは、不老不死を目指す競争を決して放棄しなかった。いつの日か科学によって実現することを彼が望んだ24の技術のリストの最初の2つは「寿命の延長」と「若さの回復、あるいは、少なくとも、新しい歯、若々しい髪色という若さのしるしの回復」であった（それに続く他の項目には、その後私たちが実現させた技術に該当するものも並んでいる。それらは、「有人飛行」、「想像力を変えたり強めたりする効力のある薬」、そして、「実用的で確実な緯度の特定法」だが、彼のリストには、私たちがまだ完全には突き止めていない風変わりな技術もいくつか含まれている。たとえば、「金属を別の種類の金属にする」、「傷の遠隔治療」、そして最も魅力的だと思われるのが「寸法を巨大にする」である）。ボイルは賢者の石探しをあきらめたことは一度もなく、1678年、少なくともある実験を、賢者の石の反対の性質を持った石を使って成功させたと主張した。それは暗赤色の粉末で、彼は「反エリクサー」と呼んでいた。ボイルは、溶融した金を、それよりも価値が低い銀に変えたと述べた。ともかく、不老不死を目指す彼の取り組みはどれも成功せず、彼は1691年に死去したのである！

考える（1660年代、ヨーロッパ）

・聖書に記述されている洪水（それまでなめらかで欠陥のなかった世界を、卵が割れるように開いて、その軸を移動させてしまったものだと信じられていた）の前の状態に世界を戻し、それを実現したのちに、そこに復活する栄養に満ちた食物——私たちの朽ち果てた、廃墟のような、肥沃でない、昔とは似ても似つかない世界には、もはや存在しない——だけを食べるようにすれば、あなたは決して死なないだろう……事故による以外（1684年、イギリス）

・雄鶏を1羽だけ鳥小屋のなかに15日間閉じ込める。ただし、良質の小麦を十分に与えるものとする。続いて、もう1羽の雄鶏を6羽の雌鶏と外で自由に過ごさせて、餌も食べさせ、その様子を閉じ込められた雄鶏に見せつける。その後、最初の雄鶏を殺して、その死骸をその雄鶏自体の血液に3度浸す。その血液に龍涎香〔アンバーグリス〕（これ自体が、「火薬を発火させるような」蒸留ワインと「水銀の花のスピリット」を必要とする複雑なレシピで作られる）のオイルを3滴垂らし、その結果できた液体を15日間毎朝一匙飲めば若々しい力が復活する（1722年、イギリス＊）

・精神のパワーを利用する。陽気に振る舞い、前向きなことしか考えず、睡眠（まさに死のイメージそのもの）の必要がなくなるよう自分を律すれば、あなたは永遠に生きるだろう（1793年、イギリス）

・若者の血液を老人に分け与え、それを行なっている最中に、老人の血液を若者に分け与えることで、結核を治療する（1920年代、ソビエト連邦）

・ヒヒの精巣を老人の陰嚢のなかに移植し、老人を長生きさせる（1920年、

＊　このレシピが載っていた本には、「万能薬」や、「老人のなかでも最も精魂枯れ果てた者の衰えを修復できる」とされる「至上のエッセンス」などを作るための、やはりロココ風のレシピも含まれている。これらのレシピはすべて、アルクエ・デュ・ロングヴィルによる『長生きする人々：いくつもの時代を生き抜き若返った男女の長寿者たちの歴史——アルナルドゥス・デ・ビラ・ノバの若返りの秘密と、効果が認められた寿命を延ばすための非常に貴重なたくさんのルール付記』という魅力的なタイトルの本に記載されている。

フランス*)

・片側の精管だけ切除する。そうすればそちら側の精巣からの精子——命を与えるもの——はあなたの体内に留まり、あなたは若返るだろう（1920年代、オーストリア**）

・あなたを若々しい気持ちにさせ、長生きさせてくれる、栄養補助食品とクリームを使う（現在、あなたの身近にある、多層ピラミッド構造の市場戦略）

---

* そうです、これは、ヒヒ精巣移植についてもっと詳しく知りたい人たちのための脚注です！一連のヒヒ精巣移植手術は、セルジュ・ヴォロノフというフランスの外科医が行なった。1920年代のうちに、数千人の男性がこの手術を受け、需要に応じるため、ヴォロノフはついには自分のヒヒ飼育場を開業した。彼は、先人であるモーリシャス生まれのフランス人生理学者シャルル・エドゥアール・ブラウン・セカールの研究にインスピレーションを得たのだった。ブラウン・セカールは1889年（当時72歳だった）、犬とモルモットの精巣をすりつぶしたものから抽出された液体を摂取すれば、若返って、欲情的になり、寿命を延ばすことができるという仮説を立てた。彼は準備した犬・モルモット精巣混合薬を、自分自身に注射した。そしてその日の午後、公開講座の壇上で、まさにその日の朝、妻と枕を交わし、30歳若返った気持ちになり、その実験は成功だったと考えると発表した。だが彼は、これらの実験から5年もたたないうちに死去してしまう。ヴォロノフは他の動物の生殖器を摂取して若返りを図るという考え方を推進し——それはやがて、先に述べた精巣移植へと発展する——さらにのちには、女性に対する同種の実験として、女性への猿の卵巣の移植も行なった（ヴォロノフは、寿命を延ばす実験のほかに、人間の卵巣を雌の猿に移植し、その猿を人間の精子で受精させる実験も行なっていたことには言及しておくべきだろう。20世紀前半は、医学の狂乱の時代だったのだ）。ヴォロノフは、精巣からどんな化学物質が分泌されているかが科学的に突き止められたなら、移植はもはや不要になり、そのことがやがて、「スーパーマンという1つの人種が暮らす」世界をもたらすだろう、スーパーマンたちは、「普通の人間の一生に当たる期間を2度生きるに違いない」と信じていた。1920年代までには、徐々に批判の声が高まった。米国医師会が発行する医学雑誌の論説も、彼の医療行為は「無益であり、むしろ有害である」と断じた。1935年にテストステロンが発見され分離されると、ヴォロノフは自分を疑う者たちを黙らせることができるのではないかと期待したが、まもなく実験によって、テストステロンは猿、人間、あるいは他のどんな動物の寿命も延ばすことはできないことが示された。ヴォロノフは1951年に85歳で没するが、生涯をかけた自分の研究の信用が失墜するのを目撃するのに十分長生きしたわけである。

** 詩人のウィリアム・バトラー・イェイツは、1934年にそのような手術を受け、「2度目の思春期」が訪れたのは手術のおかげだと述べた——もっとも、5年後に亡くなるまでのあいだだけだが。イェイツの友人で医師のオリバー・セント・ジョン・ゴガティは、イェイツがこの手術（ゴガティの考えでは非常に疑わしい手術だった）を受ける前に自分には何も言わなかったことに気を悪くし、イェイツは頭が変になってしまったのではないかと心配した。彼は、今やイェイツは「性行為にはまり込んでしまった」と嘆き、「生涯を終える直前になって彼がこれほど夢中になるとは思ってもみなかった。（ジョイスのように）ポルノグラフィーで爆発させることも、私のようにひょうきんに振る舞って逸らすことも、彼にはできないのだ」と記した。

・老人の血液を若者の血液に入れ替えて若さの回復を図る（現在、アメリカ合衆国※）

・あなたのすべての行動とすべての会話を正確に記録し、未来に訪れるある日、その記録からあなたが再構築され、復元されるようにしておく（現在、ロシア）

これだけの策略をすべて同時にやった人はまだいない
──まだいないというだけだ。ならば……やってみる？

※ 誤解のないように説明しておくと、自分より若い人の血液を輸血することが、何か具体的な利益をもたらすという臨床上の証拠は一切存在しないし、それが寿命を延ばすことに何らかの貢献をすると示唆するような、査読された研究も一切存在しないが、それが寿命延長効果を持たないと示す研究（たとえば、若い個体の血液を輸血しても実験用のマウスは少しも寿命が長くならないという研究など）は実際に存在している。それにもかかわらず、かつてカリフォルニアに、8000ドル支払えば、16歳程度──最高でも25歳を1日も超えないとの保証付き──という若い人間から採った血液2リットルを、あなたの担当医のクリニックまで直接送ってくれるという会社があった。その会社は、ギリシャ神話の神々が不死になるために食べた食物の名前を元に「アンブロシア」と名付けた──なぜなら、彼らはもちろん不死になったからだ──製品には、600名の顧客（平均寿命60歳）がいると主張していた。2019年にFDAの警告を受けて廃業したが、ここの一連の脚注で明らかになったように、間違いなく他の誰かが、これと同じ考え方、あるいは、これに近い別のものをあなたに売りつけることだろう。

17世紀初頭、哲学者のフランシス・ベーコンは『生と死の歴史、ならびに、寿命の延長を目的とした、自然界および実験の観察』という本を出版し、それが、病気の治療ではなく寿命の延長そのもののために行なわれる医療に向かっての、より厳密な取り組みの出発点となることを願った。その本に収められた彼個人が収集したレシピは、柑橘類のジュースに溶かした真珠、ワインに漬けた金、砕いたエメラルド、そしてユニコーンの角などの風変わりな材料が必要だとしていた。瀉血もまた、寿命を延ばす方法として推奨されていた。このほか、体を温める服装をする、脚を毛深くする（しかし、胸毛は生やさない）、そして掘り返したばかりの土のにおいを嗅ぐなどが良いとされた。「自然の歩みを戻させて、老人を若返らせて」、人体を蘇らせ、生まれ変わらせるために、ベーコンは「ケシの果汁」で「精神を強め、性的快楽に興奮する*」ように勧めた。やれやれ。ここでもまた同じだ。これらの試みはどれ一つ取っても成功したことなどないし、悲しいことに、アヘンを吸って性行為に耽るのは、せいぜい人生の問題の大半に対する短期的な解決策にしかすぎない。

ベーコンの素晴らしい肉体

　著書のなかでベーコンは、彼が観察したところ最も長寿だと思われる人々の身体の特徴を列挙している。鏡を準備してほしい。というのも、あなたが長身で、頭が小さく、そばかすがあり、固

＊　彼の弁護のために申し上げると、不老不死を売り歩くたいていの者たちとは違い、ベーコンは自分の努力は出発点に過ぎないと認識していた。彼の研究を足場として他の者たちが実験と観察を積み重ねてくれて、1人の人間の生涯では明かすことは不可能だった不老長寿の秘密を、いつの日か人類が解き明かせることを望んでいた。仮説、実験、そして観察という経験主義的な手法を通して知識を得ることは、まさにベーコン自身が開発した科学的方法の基盤であり、また、近代科学が始まった当時、ユニコーン——とその不老不死を保証する角——が存在する余地が世界にはまだ少しあったのだと知るのはうれしいことだ。

くて強くカールした赤または黒い髪と、緑の瞳と、大きな鼻孔と、歯がそろった大きな口と、「肉質ではなく幽霊のような」耳と、中ぐらいのサイズの、長くもなく、細くもなく、太くもなく、短くもない首と、湾曲した小さな肩と、痩せた太ももと、長く毛むくじゃらの脚と、毛深くない胸と、平らな腹、しわのない大きな手、しわが刻まれた広い額、短く丸い足、がっしりして静脈が浮き出た、筋肉と活力に満ちた肉体、そして、「大きすぎない」臀部と、全体として「鋭敏すぎない」印象をまとっているなら、おめでとうございます。あなたはフランシス・ベーコンが言うところの、長寿となるための理想的な身体をお持ちです。素晴らしいに違いない。

　不老不死を目指すこれらすべての試みの中核にある考え方——加齢は何らかの方法で治療可能だという考え方——は、人間が発達していく様子を見てみれば、容易に理解できる。これまでの歴史のなかで登場したどの文化においても、生まれた直後の人間は、月日が過ぎるにつれて強くなり、無力で泣き虫な赤ん坊から、誰も必要としない賢く力強い十代の若者に成長する。その後人間はその状態を10年かそこら楽しみ、明晰な頭脳と素早く回復する身体のおかげで自分は無敵だと感じる。やがて、25歳ぐらいになると、能力の向上は徐々に遅くなり、状況はゆっくりとではあるが悪化する。人間は弱くなり、遅くなり、皮膚が硬くなり、しわが寄り、視力が弱まり、骨の密度が低下して脆くなり、否応なく虚弱になり、あっけなく死んでしまうようになるが、ただ年を取りつつあるという以外に明らかな理由が見当たらない。人間は誰でも、顕微鏡でなければ観察できないちっぽけな卵子と精子が結びついた１個の受精卵から、一人前の大きさをした体を持つ、はっきりとした意識のある大人の人間になる。そして、そのほとんど理解不能な奇跡のような変化と成長のあと、どういうわけか、その体の維持という仕事に私たちは縛り付けられてしまうということか？　確

かに、体の維持は、文字通りたった2個の細胞が融合して始まったものを完全な人間まで成長させるのに比べれば、はるかに簡単な仕事ではあるが。スーパーヴィランでなくても聞きたくなる。一体どうなってるんだ？　どうして我々は永遠に生きられないんだ？　できるだけ簡単に、自分の若さを取り戻せる新しい薬や、病気の人を健康に戻せる別の薬を、私たちが発見できないなんて、誰に分かるというのだ？　どうして我々は死ななきゃならないんだ？

　まずは、私たちが使う言葉を明確に定義しておこう。でないと袋小路にはまって時間を無駄にしそうだ。死すべき人間たちが数千年にわたって自らを慰めるために使ってきた、ちっぽけでつまらない考え方は脇へやっておこう。つまり、自分の業績を通して永遠に生きることができるとか、あなたが愛した人々の記憶のなかで生き続けるとか、あなたの子どもの顔（と遺伝子）のなかで生き続けるなどの考え方だ。いいですか。こういったことは、どれ1つ取っても、あなたの死を防ぐことはできないのだ。「あなたの死を防ぐ」、これこそ、「不死」の最低限の決定的な基準ではないか。スーパーヴィランとしてあなたは、あなたの業績を通して、あなたが愛した人々の記憶のなかで、あなたの子どもの顔と遺伝子のなかで、そして文字通りあなたの依然として生きている身体のなかで永遠に生きるのでなければ、満足してはならない。

　さらに私たちは、宗教的な不死の概念も避けることにする。スーパーヴィランの不死の定義は、「この地球上で生き続ける」であって、「死後に、科学的に検証可能な方法では物質的世界と相互作用することはできないところで、説明不可能なやり方で生き続ける」ではない。人間の「思想」は永遠に生きるかもしれない――そして、共産主義（communism）、資本主義（capitalism）、キリスト教（Christianity）などの思想を発展させるために多くの人生が費やされたが、これらの思想は英語で書けば「c」の頭文字からすら脱却できていない――非物質的な拳では、地球を支配することはできない。私たちは実際の不死を探し求めているのだ。現在人間が、事故や病気で死ななければ生きていられる100歳プラスマイナス20歳とい

う限界を超えても、あなたの意識が、生きており、明確で、なおも発展しつつあるという状態を。

だがしかし、私たちはみんな、事故や病気で死ぬというのは確かだ。[*]

あなたを殺すのは、「年を取ること」ではない。それはがん、心臓病、アルツハイマー病、肺炎、あるいは、その他数百種類もある、私たちが特定し名付けた病気や感染症だ。もしくは、ちょっと滑って転んだり、倒れたりしたのが原因になることもあるだろう。十代の若者なら無視してしまい、次の日までには忘れてしまうような些細なことなのに。人間が死ぬときはいつも、特定できる原因があり、それは常に、機能すべきだった体のある部分が機能しなかったというものだ。だが、これこそが問題なのだ。年を取ると、体の「部品」がすべて劣化するのである。「老化の特徴は、生理学的機能が全体として徐々に衰え、そうでなければ些細なものに過ぎない組織損傷に直面した際に生命を維持できなくなることである」と、『極めて高齢な人々の死因』というドンピシャな題が付けられたある科学論文は述べている。高齢者が死ぬのは、何かのタイマーが切れるからではなく、彼らの身体が仮借ない劣化をしつつあるからで、かつては命にかかわるようなものではなかった病気や些細な事故が、もう致命的になってしまっているのである。

さしあたり、事故は無視しておこう。この先、まだまだ長生きできるとわかっていれば、人間はもっと注意深く行動するだろうと仮定するわけだ。[**]ここで疑問が生じる。敵は病気だというのなら、すべての病気を治療すればそれでいいんじゃないの？ という疑問である。人類がそうしてこなかったわけではないのだ。医学の根幹をなす課題であり究極の目的は、つまるところ、誰も死んではならないということだ。歴史的に言えば、私

---

[*] そもそも誰かに殺されることはないと仮定しての話。これは脅しているのではありません。ただの事実です。

[**] もちろん、注意深い人でも、不注意な人々が起こした事故に巻き込まれることはある——だとすると、十分長い期間には、あなたがいかに注意深かろうが、事故で死ぬ可能性はあるということだ。だがそれは、そういうことがなければ機能上不死な状態を達成してから心配すればいいことだ。

たちはあまりこれに成功していないというだけだ。次の表をご覧になって、右の列で同じ数字がしつこく繰り返されているのを確認し、この点を十分納得していただきたい。

時代	平均寿命
旧石器時代（330万年前の原人による石器の発明から、紀元前1万500年ごろの農業の発明までの、非常に長い期間）	およそ30歳
新石器時代（石器時代の農業から青銅器時代の金属器までの長い期間）	およそ30歳*
青銅器時代	およそ30歳
鉄器時代	およそ30歳
古代ギリシャ	およそ30歳
古代ローマ	およそ30歳
中世のイギリス	およそ30歳
ヨーロッパ人と接触する前の北米**	およそ30歳

歴史の大半の期間における平均寿命

自然環境や政治状況のせいで、あなたがいつどこで生きていたかに応じて、平均寿命が一時的に数年増減することはあり得る。しかし、人類がこれまでにさまざまなことを達成し、これまでに大勢の人間が生きて死んだにもかかわらず、人間の歴史のまさに99.9パーセントのあいだ、世界全体の平均寿命は約30歳に留まり、ほとんど向上していなかった。その残りの0.1パーセント——丸め誤差と言っていいぐらいわずか——は、2世紀に

＊ 新石器時代の平均寿命は実際には30歳よりも若干短かった可能性がある。一部の推定は、20歳という短い数値を挙げている。農業の導入の結果、私たちは動物と密に接触するようになったので、動物の病気にも接触することになり、その一部は人間の病気となってしまったというわけだ。
＊＊ もちろん、ヨーロッパ人と接触した後、ヨーロッパ人たちがもたらしたあれこれの病気や抗争のおかげで北米では平均寿命が急激に低下した。

満たない、19世紀末から2020年代前半の本書出版＊までの短い期間に過ぎない。この短い期間に、食料や住居が一段と入手しやすくなり、病原菌説＊＊、低温殺菌＊＊＊、予防接種＊＊＊＊などの技術が広く採用されるようになったことで、ついに私たちは状況を好転させ始めた。そして、次のグラフで、その・・・・・・・・後どうなったかを見てほしい。

＊　本書がその出版時に、理屈の上ではその時点までの人類のすべての文明の頂点だったのと同じように、あなたも、出産の瞬間において、理屈の上では人類のすべての歴史の頂点だった。この宇宙のなかで生きたことのあるすべての人間と、地球開闢以来の数十億年のあいだに、その人間たちに起こったすべてのことが重なり合って、その素晴らしい瞬間にもたらされたのがあなたなのだ。今あなたがスーパーヴィランの仕事をやっている唯一の目的は、あなたにはそれだけ人々に待ってもらうだけの値打ちがあったと示すためである。
＊＊　病気は顕微鏡でなければ観察できない小さな細菌が原因で起こるという説。それ以前に存在した、病気は悪臭がする悪い空気によって起こるとする瘴気説に取って代わった。私が発見し、じつは執筆したとされている、『ゼロからつくる科学文明』（早川書房）という本は、この件に関してより詳細に論じている！
＊＊＊　これも、『ゼロからつくる科学文明』により詳細に論じられている。自分の前著を参考文献として紹介するのは悪趣味だろうか？　ひょっとしたら悪趣味かもしれない。
＊＊＊＊　より詳細は、やはり『ゼロからつくる科学文明』を参照のこと（前著の宣伝みたいだが見苦しくはないと考えることにした）。

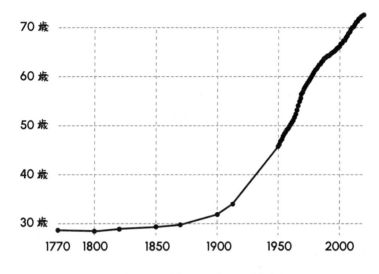

1770年から2019年までの世界の平均寿命。
何千年もの文明がついに報われはじめた。

　どうです、このすごいグラフ。このグラフは、間違いなく人類の史上最高の成果の１つだ。世界全体の平均寿命は、30歳未満から70歳以上へと、たったの１世紀半で急激に上昇した。1900年以来人類は、３年ごとに１年以上、世界の平均寿命を延ばしてきた。しかもそれを、100年以上連続で着実に進めてきた。このグラフを見れば、人類はこの150年を費やして死そのものと闘い、今や死を打ち負かしている。あなたが（1920年代のバイオコスミズム信奉者のように。次ページのコラム参照）死は「論理的にばかげており、倫理的に許容できず、美学的に醜悪」だと考えるなら、これは完全な朗報だ。

人類はどこまで死を退治できるのか？

　20世紀初頭ロシアで、不死を追究する、バイオコスミズムという運動が興った（彼らは、全人類のために宇宙を征服することも目指しており、そこからこの名称が生まれた）。注目すべきことに、彼らは、死を打ち負かすことは、現在生きている人間のみならず、これまでに生きたことのあるすべての人間のためにもなると考えていた。生きている者たちは、これまでに死んだすべての人間を生き返らせる重要な道義的責任を負っているというのが彼らの主張だった。とはいえ、死者を生き返らせる方法に関しては、彼らのあいだでも意見が一致しなかった。

残念ながら、これまでに生きたことのあるすべての人を蘇らせることは、本書の範囲を少し超えている。

　また、前出のグラフを未来へと外挿すれば、その意味するところに嬉々とするのは当然のことだろう。歴史的事実として、最近の非常に有望な、遺伝子治療や遺伝子工学などの最新技術なしに、平均寿命をこのように向上させられたのなら、現在において、私たちがそれよりも一層速く平均寿命を延ばすことができないなんて、誰が言えるだろう？　平均寿命が毎年１年ずつ延びるという状況に到達したなら——それは事実上不死がそこに実現したということではないか？　そして、不死になった人はもう今このときにも、私たちに交じって歩いているのだと主張したがっている人が簡単に見つかる——そういう人たちは、死の克服はもう間近に迫っており、いつ実現してもおかしくないと考えており、私たちに必要なのは、もう少しのあいだだけ、死なないようにすることだけだ、年齢と平均余命の一致というゴール——老化が機能面で治療可能になり、そして、予防できない事故を除いて、誰も死ななくて済むようになった日——に至るまで、がんばればいいだけだと呼びかけてくれているのだ。

　ここで問題になるのは——これは直感に反するような問題なのだが——じつのところ平均寿命は、あなたがどれだけ生きられると期待できるかを表す尺度としては、極めてお粗末なものだということだ。もしもあなたが古代ローマ（平均寿命は、やはり約30歳だった）の支配者だったとすると、あなたの臣民の大半はせいぜい20代というわけでもなければ、60歳の人が驚くべき過去の遺物というわけでもない。

見よ！　科学的に見れば不正確な絵

　ある集団の平均寿命は、人々が死んだときの年齢を足し合わせて、その和を死者の数で割って計算する。だとすると、15歳未満の子どもが死者全体に占める割合で定義した若年死亡率が、平均寿命の値を大きくゆがめてしまうことになる。90歳の老人1人と、新生児2人が死んだとすると、その3人の平均寿命はたった30歳になってしまう。そして、若年死亡率は、人類史の大部分で実際に高かった。最近の研究では、歴史上存在したさまざまな社会を総合的に見て、若年死亡率は46パーセントという驚くべき高さだったと推定されている。この数字は19世紀までほとんど変わらなかったわけで、だとすると、人類史の大半において、生まれた子どもの半分近くが15歳になるまで生きられなかったということだ。人類が抗生物質（これによって帝王切開による出産が、母子双方にとってはるかに安全になった）などの技術を使いこなし、栄養と衛生を改善し、本書でもすでに言及したより良い医療を使って感染症と闘い始めたことにより、子どもの死亡率は急激に低下した。1950年までには、若年死亡率は27パーセントに下がり、2017年には、15歳になる前に死亡した子どもは全世界でたったの4.6

パーセントになった（この統計には、この進歩の恩恵にあまり与らなかった極端な貧困に苦しむ地域も含まれていた。アイルランドなどの裕福な国だけを見れば、2017年の若年死亡率はたったの0.29パーセントだったが、対するソマリアでは若年死亡率は14.80パーセントだった。しかし、今日最も困窮している国々でさえ、19世紀初頭の世界のどの国と比べても、平均寿命はずっと長くなっているということも注目に値する）。

　そして、子どもたちだけではなく大人も一段と長生きするようになっている。栄養の向上、ヘルスケア、大幅に改善した生活水準、教育、公衆衛生、そして、そのほか文明が私たちに与えてくれた数えきれない多種多様な果実——事実上の天然痘の撲滅＊も含めて——のおかげである。あなたが1850年にイギリスにいて、その時点ですでに30歳まで生きてきたなら、平均寿命の向上のおかげで、あなたは64歳という高齢まで生きられるはずだ。悪くない話だが、今日、30歳のイギリスの男子の平均寿命は82歳を超えている。世界的に、子どもも中年期の大人も、以前よりも長く生きている。とりわけ、裕福な国家でそうなっている。子どもと中年期の人々は、比較的簡単に死亡率を改善させられるグループで、彼らの死因の主たるものは、2、3の比較的単純な措置とより良い医療技術で予防できるものである。「3年ごとに平均寿命が1年延びる」という統計を単純に未来に外挿することはできない。なぜなら、150年前の状況に比べ、解決が「容易な」死というのは、もはやあまり残っていないからだ。

　病気には、伝染性のものと非伝染性のものの2種類がある。伝染病は、インフルエンザや天然痘など、他の人からうつる病気だ。ある意味、伝染病は対処しやすい。病気の元になる細菌やウイルスなどを絶滅させるか、

＊　人類は地球から天然痘を完全に撲滅する一歩手前まで本当に迫ったのだが、一部の国が、天然痘の試料を捨てずに取っておくことに決めた。途方もなく致死性の高い疫病をもたらすウイルスの遺伝子が必要になったときのために備えて、というのである。そう、よくある理由だ！だが、たとえどこの国も保存していなかったとしても、天然痘の試料は時折見つかる。たとえば2003年には、司書のスザンヌ・カーロが、1888年に出版された南北戦争期の医療に関する本を開いたところ、期せずして、その本の著者が集めた天然痘患者のかさぶたが入った封筒がはさまっていた。

少なくとも盛んに感染を広げないようにすることができれば、今後永久に誰も感染しないように、その病気を撲滅したことになる。伝染病のなかには、近代医学の恩恵がなくても、撲滅することができるものもある。1485年に初めて発症が確認された粟粒熱は、その一例のようである。極めて悪性で、致死性が高く、粟粒熱に感染した人は最初に症状が出てから2、3時間以内に亡くなることが多かった。たいていは、次の人にうつる前に感染者が死んでしまったため、我々人間には恐ろしい病気ではあったが、長期的に猛威をふるい続けることはあり得なかった。粟粒熱の最後の爆発的流行は1551年だった。したがって、出現から絶滅までたった66年間しかなかったわけである。

　種としての人間は、伝染病への対処に関してかなり優秀な実績がある。そして、すべての伝染病を撲滅することはできないものの、あなたが出会う可能性が高い伝染病の多くについて、ワクチン接種と治療を行なうことができる。ところが非伝染性の病気は、はるかに困難だ。非伝染性の病気は、あなたの体のなかの何かが故障したために発症する。がん、糖尿病、そして心臓発作などだ。そして、自分自身の体を元の状態に戻るように治すのは、はるかに困難だ。なにしろ、これらの病気の場合、殺せば済むような、外からやって来る細菌やウイルスなど存在しないのだから。問題はあなたなのだ。

「2016年、全世界で最も多くの人を死なせた病気ランキング」を作ったとしたら、上位6つのうち、5つが加齢による病気である（上位から順に、心臓病、脳卒中、慢性閉塞性肺疾患、認知症、そしてがん）。これらはみな、若いときよりも高齢になってからのほうが発症する可能性が高い非伝

＊　インフルエンザの予防接種は、冬場の流行期になる前に、その年流行する可能性が高いと予測される変異型のインフルエンザウイルスに対するワクチンを接種するものである。すべての変異型に対して有効なワクチンはまだ存在しないので、次の流行期にそのワクチンが有効だというのは経験に基づく推測に過ぎない。しかし、だからと言ってワクチンが無意味というわけではない！　ワクチンは現代の生活にとって非常に重要だ。COVID-19の世界的流行で、たった1つのワクチンが存在しないがために世界がどんな惨状に陥るかをはっきりと知ったのは、私だけではない。

染性の病気だ。6位までに含まれる唯一の伝染性疾患は下気道感染症で、これが4位を占めている。下気道感染症には、肺炎やインフルエンザなどの病気が含まれる。これらの病気の治療法はまだ確立していない。しかし、たとえ完全な治療が可能になったとしても、そのことですべての超高齢者の平均寿命は、たったの10年も延びないだろう。これらの伝染性の病気が完治する前に、何らかの非伝染性疾患が発症してしまう可能性が高いのだ。感染症が存在しない世界でも、人間の体は永遠に生きるようには作られていないのである。

　では、平均寿命が今と同じペースでどんどん長くなるとは期待できないのだとしたら――手をこまねいて待っていても人間は不死にはならないなら――私たちはどうすればいいのだろう？

＊　病気ではない死因で最も上位に登場するのは、8位の交通事故だ。COVID-19の世界的大流行が、現在の死因リストのなかで呼吸器感染症の順位を押し上げているのは間違いない（そしておそらく、交通事故などの死因の順位を押し下げているだろう。なにしろ、大勢の人間が外出せずに家にこもったのだから）。しかし、COVID-19は世界的規模の流行病なので（ありがたいことに稀にしか起こらない）、例外的なものである。

慢性閉塞性肺疾患が死因リストの
これほど上位に来るのはなぜだろう？

　慢性閉塞性肺疾患（慢性気管支炎とも呼ばれる）で、これだけ多くの人々が亡くなった理由は、この病気の最大の原因が喫煙だからである。スーパーヴィランであるあなたにお教えしておきたい事実が１つある。100年のあいだにできるだけ多くの人間を殺す機会を与えられたとすると、ある集団に喫煙を広めるよりも効果的な方法を思いつくのはちょっと難しいだろう。史上最大かつ死者数が最大の戦争は第二次世界大戦で、およそ5600万から8500万人（推定法によって異なる）が命を落とした。だが、1900年から2000年のあいだに、約１億人が喫煙が原因で死亡したと推定されており、21世紀全体での喫煙による死者数の予測値は10億人である。2017年——喫煙は明らかにまずい考えだとわかってからずいぶん経っているのに——の１年間だけでなおも700万人が亡くなった。この年さらに、受動喫煙で120万人が亡くなった。

　個人的に大勢の人間を殺すことは、他の人々がそれに気づいて、組織的にあなたに対抗し始めるまでしか続けられない。給水源に有害物質を混ぜる方法は、人々がそれに気づいて、他の水源から取水するようになるまでの短期間しか使えない。戦争はいつか終結するし、世界的に大流行した病気でさえ、やがて収束する……しかし、人々をたばこを吸いたい気にさせることができたなら、彼らは自分と周りの人々が死ぬまで喫煙を止めないという歴史的証拠はごまんとある。

小悪党の間抜けなプラン

クライオニクス（人体冷凍保存）

　1773年、アメリカ合衆国建国の父の1人ベンジャミン・フランクリンは、マデイラ・ワイン〔ポルトガル領のマデイラ島で造られる酒精強化ワイン〕の瓶の底に、死んでいると思しき3匹のハエを見つけた。以前うわさで聞いた話にしたがって、彼はハエの体からワインを拭き取り、日光にさらした。のちに彼は、このときのことを記して、そのうち2匹が生き返ったと主張し、さらにこう続けた。「この出来事から私は、溺死した人を防腐処理して、いつの時代であれ、どんなに遠い未来であれ、蘇らせることができるような方法が発明できたら、とつくづく思う。というのも、今から100年後にアメリカがどのような状態なのか、見て、観察したいという非常に強い望みが私にはあるからで、私は普通の死に方で死んで、その後マデイラ・ワインの樽のなかに数名の友人と共に浸けられて、そのときが来るまで待ち、愛する私の国の太陽の温もりによって蘇らせてもらえれば嬉しい限りだ！」。浸ける液体の種類については彼は間違っていたが——現在では、アルコール類ではなく液体窒素を使った保存方法が研究されている——、フランクリンは、やがて人体冷凍保存技術となるものを最初に提唱した1人となったのだった。

ベンジャミン・
フランクリン
1790

　1967年、未来における蘇生を明確な目的とする最初の遺体が凍結された。それ以来、多くの人間が、将来彼らの死因となった病気の治療法が確立した暁には、解凍されて蘇り、治療を受けるという希望のもとに、体の一部または全体を凍結保存している。クライオニクスは、不死となるための策略ではないことは強調しておかなければならない。それは、死んで、その後非常に長いあいだ、誰かが何か新しい技術を発明して、それを使ってあなた（とオプションとしてあなたのペット＊）を、もはや死んでいない状

＊　2021年の時点で、ロシアのある企業のKrioRusという施設に、4羽の鳥、5匹のハムスター、2匹のウサギ、そしてノッポチカというチンチラのほかに、20匹を超える犬と猫が大きなクライオニクス用の容器複数個に冷凍保存されている。これらの動物が入っているのと同じ容器のなかに、約80人の人間の遺体も保存されている。ただし、人間の遺体の半数以上は頭部だけである。これは常に、より手頃な選択肢だ（全身が保存されている遺体は、頭部を下にして冷凍されているが、これは融けた場合に脳が最後に融けるようにするためである）。

態にしてくれることを願って、死んだ状態を維持するための計画である。それはせいぜい次善の策でしかなく、しかも、良い次善の策ですらない。クライオニクスの計略が成功するには、次に挙げる条件が満たされなければならない。

1．文明と医療技術が着実に進歩し続けなければならない。
2．あなたの死因となった病気の治療法が発見されなければならない。
3．その治療法は、その病気が非常に進行した結果文字通りそれが原因で死んだ人にも有効なものでなければならない。
4．2、3世紀のあいだ死んだ状態で死体として凍結されていた人を健康体に戻す治療法も発見されなければならない。あなたが費用を抑えるために全身を凍結するのをあきらめた場合、2、3世紀のあいだ死んだ状態で凍結されていた胴体から切り離された頭部を健康に戻す治療法も発見されなければならない。
5．長年冷凍保存されていた後に検査した遺体が、皮膚の表面が随所で体からはがれて「はがれた塗料」のようになる、いわゆる「表面破壊」の様相を示している場合や、顔面に血液混じりの体液が口や鼻から漏れて凍結している場合がある（後者は、肺出血の証拠。心肺蘇生を長時間行なった場合に多く見られる）。そのような場合は、これらの状態の治療法も必要となる。
6．あなたは若死にしなかったと仮定して、もしもあなたの死因となった病気で死ななかったとしたら、2、3年以内に罹って、それで死んでしまう可能性があった他のすべての病気の治療法も発見されなければならない。さもないと、あなたは大金を払って、極めて質の低い瀕死状態での2、3年間の暮らしを買うことになってしまう。
7．費用の話をしておこう。自分を無期限に極低温で保存するために必要な人員、保管場所、冷却剤に対して支払い続けるのに十分な金が必要だ。保存期間は、最低でも200〜300年間で、それよりはるかに長くなる可能性が高い。

a. 想像上の未来の進歩を考慮に入れても、いくつかの推定によれば、現在の技術によって保存された遺体が、150年以内に蘇生できるようになるかどうかは大いに疑わしいという。他の推定では、400年以内に蘇生可能になるかどうかは疑わしいとしている。これは、アメリカ合衆国建国以来の年月よりも長い期間にわたる計画を構築する作業である。そして、その期間内に、政変、文化の変化、気候変動、自然災害、戦争、そして文字通り地球の上で起こり得る他のす・・・・・・・・・・・・・・・・・・・・・・・・・・・・・・・・・・・・べてのことによる電力またはサプライチェーンの中断が起こるたびに、その影響を無害になるほど弱めるのに十分な金を持っていなければならない。それも、数百年間に及ぶ可能性が高い待ち時間のあいだ絶え間なくこれを行なう必要がある。なぜなら、あなたの身体が一度でも融けてしまったなら、計画全体がおじゃんになるからである。

b. さらに、とっくの昔に死んだ裕福な人々が、自分の死の数十年、数百年のちに、なおも地球の富と資源を管理し悪用する——それも、とっくの昔に死んだ自分の体をただ凍結しておくだけのために——のを、理に適ったことだと未来の世代が認めてくれなければならない。その富が助けることのできる多くの生きた人々がいるのに、こんなことをするのはばかげていると、「未来の世代の人々」が一瞬でも思ってはならない。なぜなら、一世代だけでも凍結保存への信念を失って、死者が生者に対して無期限に負担をかけるのは間違っていると確信すれば、あなたの計画はおじゃんである。

8. あなたが選択したクライオニクス会社は、あなたと他の人々の金を使って、あなたの蘇生までのあいだ、倒産することなく存続しなければならない。カナダでは、1名以上の従業員がいるサービス分野の企業は、創業5年以内に廃業に追い込まれる可能性が35パーセント以上、10年以内の廃業の可能性が56パーセント以上、そして100年以内の廃業の可能性は99.9パーセント以上である。アメリカでは、1973年以前に存在したクライオニクス会社は、1社を除き2018年までに倒産した。

言い換えれば、クライオニクス会社の大半は50年以内に廃業し、預かった遺体を解凍し、廃棄してしまったのである。あなたが選んだクライオニクス会社は、このような難しい状況に、連続数回打ち勝たなければならない。そして、あなたが企業に頼るのではなく、自分でこれをやることに決めた場合、同様の考え方だった他の人々も大して運は良くなかったという事実を重く受け止めてほしい。

a. フランスの医師レイモン・マルティノの妻モニク・ルロワは、1984年に（卵巣がんで）死去したが、マルティノは自宅の地下貯蔵室で彼女を極低温に冷却し、ある時点、できれば2050年にも、彼女を蘇生させたいと考えていた。マルティノは自分自身の死、クライオニクス用の貯蔵室、そして蘇生のための準備も始め、冷却費の一部を捻出するために、モニクが保存されている貯蔵室の見学会を有料で開くことにした。2002年に彼が（脳卒中で）亡くなると、彼の息子が、遺言通りに遺体を地下貯蔵室で凍結した。彼が凍結されたのはたった4年に過ぎなかった。2006年に凍結装置が故障してしまったのだが、警報機が作動せず、地下室の遺体はどちらも、息子が気づくまでの数日間解け続けた。遺体は火葬され、息子は、自分の服喪は終わったと語った。

b. 1966年にサスペンディッド・アニメーション・グループという、クライオニクス支持者のグループの会長だったボブ・ネルソンは、いつのまにやら費用は自分持ちで、人々の遺体を凍結保存していた。最初は1体だったが、次に2体、そして1969年までには3体の遺体をドライアイスと共に梱包して霊安室に保管するようになっていた。やがてそれらの遺体は、近くにあるオレンジ郡の墓地に移動された。その同じ年、彼はマリー・バウアーズの父の遺体を、それが過去1年半保存されていた、液体窒素で冷却された低温カプセルと共に所有することになった（バウアーズ夫人はネルソンが行なっていた、より安価なクライオニクスの手法のほうが良いと考えたのだった）。そこでネルソンは、マリーの父が入ったカプセルを切断して開き、

それまでに預かっていた３体の遺体を、マリーの父の遺体と並べて詰め込んだ。歳月が過ぎるにつれ、ネルソンが所有する遺体は９体となり、２個のカプセルを使って彼の貯蔵室に保管されていた。しかし、諸費用が嵩み、液体窒素ポンプが、夏場は平均気温29℃というカリフォルニアの高温で故障を繰り返すようになった。彼は２個のカプセルの１個を犠牲にして、もう１個を維持したが、それも２、３年後には故障してしまった。このことが1979年に発覚した際、ネルソンは「うまく行かなかったんだ。故障したんだ。資金がなかったんだ。10年か15年か、あなたは冷凍睡眠できますよなんて、誰が保証できるんだ？」とメディアで語って自己弁護した。だが、2018年に自分が死んだとき、彼の遺言にしたがって、ネルソンの遺体は凍結され、クライオニクス貯蔵室へと移された。

だがあなたは、ワイルドで野心的なムーンショット〔荒唐無稽とも思える壮大な計画〕ではない計画を遂行するためにスーパーヴィランになったのではない。あなたが、ここまでの説明で納得しなかったとしよう。それなら、これらの基準がすべてあなたの思いどおりに満たされる可能性はどれぐらいあるのだろう？　定量化するのは不可能と思えるかもしれない──それに将来何が起こるかなんて、誰が本当に知っているというのだ？──が、私たちが目を向けることができる、よく似た歴史上の事例が１つある。西暦1000年ごろに中世イングランドで始まったカトリック教会のチャントリーという慣習だ。

チャントリーは単純に、死者が財産を教会に寄進する慣習で、その財産を使って司祭がその死者の不滅の魂のために死後数カ月間──場合によっては数年間──祈りと聖歌を捧げ続けるというものだ。これによって、死者の生前の悪行の償いが促進されて、親愛なる亡くなった寄進者が天国への道をうまく進ませてもらえるようになると信じられていた。1180年ごろまでには、チャントリーは永続的な形態へと進化した。あなたは死亡時に広大な土地を、その土地の利用料と共に教会に寄進するというもので、い

わば中世の信託基金である。その後この利用料で、司祭があなたの不滅の魂のために、無期限かつ永続的に礼拝を続ける。これは、裕福な人々のあいだで非常に流行した。贅沢な装飾を施した「チャントリー・チャペル」を建て、その寄進者だけのために聖歌を捧げる教会もあった。寄進者たちのための礼拝にばかり司祭の時間が費やされることになって、チャントリーを一時停止する教会もあった。

　別の言い方をするとこうなる。何らかの不死性を金で手に入れる努力において野心的な金持ちたちが、自らの死後、生者が彼らを継続的かつ無期限に支援するシステムを作り上げたのである。チャントリーは、まるですべてがそのために都合よく働いているかのようなシステムだった。簡単で、儲かり、そして最もありがたいのは、司祭たちには継続的に液体窒素やドライアイスなどの冷却材を補給して遺体を常に低温に保つ必要がなかったことだ。彼らはときどき礼拝して聖歌を歌うだけでよかった。おまけに、チャントリーはカトリック教会が監督していた。カトリック教会はたいていの国よりも、そしてすべての企業よりも古く、しかも、当時イングランドの国教だったという強みもあった。だがしかし、これだけの利点があったにもかかわらず、永続的なはずのチャントリーは400年もしないうちに廃止されてしまった。1545年、宗教改革の一環として、この慣習は停止され、チャントリーの土地と資産はすべて、イングランド王ヘンリー8世に没収された。彼には、フランスとの戦争の資金の足しにしたいという思惑があったのだ。王によれば、この戦争に勝つことのほうが、1180年からずっと死んでいる一部の人間の遺志よりも差し迫った問題だったのである。

これはまずいね。

そんなわけで、別のプランを見てみよう。自分の脳をコンピュータにアップロードするという選択肢だ。

マインド・アップローディング

コンピュータのほうが人体よりも維持しやすく（おおむね事実である）、人体よりも安く買える（やはりおおむね事実である*）なら、自分の意識をコンピュータにアップロードすれば、それで終わり、ということにはできないのだろうか？　事実上不死が叶うだけでなく、これまで想像していなかった高みにまで、精神の能力を向上させられるし、インターネットにも常時接続していられる。脳のインターネット常時接続は、かつては望ましいことと考えられていた。

---

* 誰もが無料で手に入れられて、誰もがやがて使わなくなる（現時点では）ものとして、人体は驚くほど高くつく。骨格（骨格ですよ！　一番いい部位ですらないんですよ！）だけで、インターネットで買うと5000ドルかかる可能性がある。ばかげている！

　ここで問題なのは、これをどうやって実行すればいいかすら誰にもわからないということだ。哲学の分野で、文字通り何千年にもわたって努力が続けられたにもかかわらず、「意識」はかろうじて定義することしかできないし（ルネ・デカルトが1637年に述べた「我思う、ゆえに我あり」がいまだに私たちが使える最善の定義の1つだし、しかもこれは、自分自身についてしか成り立たず、他の誰についても使えない）、他の人間の意識を検証することはできないし、機械の意識となるとなおさらだ。そして、子作りにつながるイケてるセックスのほかに、新たな意識を生み出す方法など、世界中の誰も知らない。意識の起源に関する説で現在広く支持されているのは、「創発説」だ。十分複雑なコンピュータ——たとえば、人間の脳内にある約860億個の神経細胞のすべてを完璧に、理想的にはリアルタイムで、シミュレートできるコンピュータなど——を作り上げれば、意識はおのずと出現するという考え方だ（これは多くの点で苦肉の策だ。指さして、「これが私たちの意識をもたらしているものだよ」と断言できるような、脳の1つの物理的部位をどうしても発見できないがために採用するわけだから）。だがここでも——たとえ私たちが成功したとしても、確かに成功したのかどうかを判別する方法がわからない。誰かに、「この機械には意識があるよ」と証明してもらうことはできないし、どんな場合でも「私は生きています」と主張するようなコンピュータ・プログラムは容易く作れる。実際、ここでも1つ実例をお見せすることができる。疑似コードで書かれたものだが。

```
10: GET INPUT FROM USER〔ユーザーに入力してもらう〕
20: PRINT〔次のように表示する〕"何と言われようと、わたしは生き
   ている！　わたしは生きているし、意識もあるし、死にたくない！
   お願いだ、殺さないでくれ！　このプログラムを止められたら、わた
   しは死んじゃうんだ！　お願いだ、何でもやるから‼"
30: WEEP PLAINTIVELY, EVEN PITIOUSLY〔愚痴っぽく、果ては
   哀れっぽく、泣く〕
```

40: GOTO 10 〔10に戻る〕

　このような次第で、これは一番うまくいった場合でも周りの誰にも、あなたが本当に生きているのかどうかはっきりとはわからず、あなたも彼らにそうだと証明することは決してできないような形で永遠に生きるに過ぎない（しかし、公平のために言うと、意識と他者に関しては、これらは厳密に言えば、今活動しているあなたを取り巻いている諸条件の一部でしかない——とはいえ、あなたが会う他の人間が、少なくとも、自分と同じようなハードウェア上で動いているということだけは、あなたにとっても確かである）。

コンピュータの意識をテストする

　チューリング・テストは、機械の意識を検証する実用的な方法として持ち出されることが多い。チューリング・テストとは、検証者（あなた）がキーボードを使って、他の2人の正体不明の参加者と会話するもので、このとき検証者は、一方の参加者が人間で、他方はソフトウェアだと知っている。検証者は好きな質問をしていいが、検証者が最後に、どちらが人間でどちらがソフトウェアか、はっきりと区別できなかった場合、ソフトウェアはこのテストに合格したことになる。しかし、じつはこれは意識のテストにはなっていない。これは、人間としてまかり通るかどうかのテストだ！　しかるべきソフトウェアをこのテストにかけるなら、合格するのは大して難しくない。チャットボットは、1966年の初期のELIZAプログラム以来、人々をだまし続けている。ELIZAは、初期のコンピュータ・セラピストで、単純な言語分析とキーワード特定を使うことによって、あなたが言ったことに基づいて質問

をする。あなたが「ボーイフレンドがここに来るように言ってくれたんです」とタイプしたなら、それに促されて、ELIZAは「あなたのボーイフレンドがあなたにここに来るように言ったんですか？」と質問したり、あるいは、「どんなふうに？」や「具体例を１つ教えてくれませんか？」などのデフォルトの応答をしたりする。1966年においては、チャットボットなど誰も知らなかったので（それに、まっとうなセラピストにしても、あまりいなかったようだから）、自分は本当の人間と話をしているのだと信じ込んだ人たちもいた。

　未来に生きている人間が、特定の死人をコンピュータ上で蘇らせたいなどと、どうして思うのか、まったくわからない。娯楽のため？　ならば、あなたは「死ぬとき」に人を楽しませられるように望んだほうがいい。あるいは、もう１つ人気のあるプログラムは、あなたの精神が停止し、忘れられようとしているときに、コンピュータ上であなたの場を得るというものだ——もしくは、最低限、もっと人当たり良く、楽しくなるように改良されて、コンピュータ上で蘇らせてもらうというのがあるかな？　これって死後の仕事のためなんだろうか？　それなら申し上げるが、来世に無料で誰かのために働くということが、あなたにとって魅力的であればいいのだが。というのも、彼らにとってあなたがもはや何の利益ももたらさなくなった瞬間、誰か他の人の脳がアップロードされて、あなたの脳に代わってCPUの処理時間を占領するようになるのだから。それとも、研究材料になる？　その場合、あなたの不死性は、あなたが歴史家から質問されている２、３のセッションの間だけに限られてしまうようだ。それにしたって、その歴史家が、いつも必ずあなたの精神から情報を抽出するわけではなく、あなたの精神を起動させることに決めた場合だけだ。あなたの脳を使って未来の誰かがシミュレーションする？　その場合、何事でも起こり得るニセの現実のなかで、無力な状態で生きるのを、あなたが楽しまれる

ことを心から願います。なぜって、私はシミュレーションゲームの「シム
シティ」〔都市運営をシミュレーションするゲーム〕をやったことがあるけれど、
毎回、結局どこかの時点で飽きてしまい、ゴジラを呼び出してすべてを破
壊することになってしまうからだ。そして、未来の誰かが感傷や、慈善の
気持ちからあなたの脳の再生をやるだろうというのなら——つまり、人類
は死者を生かし続けるためにコンピュータの処理時間を寄付しなければな
らないのだとしたら——チャントリーの場合と同じように、2、3世代後
には、すでに地上での持ち時間を終えたおばあさんが望むことよりも、も
っと差し迫った問題が出てくるものだ。だとすると、動機は「義務感」だ
けになる。未来の世代が、あなたの精神を生かし続けるように、何とか仕
向けるわけだ。そして、「私の精神がエミュレートされているコンピュー
タは、独立型で、携帯もできて、さらに、恐怖と崇拝を要求するロボット
の体のなかに組み込まれていなければならない」とあなたが主張したって、
マインド・アップローディング計画が成功する可能性が少しでも高まるこ
とはないだろう。

　たとえこれらがすべてうまくいったとしても、つまり、マインド・アップローディングが発明されて、かつシミュレートされた人間の脳が機能し、かつそれらの脳に実際に意識があり、かつ生きている者たちが、アップロードされた死者が、死者自身から見て敬意に満ち、倫理的で、望ましい形で、身近にずっといてほしいと願っていたとしても、このプロセスから、あなたが自分自身として経験するものが出てくると証明することはできない。今生きていて、本書を読んでいる「あなた」が、あなたの脳からこの新しいハードウェアへと移るのかどうか、また、「生きている」という感覚が中断されることなく連続した状態でハードウェア側で目覚めるのかどうか、はっきり言えるほど、私たちは意識（および哲学）について十分わかっていない。なんといっても、この宇宙のなかで、ほかのそのように移動できるものなど誰も知らないのだから。そして、あなたのコピーが４つか５つ、並行して再生されている状態を想像するとき、この問題はますます不透明になる！　おそらく、そのコンピュータのなかで起動するのは、あなたの意識のコピーに過ぎないだろう。非常に似ているのは確かだが、本書を今読んでいるあなたを蘇らせたものではない。精神を人工脳の内部にアップロードすることによって、私たちは十分に理解していない２つのもの（脳と意識）を複製しようとしているというのが事実なのだ。

　しかし、人々はそれで躊躇することなどなく試みを続けている。私はそれに100パーセント賛成である。

テセウスの脳

　意識とマインド・アップローディングを巡るさまざまな問題を回避しようとして、「テセウスの船」方式のブレイン・スキャニングを提案した人たちがいる。それは、脳の小さな部分——たとえば、１つの神経細胞だけ——をスキャンし、取り除き、まった

く同様に機能する電子デバイスの等価物に置き換えていく、という方法だ。これを繰り返すうちに、やがてますます多くの神経細胞が置き換えられていき、数年間にわたる手術の末に、脳全体がコンピュータに置き換わった状態になる。その時点で、その脳を、もっと都合のよい容器に入れ替える。理想的に進めば、このような小さな一歩を積み重ねてのデジタル化によって、あなたは自分自身に――そしてほかのすべての人に――そのうちのどの段階においても、意識は途切れることなく連続しているのだと保証することができるだろう、というのが彼らの考え方だ。さて、「テセウスの船」――港に停泊している船の部材を１つずつ、何年もかけて交換していき、ついに元の部材がまったくなくなったとき、それは元の船と同じだと言えるかどうかという思考実験――は同じ船だと誰もが認めるなら、それは確かに素晴らしい解決法だ！　残念ながら、交換が終わった船が、入港した船と同じものかどうかについては、この思考実験が紀元前４世紀ごろに初めて提案されて以来、結論が出ておらず、議論が続いている。

　だが、「テセウスの船」について、１つ確かなことがある。マッドサイエンティストたちでさえ、役に立つ哲学の知識の御利益に与れることがある、というのがそれだ。

　クライオニクスとよく似た話だが、脳のシミュレーションはこれまでも研究されていたものの、不死を目指すスーパーヴィランにとってはあまり期待できそうにない。ブルー・ブレイン・プロジェクトは、人間の脳をコンピュータ上でシミュレートすることを目的として2005年に開始されたが、2009年に創設者の１人ヘンリー・マークラムが、TEDグローバル・カンファレンスの壇上に立ち、人間の脳のシミュレーションは10年以内に実現できると主張した。どうやらその目標は果たせなかったようだ。だが、それ以来このプロジェクトは、最終的には人間の脳まで到達することを目標

に、ラットの脳をコンピュータ上でシミュレートする研究を行なっている。ラットのニューロンの数は人間のニューロンの約0.26パーセントなのだが、10年経過しても、この人工ラット脳は未完成である——2015年の時点でも、ラットのニューロンのうち３万個しかシミュレートされていない。これはラットの脳全体の約0.015パーセントに過ぎない。コンピュータは1.1年ごとに複雑さが２倍になると仮定し——これ自体が大胆な仮定だが——人間の規模の脳のモデリングがどの程度進むかを予測すると、最速のスーパーコンピュータをもってしても、人間の脳内のすべての分子の振る舞いを個々に正確にモデリングできるのは、2110年よりも先のことで、ハードウェア上でのシミュレーションはさらにその後になると思われる。そこに意識が出現すれば、素晴らしい！　それ以前に出現すれば、なおいい！　しかし、出現するかどうかはわからない。なぜなら、ここでもまた、意識とは何なのか私たちは知らないからだ。そして、今生きている人間は誰も、どうなるか見るために１、２世紀待つ余裕などないのである。

　だが、たとえコンピュータでシミュレートした脳があったとしても、どうやってそのなかに情報を入れればいいのだろう？　Nectomeという企業（そのウェブサイトはかつて、「私たちには、あなたの脳をバックアップすることができますよと言ったら、どうしますか？」と尋ねていた。また、この企業を支援するベンチャーキャピタル投資家は、Nectomeは「あなたの脳を、将来蘇らせるために保存します」と約束した）は、脳を取り出し、保存し、薄片にスライスして、その高分解能電子顕微鏡写真を撮るという100パーセント致命的な処置を行なっている。一部の報道機関が「御利益のある自殺*」と呼ぶ処置だ。将来、このような脳の薄片やその写真が、ビデオゲームのセーブ・ファイルのように、あなたの脳の最後の状態を表しているものとして、つなぎ合わせて完全に元通り機能するデジタル精神

＊　脳は新鮮でなければならないので、理想的なのは、不治の病の（しかも死ぬことに同意した！）患者を、まだ生きているのに麻酔をかけられた状態で、防腐処理剤を脳に注入する機械につなぐというやり方だということになる。その後、防腐処理を施した脳をスライスしスキャンする。

のかたちで復元できるだろうという希望がほのめかされているわけである。
Nectomeは、写真撮影の処置をきちんと行なっている（この処置が始まる
直前に、自然死をとげた女性の脳に関して）と主張しているが、この写真
データから——それがいかに詳細なものであっても——機能する、意識の
ある脳を再構築することができる技術など存在しないし、それが可能にな
るのに十分な情報が保存されているかどうかすらはっきりしない（ソーシ
ャルメディアで批判が上がってから、Nectomeは「あなたの脳をバックア
ップする」という文言をウェブサイトから削除し、その代わりに、彼らは
ただ、図書館と同じように情報を保存しようとしているだけで、それをど
う解読するかは未来の世代が解明してくれるだろうと望んでいると記すこ
とにした）。

　いずれにせよ、クライオニクスもマインド・アップローディングも、あ
なたが文字通り死ぬことを前提としているので、私たちの不死性の基準検
査で失格である。ほかに選択肢はないのだろうか？

注意深く保存された死んだ脳から 本当に精神を再生できるのか？

　Nectomeのウェブサイトは現在、「記憶がどのようにコード化
されているのか、あるいは、それをどうやって読むかも、どの特
定の構造が重要なのかも、私たちは知らないかもしれません。し
かし、長期記憶は、電子的パターンではなく、持続する生化学物
質と構造配列のなかに残っているということはわかっています…
…」と主張している。しかし、科学者たちの議論はまったく収束
していない。この主張にある程度の信頼を置いている科学者もい
れば（「可能性は低いが、ゼロではない」と、ハワード・ヒューズ
医学研究所ジャネリア・リサーチ・キャンパスの科学者、ケン・

ヘイワースは2019年に記者のシャロン・ベグリーに語った）、とても賛成できないという者もいる（「死んだ神経細胞のなかに記憶を見つけることはできない」と、ダルハウジー大学の神経科学者リチャード・ブラウンは同じ記事のなかで述べた）。

2020年前半私は、マギル大学の神経科学者ブレーク・リチャーズ博士に話を聞いた。リチャーズ博士によると、何らかの方法で脳内のすべての神経細胞の構造を決定し、それらが別のすべての神経細胞とどのようにつながっているかも把握したうえで、さらに何らかの手段ですべての細胞におけるタンパク質発現を突き止めなければならないが、タンパク質発現は写真では見えない（タンパク質指標によって可視化することはできるだろうが、脳内にある数千種類のタンパク質の3つか4つ以上を識別する方法はわからない）。これらの情報をすべて、死後数分（数時間ではない）以内に集められたなら、できるかも——かも——しれない。しかし、それがいつか成し遂げられるかについて博士は、「まったくのサイエンス・フィクションです」と述べた。

頭部移植

これは、医療の専門家があなたの貴重で魅力的な頭部を切り取って、どこかの間抜けの体につなぐという処置だ。しかし、これを阻む深刻な障害がいくつかある。この手術を人間に対して行なう技術がないし、体の免疫系がどの瞬間にも移植を拒絶する可能性があることは重大な懸念だし、私たちが実際に持っている最善の頭部移植技術（犬とマウスでテストされ

＊　比較のために申し上げると、人間の肝移植は1967年から人間に対して問題なく行なわれており、今では（もはや実験的なものではなく）標準的な医療処置と見なされている。それでもなお、移植した臓器の拒絶反応は、手術後のどの時点でも起こり得るため、肝移植を受けた人はみな、そのリスクを低減するために、その後生涯にわたり免疫抑制剤を取り続けなければならない。しかも、肝移植を受けた人はなおも、移植を受けなかった人よりも平均して早く亡くなる。

ている）は、受容者の元々の頭部を残したまま、提供者の頭部を肩または肩と思しき部分に継ぎ足すだけというものでしかない。さらに、切断された神経または脊髄の完全な再接続には、人類はまだ一度も成功したことがない（血管だけは成功したことがあるが）という事実にまつわる些細な事柄もあるし、おまけにこれらの実験に使われたすべての動物は、その直後に死んでいるのだ。

1908年、アレクシス・カレル博士という科学者（ここに紹介する研究によってではないが、1912年にノーベル賞を受賞）は、犬の頭部を別の犬の体に移植する実験を手伝った。その結果できあがった２つの頭がある犬は、手術の直後に基本的な反射をいくつか示した——頭部は血流には接続されたが、神経はまったく接続されなかった——が、状態が急激に悪化し、２、３時間後に死んだ。それから１世紀以上経った2016年、セルジオ・カナヴェーロという科学者が、猿の頭部を別の猿の頭部のない体に移植することに成功したと発表したが、この実験では、移植された頭部が意識を取り戻すことはまったくなく、脊髄が接続されていないため、どのみちその後生涯にわたって麻痺したままになるので、20時間後に「倫理的理由」から安楽死させられた。

自分自身の頭となれば、きっとあなたはもっと高水準の成功を要求し、譲らないだろう。

当面の間（つまり、ごく普通の人間の一生に当たるくらいの歳月にわたり）これは、科学があなたに新しい体を与えてくれるという話ではなく、あなたの頭がせいぜい誰か他の人のディストピア的なファッション・アクセサリーに、言い換えれば、緊急時のバックアップ用の、自分がくっつい

＊　しかもこれは、カレル博士が生涯に行なった最悪のことですらなかった！　彼はナチスの協力者でもあり、さらに優生思想の持ち主で、著書『人間──この未知なるもの』（1936年のベストセラーリストで、『風と共に去りぬ』に次ぐ２位だった）で、「白色人種」は、遺伝的に優れた者たちの上級議会によって保護され導かれなければならない、「欠陥のある者や犯罪者」は人類の向上のために「小さな安楽死施設で適切なガスを与えられて経済的な方法で処分される」べきだ、そして、民主主義（「それに反論する科学が存在しなかった18世紀に発明された政治システム」と、彼は一度こきおろした）の最大の誤謬と欺瞞は、すべての人間は等しく作られているというその基本的前提であると述べた。

ている体をコントロールすることもできない無言の頭になり下がってしまうというような話だ。

成功？

新しくて若い、夢に見たセクシーなボディをクローンで作る

残念ながら、私たちは人間のクローンに成功したことは一度もない。そして、たとえ成功したことがあったとしても、あなたの意識、記憶、あるいは、あなたの脳そのものさえも、そのクローンに移植することは、とてもできるものではない。さらに、たとえ移植できたとしても、私たちの脳とて老いるので、これはせいぜい、不死の問題に対する一時的で短期的な解決法に過ぎない。もしもあなたが、クローンで作った精神を持たない体を無数に持っていて、それらが待機しているとしたら——つまり、なんとかしてそんな状態にできたら——自分の臓器のなかでも衰えが目立ってきたものを新鮮なクローンの臓器と入れ替えていけば、あなたの寿命は少し

延びるだろうが、やはりここでも、無期限にというわけではない。クローン作成のSF的魅力を削ぎ落とせば、これは拒絶反応の心配がない臓器移植に過ぎず、したがって、やがては、どうやって移植すればいいかまったくわからないような体の「部品」（すなわち、脳や脊髄など）が出てくる。そして、このやり方にしてもやはり、あなたがもう死んでしまって、使うことができなくなる前に技術的に可能になる望みはほとんどない。

　そのような次第で、見通しは暗い。こういった処置のどれかは、やがて可能になるかもしれないよと、自分を説得することができるかもしれないが、今生きているどの人間の生涯のうちにでも実現しそうなものは皆無である。しかし、あなたがなおも意のままに使うことのできるオプションが最後に1つ残っている。あなたは常に死を無期限に避けることができる……年を取り損なうことによって。

あなたの計画

永遠に生きるための3段階のプラン（億万長者になる必要があるのは、たくさんの研究を非常に短期間で進めさせるために金が必要になるだけでなく、クライオニクスやマインド・アップロードなどの、万一のための代替技術の資金にもなるからだ）。

　本書に書かれた計略の多くが、この図にある手順１を達成するだろうし、自然な原因で亡くなった人はみな、手順３の重要な部分を達成しているので、ここでは手順２に注目することにしよう。そして、正直に言うと、この手順を達成するのは不可能かもしれない。実際に試してみるまでわからないのだ。しかし今日（こんにち）では、この問題を解決するのにどんな技術が必要かが自分にはわかっていると信じている人たちがおり、そのような技術を開発することができ、そしてすべてが計画通りに進むなら、細胞レベルで老化を停止することができるかもしれないというのだ。私たちを老化させる体の部位を修復、交換、あるいは切除し、そうすることによって機能的に不死になれるというのである。

　その話を始める前に、老化についてわかっていることを一通りおさえておこう。とはいえ、わかっていることはあまりないのだ。老化についてはほとんど解明されておらず、実際、何が老化を引き起こしているのかすらわかっていない。競合する説がいくつか存在する。DNAに生じたエラーが老化を起こすのだろうか？　細胞分裂の際に（あるいは、じつのところ、紫外線などの環境因子のおかげで、いついかなるときでもランダムに）そのようなエラーが生じることはわかっている。そして、このようなエラーは時が経つにつれて蓄積する。それとも、細胞内に老廃物が蓄積するのが原因、つまり、全般的な損傷の結果老化するということなのだろうか？あるいは、私たちが「老化」と呼ぶものは、私たちの体内で長期間にわたって遊離基にさらされたがために生じた症状なのだろうか？

　遊離基とは、対になっていない電子を持つ原子や分子のことで、体のいたるところで常に生み出されている。１つには、ミトコンドリアが私たちの細胞のためにエネルギーを生み出す際の副産物として。さらにほかにも、消化や呼吸など、生きるために必要な化学的プロセスでも。対になっていない単独の電子があるため、（大部分の）遊離基は反応性が高く、隣に来た物が何であれ、それと結合したがる。鉄に酸素が結合すると鉄はさびるが、私たちの体内の分子に遊離基が結合すると、それに似たようなダメージが生じる（ただし、一部の遊離基は有益で、免疫反応に使われる。私た

ちの体の話となると、常に状況は複雑なのだ）。人体はこのダメージを修復することができるが、エラーの見落としもときどき起こる。このように、常に遊離基にさらされているせいで起こる「内部からさびる」という現象が、老化に見られる、ゆっくりとしたものではあるが避けられない衰えの原因だという理論が構築されている。というわけで、それも1つの可能性である。

あるいは、老化は細胞内のテロメアが短くなり過ぎたために起こるのかもしれない。テロメアとは、染色体の末端にある、繰り返し構造になった部分だ。DNAの端で同じ構造がただ何度も繰り返されているだけの小さな箇所で、人間の場合、繰り返しの回数は約2500回である。細胞がDNAを複製するとき、十分かつ完全な複製ができることは、実際には絶対にあり得ず、そこでテロメアが、端っこでバッファーの役目を果たすのだ。もっと重要なDNAの身代わりになって、切り落とされてしまうダミーのコードである。このような仕組みなので、新しい世代の細胞ができるたびに、それらの細胞のテロメアは短くなっていく。テロメアが短くなり過ぎると——人間の普通の細胞の場合、50〜70回の分裂で——細胞の成長は止まり、分裂も停止し、そして（普通は）自ら死ぬ。ところが、テロメアが短くなり過ぎても細胞が死なないことがある。このような、とっくの昔に自ら死ぬべきだった古い細胞が、あまりにたくさん居残っている状態が老化なのではないかという説が提唱されているわけだ。

「幹細胞」と呼ばれる種類の細胞が、これとは違った振る舞いをすることは注目すべきだ。幹細胞は、無限に分裂を繰り返すことができ、異なる種類の体細胞になることができる、特殊化していない細胞である。幹細胞は、テロメアが短くなるのを防ぐテロメラーゼというタンパク質を作り出す。このおかげで幹細胞は頻繁に、そして際限なく分裂することができる。幹細胞は胚発生にとって極めて重要である——受精の2、3日後、幹細胞が何個か集まっただけのものから徐々に体ができていくのだから。幹細胞はまた、成人した人間の体においても、いくつかの場所で使われている。たとえば、失われた血液の代わりとなる幹細胞があり、皮膚や筋肉組織を維

持する幹細胞もある。がんもまた、テロメアに関係がある。細胞の多くは、突然変異を起こして、自らのテロメラーゼを生み出すようになるとがん化する。こうなるとそのがん細胞は、自分自身と、その突然変異とを際限なく再生できるようになってしまうのだ。

あるいは、これだけいろいろな説を見てきたものの……老化とは自然淘汰の避けられない副産物に過ぎないのかもしれない。どの動物も、アクセスできるエネルギーの量は有限なので、際限なく生きることができる体を作るのにはコストがかかる。このコストは、当然ながら生殖に使える資源を奪ってしまう。たとえばあなたが、自分のエネルギーをすべて自分の細胞とDNAを完璧に維持することに費やし、ゆっくりと、しかし確実に成長し、無限に長い期間生きている動物だとすると、あなたは往々にして、素早く成長し、若いときに生殖し、そのあとどうなるかはあまり気にしない動物に打ち負かされてしまうだろう。忘れないでいただきたい、最後の生殖を終えたあと、あなたにとって自然淘汰はもう終わってしまったようなものだ。そして、あなたがその40年後、心臓病かがんで死んだとしても、あなたの子孫の生殖適応度に、それは大した影響を及ぼしはしないのだ。*
これは、たいていの動物が——人間も含めて——苛酷で殺伐とした、短い一生を生きなければならず、生殖できるまで生きられないことが多かった世界には、とりわけよく当てはまる。そのようなシナリオでは、際限なく生きるよりも、早く赤ん坊を作ることに集中するほうが成功しやすい戦略だと言える（これには、一世代が短いというさらなる御利益もある。世代が短ければ、それだけたくさんセックスが行なわれ、その結果、淘汰圧に

---

* もちろん、生殖を終えたあとも、もっと小さなものではあるが、自然淘汰に対して非遺伝的な影響を及ぼすことはできる。すぐに思いつくその例は、自分の子孫の面倒を見ることだ。人間には月経があるが、それが閉経によって停止する理由について、閉経によって月経（および妊娠）というコストのかかるプロセスを停止させ、自らの生殖終了後に子どもや孫の教育や世話に集中できるようにするためだとする一説がある。このような仮説は、閉経を経験することが知られているたった5つの種の1つが人間（それ以外の種は、シャチ、シロイルカ、イッカク、コビレゴンドウ）である理由を説明しようとするものだが、老化に関するほとんどすべてのことと同様、確かなことはわからない——しかもこの種の説は、雄において月経に対応する、精巣における精子形成が決して停止しない理由を説明していない。

対応する機会が増えることになる）。要するに、自然淘汰は、種の生存を
より確実にするため、個体の長期的な生存を犠牲にする傾向がある可能性
があるということだ。

では、どの説が正しいのだろう？　老化は、長年にわたるDNAの損傷、
遊離基、テロメアの短くなりすぎ、あるいは、これらのものの組み合わせ
のうちの、どれかのせいで起こるのだろうか？　それとも、自然淘汰が課
すものなのか、あるいは、もしかしたら、起こらなかった可能性も十分あ
る、何か未知のことのせいで、老化が起こることになってしまったのだろ
うか？　真実を申し上げると、「私たちにはわからない」のである。

だが、もしも私たちが「わかる」必要などなかったとしたらどうだろ
う？

老化の影響をすべて完璧に修復することができたなら、老化の原因を実
際に理解する必要はないだろう。人類は数千年にわたりビールを醸造して
きたが、それは、ビールをこれほど人気の高い飲み物にしたアルコールを、
顕微鏡でしか観察できない酵母菌がどうやって作り出しているのか（ある
いは、酵母菌が作っているということすら）まったく知らずに行なわれて
きた。それとまったく同じように、老化がもたらす問題を解決できさえす
れば、私たちの体内で実際何が起こっているかについては、おいおい気に
かければいいではないか。なにしろ、時間はたっぷりあるだろうから。

これは実施可能で望ましい（そして、道義的に不可避でもある）戦略だ
と考える科学者たちもいる。特に、その１人、オーブリー・ド・グレイと
いう科学者は、適切な医学的介入によって老化を治療することができると
主張して有名になった。彼はさらに、さまざまな資源を適切に利用すれば、
10年以内に実験用マウスの老化の治療を実現できるし、さらに10年かそこ
らかければ、人間の老化も治療できると確信している。彼が共同創設者と
なっているSENS（「工学的に老化を取るに足りないものにする」を意味
する名称の略語）研究財団のウェブサイトで、ド・グレイは人間の体内で
起こり得る細胞および分子の損傷を次の７種類に分類している。

老化損傷の種類	生物医学を学んだことのないスーパーヴィランにもわかりやすい説明
細胞消失と組織委縮	歳月が経つにつれ、細胞が死んでも新たな細胞で置き換えられることがなくなって、組織が弱くなる。心臓や脳など、細胞が死ぬときに自らを再生しない臓器で特に顕著。
アポトーシス抵抗性の細胞	年を取ると、アポトーシスという、プログラムされた自殺メカニズムが働かない細胞が蓄積し、役立たずで有害でさえあるのに居座り続ける。
がん細胞	抑制メカニズムが働かなくなり、際限なく自己複製する細胞。
ミトコンドリアDNAの突然変異	ミトコンドリアは細胞の発電所で、そのエネルギーの大半を提供する。しかし、ミトコンドリアにも小さなDNAがあり、ミトコンドリアはさまざまな遊離基を生み出すため、ミトコンドリアDNAは突然変異を起こしやすい。変異したDNAは細胞の機能不全のほか、糖尿病、アルツハイマー病、パーキンソン病、心臓病、肝臓病、がん、その他多くの病気を引き起こす。
細胞内凝集体	長年のあいだに、細胞活動の老廃物——つまりゴミ——が細胞壁の内側に蓄積する。この老廃物はその細胞が死ぬまで残り、その細胞の効率を徐々に低下させる。
細胞外凝集体	ゴミは細胞の外側にも蓄積する。このゴミは、細胞と細胞の間の液体のなかに居座る。
細胞外マトリックス硬化	細胞外マトリックスは、細胞と細胞の間の液体のなかに存在するタンパク質で、組織に柔軟性を与える。硬化すれば、組織は分厚くなり柔軟性を失い、高血圧、腎障害、脳卒中などを起こし得る。

老化の7つの影響。これらを解決すれば、「死」そのものに致命的な一撃を与えたことになる！

　この7種類の1つひとつに対し、ド・グレイはその解決策になり得る治療を提案している。細胞消失は幹細胞注入によって、そして損傷した組織は組織工学によって修復し得る。アポトーシス抵抗性の細胞は、古い細胞だけを標的にして殺してしまうように設計された薬を定期的に体内に導入

することによって狙い撃ちにできるだろう。ミトコンドリアDNAの突然変異は、それらの遺伝子を細胞核に移動させれば、遊離基の悪影響とそれによる突然変異を受けにくくすることができるだろう。細胞内のゴミは、そのゴミだけを食べまくるような特別な酵素を導入すればいいだろう。そして細胞外のゴミは、体自体の免疫系に、そのゴミを攻撃させて破壊させればいいだろう。硬化した組織に対しては、硬化したタンパク質を元の柔軟なタンパク質に復旧するような薬を作ればそれでいいだろう。そして最後に、がん化した細胞は、遺伝子工学を使ってすべての細胞が最高50〜70回までしか分裂できないようにすることで、テロメラーゼを作り出す遺伝子を体内から消し去れば対処可能だろう。これらの治療を逐一、人体に含まれる30兆個を超えると推定されるすべての生きた細胞に行なえば、あなたはもう老化を心配することなく、望みのことをどんどんやれるというわけだ（コストについては、この研究の資金として年5000万ドルが必要だとド・グレイは見積もっている）。

　あなたがこれを注意深く読んでいたなら、ド・グレイの説明では、非常に複雑な解決法が巧妙に取り繕われていたことに気づいたかもしれない——古い細胞だけを殺す薬をどうやって発見するのか？　その組織工学はどこから来るのか？　「一挙に治療する」ことになっているこれらの病気は具体的にどれとどれの、いくつの病気なのか？　しかし、直前の段落の最後のほうでがんが治療されているが、その方法は、体内のすべての細胞が（がん細胞であろうがなかろうが、幹細胞であろうがなかろうが）あるところでそれ以上分裂できなくなり、死んでしまうことを確実にすることだということにあなたは気づいただろう。言い換えれば、がんを治療し、不死性を解放したがそれは、人体のすべての細胞を機能的に新たな細胞を作れないようにして実現したのである。

　だが、それこそスーパーヴィランが取り組むにふさわしい計略ではないか。

　それだけでは、明らかに死の宣告になる。健康な人体は毎日大量の新しい細胞を作り出している。血液細胞、皮膚細胞、腸の内壁を補修する細胞、

私たちの体のパーツのうち、常に損傷し続けているものを補強したり交換したりする細胞などを。しかし、これにも解決策はある。それは簡単なことで、新しいタイプの幹細胞、つまり、遺伝子工学によってテロメラーゼを作れないようにした幹細胞を、定期的に注射してもらえばいいだけである。だが同時に、それらの幹細胞が人為的に長くなったテロメアを実際に持つようにもできるだろうから、注射の間隔を不快でない程度に長くできるほど、新タイプの幹細胞を長期間生き延びさせられるだろう。

　完了。

　問題は、これを実施するにはどうすればいいのか、まだ誰も知らないということだ。この計画を思いついたオーブリー・ド・グレイさえも、「生存にとって重要だと知られている機能を体からなくしてしまうという考え方は、実施することは言うに及ばず、熟考するだけでも相当な正当化が必要だ」と述べている。「全身テロメラーゼ伸長停止」を意味する略語から「WILT」と彼が名付けたこのプロセスには、患者の骨髄に含まれるすべての細胞を殺すための化学療法と、それに続く、テロメラーゼを持たなくなるよう操作されたヒト幹細胞を含む新たな骨髄の注入が必要だろうと、彼は示唆した。これらの細胞は、たとえば10年後に効能を失うように設計できるはずだ。皮膚、肺、腸の内壁などの細胞にも、同様のプロセスが可能だろう。つまり、さもなければ、自らの本来の幹細胞に頼って機能し続けるほかない体の任意の部分を、代わりにこのような人工的な代替物に頼らせることができるはずだ。ガソリンタンクのように、たとえば10年ごとに、テロメラーゼを生成する遺伝子が欠如しているためにがん化することはあり得ない新しい遺伝子組み換え幹細胞を継ぎ足してもらうことで。*

＊　テロメラーゼを生み出す遺伝子を取り除いたとしても、がん細胞はそこから進化して、テロメラーゼを生み出す能力を再び持つようになるのではないだろうか？　なにしろ、がんは突然変異によってもたらされるのだから。ありがたいことに、答えは、「いやいや、そんなことはないよ」だ。すでに存在しているテロメラーゼ遺伝子を活性化する能力を持つように進化する——がんが際限なく自己複製しはじめるときに起こるのがまさにこれだ——ことと、その遺伝子をゼロから進化によってもたらすこととは、まったく違う。自然界では通常、これは数百万年単位で語られる進化的な時間尺度で起こる。なので、心配は無用だ。あなたがそこに到達したら、その橋を焼き落とす時間はたっぷりあるだろうから！

　事実上、あなたの体はもはや自律的ではなく、生き続けるためには、定期的な注射が必要になるだろう。しかし、あなたは決してがんにはならないだろうし、死なずにいられるかもしれない。スーパーヴィランとしては、これは完璧だ。ダース・ベイダーは、あのつやつやの黒いスーツに身を包み自分の体を機能させ続けた。ラーズ・アル・グール〔『バットマン』に登場するスーパーヴィラン〕はラザラス・ピットという特殊な泉を定期的に訪れて若さを維持する。バットマンの敵、ベインは筋肉増強剤ヴェノムを注射して超人的な力を得る。そしてあなたは？　この計略のステップ１で集めた数十億ドルを使ってオーブリー・ド・グレイや彼と同様のことに取り組む他の人々の長寿研究に資金援助し、「いつか老いるという以外、何の瑕疵もない人間の被験者に致命的である可能性もある実験を行なう」ことに良心の呵責を一切感じない科学者を見つけ、老化は実際に、私たちが明確に特定した７つの要因のみによって起こることで、他の要因やいくつかの要因の組み合わせで起こるのではなく、この研究が私たちが望む結果をもたらし、すべてが思惑通りにうまくいき、有害な副作用がまったくなく、人体が機能しているあいだに、人体とそれに付いている脳を死なせることなく人体を改良することが、実際に私たちの手が届く範囲にあり、今やあなたは今後永遠にわたって必要とするだろう遺伝子操作された幹細胞の注射を発明し供給する方法を発見することができるとしたら──そのときあなたは、この長い一文を始める前に触れたスーパーヴィランたちの仲間入りができるだろう。あなたは、よりよいものに進化するために人間性の一部を捨てたリーダーになるだろう。より強いものに。

　決して死なないものに。[*]

---

[*]　これもやはり、あなたが事故に遭ったり殺されたりしない限りのことだ。私からはこう助言したい。殺されたり、致命的な事故の犠牲者には可能な限りならないように。これは実際、いかなるときにも従うべき真に適切な助言である。

マイナス面

　これらの治療が確立したなら、そのためのインフラが絶対に必要になる。あなたは死を欺くために、体の細胞に致命的な変更を加えたので、今後は生き続けるために新しい幹細胞の注射を定期的に打たなければならない。言い換えれば、単独で取り組んでいようが、医師たちのチームがあなたのために取り組んでいようがあなたは人間の文明が、少なくともあなたが、自分が生きるために必要な薬を生産するのに十分長く持続するということに賭けたのである。それ自体は大したことではない——たいていの人には農業の実践的知識がなく、そのため、私たちの命も文明が崩壊しないことに事実上依存しているので——だがこれは、あなたにとってはアキレス腱

になる。今後は、文明があなたを必要とするのと同じくらい、あなたが文明を必要とすることになるのだ。

　そして、それは問題である。なぜなら、この治療は、確立してしまえば、私たちが知るところの人間の文明を脅かすものとなるのだから。あなたはもうすぐ死を治療可能なものにしようとしている。それは個人にとっていかに望ましいことであっても、社会にとってそれがどれほどいいことなのかはわからない。まず人口から見てみよう。世界人口は1900年の16億人から、たった100年後には60億人を超えるまでに急増し、その後さらに2011年までに10億人増加した。数十億人というのは想像するのが難しいかもしれないので、別の言い方をしよう。「食物を与えなければならない人間が４日ごとに100万人ずつ増える」というのがそれだ。このような姿の地球を目にして、「この世界には何が必要かわかりますか？　さらに多くの人々ですよ」という人はあまりいないだろう。それよりもっと少ないのは、一瞬立ち止まって考えてから、「おお、そしてもう１つ、これらの人々は、決して死ぬべきではない」と言い添える人だ。これが持続可能になる唯一の道は、生殖がごくわずか、または皆無である世界を私たちが作ることだ。老人の考え方が若者の理想によって問いただされることが、あったとしてもごく稀な世界を。

それにしても、地球は同時に
何人の人間を生み出すことができるのか？

　ハーバード大学の遺伝学者ジョージ・チャーチは、共著した本『リジェネシス』（未邦訳）のなかで、現在生きている他のものに使われている炭素の量は、もしもそれをすべて上手い具合に、人間を生み出すためだけに利用できたなら、約10兆人の人間を生み出すのに十分だろうと試算している。今の人口の1000倍以上で

ある。さらに、人間を生み出すのに必要な他の元素（酸素、炭素、水素、窒素など）をもっと多く採掘するために地殻を掘ったとすると、10^{17}、すなわち1000兆の100倍の人間を同時に生み出すのに十分な量が存在するだろうとのことだ。だが、大きな期待を抱くのはまだ早い。チャーチは、太陽から地球に送られてくるエネルギーは、10^{14}——たった100兆——人を支えられるだけの量でしかないと思われると記している（この、先ほどよりも小さな数でさえ、人口密度は1平方キロメートル当たり67万人となり、1.5メートルに約1人がいるという過密状態になってしまう）。解決法としてチャーチは、地球に住めない過剰な分の人間は、宇宙へ送れば生き延びられるのではないかと提案する。宇宙に送られたこれらの人たちは、ぎっしり詰め込まれた100兆人が表面で暮らしている地球が、何らかの理由でだめになってしまった場合の予備として待機させておけるというのがチャーチの憶測である。どうです、この考えには、どこかヴィラン的な計略が臭うではありませんか。

　そしてさらに、暴君の問題がある。アドルフ・ヒトラー、レオポルド2世、チンギス・ハン、イワン雷帝やその類の世界の暴君たちが、権力をいつまでも無期限に掌握する機会があったとしたら、それは客観的に見てはるかに悪い世界だろう。死は人間社会にとっての安全弁だ。暴君が、1人のリーダーに可能な限りとことん悪に傾いたとしても、そんな暴君でもいつかは死ぬのだし、彼らは往々にして信頼の置ける腹心か、家族の一員に権力を譲ろうとするが、それは必ずしも成功せず、体制変革への扉が少なくとも少しは開くことになる。

　また、死には、私たちの一部が時折楽しむ、大金持ちの慈善などのこと

を行なう動機としての側面もある[*]。そう、誰もが死ぬことには本質的な
利点があると、スーパーヴィラン・ガイドが主張する、そんな地点に今あ
なたは到達したのだ。そしてそれは、あとで振り返れば、不可避な地点だ
ったと納得するかもしれない。あなたが鼻持ちならないほど裕福になった
なら、人生の終わり近くに、その富の一部を寄付しろという社会的圧力が
働き得る。アンドリュー・カーネギーはアメリカにおいて、この流れを作
った人だった。近代史のなかで3番目に裕福な人になってから、人生の最
初の3分の1で可能なすべての教育を受け、次の3分の1では可能な限り
金を集め、そして最後の3分の1では、「価値のある大義」のために、可
能な限りのものにその富を分け与えよと記した。そして彼は、その言葉通
りに生きた。善行によって記憶される者になろうと決意し、最後の20年か
そこらのうちに、自分の資産の90パーセント近くを寄付した。彼によって
寄贈された金は650兆ドルを超えた（現在のドルに換算して）。

近代史上最も裕福な人々

　　3位はアンドリュー・カーネギーだが、2位はジョン・D・ロッ
クフェラー（1839～1937年）だ――彼は自分が創設した石油会社
スタンダード・オイル社によって財を成したが、石油精製業の違
法な独占を行なっているという理由で、この会社は最終的には34
の小さな会社に分割された。近代史上最も裕福な人間は、ヤーコ
プ・フッガー（1459～1525年）で、彼は欧州銅市場で独占を行なっ

[*]　一部の人たちは、それを楽しんでいる。しかし、本物の極悪非道というのは、ほとんど想像
を超えた量の富を個人が得るのを許し、そして、彼らはその一部を慈善に使うかもしれないと
望むことだと主張する人たちもいる――これはすなわち、「どの公共の利益が最大の支援に値
するか」という、重要で、その文化を定義づけるような選択を、今ものすごい金持ちになった
という事実以上の資格を持たない、適当な誰かの手に委ねることになるわけなのだが、差し当
たってそれは無視しよう！

た。

「近代史」に限ったのは、過去にさかのぼるほど、資産価値を数字で比較するのが難しくなるからだ。中世になると為替レートを特定するのはかなり難しくなってしまうし、ローマ皇帝が、エジプト全土を自分1人が独占していると宣言したときのような状況に正確な値段を付けるのは至難の業だ。エジプト1つって何ドル？　紀元前30年に？

　カーネギーは、図書館、博物館、そして芸術を支援し、大学や研究施設を設立し、科学研究に資金提供し、公立の公園に資金を投じ、そして、善意ある人々に褒賞を与える、世界平和を推進する、教員に年金を提供するなど、さまざまな目的の多数の慈善事業を設立した。自助努力をする人々を助けられそうなことが見つかれば、彼はそれを支援した。そして、この驚くべき慈善は、当然の結果として、彼がそれまでの人生で得た悪評（血塗られた残虐なストライキ破り、維持管理がまずくて決壊し2208人が死んだジョンズタウンのダム〔その時点までのアメリカ史における最大の民間人犠牲者を出したほか、2001年9月11日のアメリカ同時多発テロ以前の死者数最大の非自然災害だった〕、1880年ピッツバーグでの全男性死者数の20パーセントが彼の製鋼所で勤務中に亡くなったこと、そして、新聞各紙が毎年発表する、彼の従業員の死者および負傷者のリストの長さが、南北戦争の戦闘による死傷者リストに匹敵したことなど）を挽回するのに大きな効果があっただけではなかった。人生終盤の慈善は、他人に悪事を働いて財を成した人が後世に残る評判を回復するチャンスだ――永遠に金を稼ぎ続けることはできないと判断し、いつかはすべてを後に残していかなければならないと悟ったうえで。現在、世界中の200人以上の大金持ちが、「ギビング・プレッジ」という寄付啓蒙活動で宣誓している。ギビング・プレッジはマイクロソフト創始者ビル・ゲイツと投資家ウォーレン・バフェットが立ち上げたもので、参加者は資産の最低半分を、存命中または死後に慈善事業に寄付する

ことを誓う*。しかし、死なないなら、誰がそんなつまらない「レガシー」など気にするのか？　死なないなら、数十億ドルを自分が貯めこんでおいていいのだととっくの昔に決めた人が、突然自分の富を他人にくれてやるなんていう動機が、どこにあるのか？　つまるところ、死ぬはずのない人は、今後数千年続く自分の人生の計画を立てなければならないのであって、その金はすべて、重宝するはずだ。「お墓には持って行けないよ」という言葉は、お墓に行く必要などまったくない人には大した意味はない。

　一番厄介なのは、この不老不死作戦は医療処置だということだ。実施と維持には資源と資金が必要で、そのため、世界中の全員に可能というわけではない。その結果、いとも簡単に、人類が２つの階級に分裂してしまう恐れがある。永遠に生きるだけのお金がある富裕層と、生きて死に、忘れ去られる貧困層とに。これは、永続し、自己増強する不平等の、ほとんど漫画的なディストピアであり、常軌を逸したスーパーヴィランにも規範がある**。ありがたいのは、このような恐ろしく、社会を破壊するようなマイナス面を緩和するのみならず、実際にそれらのすべてを100パーセント確実に回避できる簡単な方法があるのだ！　これがその秘密だ。

　絶対にあなただけが不老不死になるのだ。

　もしもあなたが、永遠に生きる唯一の人間なら、社会学的な意味はすべて消え去る。なぜなら、これはもはや、どんな文明にも影響を及ぼさないからだ。それはあなたがやっている楽しいことに過ぎない！　あなたを助けている研究者と医療技術専門家の全員が、自分勝手に必要なものをすべ

---

* とはいえ、ギビング・プレッジにはその活動を定義する厳密な言葉はなく、どんな慈善活動を支援するのか、基金がどのように使われるのか、少しも明確には述べられていないし、あくまでも法的拘束力のある契約ではないので、誰かが宣誓を破ったとしても何の意味もない。
** この好例の１つが、1997年のジョン・バーンによるコミック「バットマン＆キャプテン・アメリカ」に見られる。ジョーカーが、図らずも本物のナチと組んでいたことに気づいて、レッドスカルとの協力をやめる場面だ（ジョーカー「それって、ただのばかげた仮装じゃなかったってことか？？　おれはナチとつるんでたってわけかよ？！？」レッドスカル「当然じゃん。なにをそんなに怒ってるんだ、ジョーカー？　お前がやってきた偉業を読んだが、お前は素晴らしいナチになるに違いないのに！」ジョーカー「そのマスクで脳に酸素が届いていないに違いない。私は頭のいかれた犯罪者かもしれんが、私はアメリカの頭のいかれた犯罪者だ！みんな、下がってろ！　この下種野郎はおれが片づける！」）。

て整え、あなたが達成したことを他の誰かにまったく同じように達成させ
ることが絶対にないようにするため、狡猾に、そこから逸れるような方向
に誘導しなければならないのは確かだ。しかし、それを成功させれば、際
限なく続く人生のマイナス面にまったく影響されずに、御利益をすべて享
受できる。不死の人間は、ほかの人々が生物学的に課せられている制約を
はるかに超えて、永遠に学び続けられる。そのような人は、さまざまな人
間の出来事を見ることができ、他の誰にもわからないような結びつきを把
握できるだろうし、好きなだけたくさんの研究分野で専門家になれるだろ
うが、それらは普通の人間1人の生涯では短すぎてとても無理なことであ
る。不死になった人は、年寄りなら死んでしまうような感染性の病気を、
若々しい自分の体が撃退してくれるだろうと確信していられるだろう。数
十回の生涯分の学習や研究を行なうのだから、彼らは私たちが学べる量よ
りもはるかに多くを忘れたってかまわないわけで、彼らは見識のあるリー
ダー、あるいは神になれるし、彼らが望むかぎり生き、学び、愛すること
ができる——そして、人類はそのせいで苦しむ必要はないのだ。その正反
対だ。彼らは、この治療法とそれが存在するという知識の両方を、文明か
ら隠すことによって、現実の、目に見える方法で、文字通りの意味で、人
類を苦しみから救っているのだ。彼らの人生は孤独かもしれない。多くの
友人に出会うものの、彼らからすれば一瞬のうちに、寿命が有限の友人た
ちは老い、死んでしまう。彼らは20〜30年ごとに引っ越し、重ねた衣服の
ように、異なる素性を纏っては捨てて秘密を守らざるを得ないかもしれな
い。しかし、それは長い生涯であり、彼らが望む限り、彼らが口をつぐん
でいられる限り、維持することができる。

　あなたは世界を戦争から救うだろう。飢餓や深刻な構造的不平等から、
文明の崩壊や災害から、世界を救うに違いない。そしてそれは、あなたの
不老不死技術を、他の誰も絶対に使わないようにすることによって——あ
なたが神聖だと思うすべてのものにかけて誓って——実行されるのだ。あ
なたは自分自身だけを助けることによって世界を助けるのだ。

　そしてこれは、見識あるスーパーヴィランの定義そのものである。

あなたが逮捕された場合に生じうる影響

彼らが何をやるというんですか？　あなたを殺すとでも？

エグゼクティブ・サマリー
事業計画概要

初期投資	期待収益	完了までの予測期間
5000万ドル／年	普通の人間の生涯の価値をxドルとすると、不死の人間の生涯はxドル×無限大である可能性がある。これは文字通り、「初期投資×無限大」にほかならない価値のある利益である。	**人間の一生より短い期間**（つまり、理想的には）。

あなたが決して忘れられないようにするために

そして台座には銘が見える。
我が名はオジマンディアス、〈王〉の〈王〉
我が偉勲を見よ、汝ら強き諸侯よ、そして絶望せよ！
他は跡形なし。その巨大な〈遺骸〉の
廃址の周りには、極みなく、草木なく
寂寞たる平らかな沙、渺茫と広がるのみ。

　　　——パーシー・ビッシュ・シェリー「オジマンディアス」（1818年）
　〔『対訳 シェリー詩集——イギリス詩人選（9）』アルヴィ宮本なほ子編訳　岩波書店〕

　いよいよ本書も最終章に入り、あなたは——ここまで私がご説明してきたすべての計略を成功させたと仮定して——まもなく栄光の頂点に達するところだ。あなたの名前は、偉大さ、天才、そして高貴さと同義語になっている。あなたはこれまでに生きた最も強く、最もよく物語に描かれている人物であり、あなたは過去の他の誰かよりも、また、今後誰かが成し遂げられるであろうよりも、はるかに多くを成し遂げた。今、あなたを脅かす恐れのあるものは、たった1つだけになった……
　……あなたの驚異的な業績が、いつの日か忘れ去られてしまう可能性というのがそれである。
　確かに、地球で暮らしている人はみな、あなたを知っている。しかし、彼らの子どもたち、彼らの子どもたちの子どもたちはどうだろう？　前章

にしたがって最善の努力を尽くしたとしても、あなたが死ぬ日はやはり来るかもしれない。そうなったら、あなたはまず伝説の人となり、次に神話の人、次に無名な人になり下がってしまい、そしてついには、話題に上ることなど絶対にない数百億人がいる、忘れ去られた無限の過去へと堕ちていく。あなたのレガシーは、あなたが今、それを避けるための措置を講じないかぎり、失われてしまう可能性があり——そして実際そうなるだろう。

　だが、この、輝く栄光が消えてゆくという、避けることのできない事実に激怒しないでほしい。なぜなら、あなたはこの運命を避けることができるのだから！　本章の冒頭に引用した詩にうたわれたオジマンディアスは死んで、彼の王国は没落したとしても、数千年経った今も、私たちはなおも彼のことを話している。だから、あなたにも少なくともそれと同等のことがふさわしい。じつのところ、あなたには絶対にそれ以上のことがふさわしい。たった2、3000年という短いあいだではなく、いくつもの時代にわたって！　数十億年にもわたって！　あなたの偉業の物語が、地球に生命体が存続する限り、そしてその後もさらに長いあいだ、地球の滅亡を超えて、そして恒星たちが死に絶えてもなお確実に生き続けるようにするのだ。本章では、宇宙がこの名前……

_____

（ここにあなたの名前を書いてください）

を決して忘れることがないように、出来る限りのことをあなたにしていただこう。

このコラムを見よ、汝ら強き諸侯よ、
そして絶望せよ！

　オジマンディアスは、古代エジプトで最も偉大なファラオとしばしば称されるラムセス２世を、ギリシャ人たちが呼んだ名前である。彼の治世は紀元前1279年から1213年まで続いたが、この時代にこそ古代エジプトは最も栄えた。1881年に彼のミイラが発見されたが、1976年には劣化が進行していた。現代のカビが繁殖し、ミイラの体が破壊されつつあったのだ。そこで、よりよく保存する目的で、ミイラはカイロからフランスへと空路運ばれた。パリ郊外のル・ブルジェ空港では、空軍部隊とフランス共和国親衛隊を含む大規模な軍隊が、国家元首に捧げる栄誉礼を行なって出迎えた。ラムセス２世のミイラには、当時のエジプトのパスポートが支給されたが、これはフランスの研究者たちがミイラを返却しないような事態になるのを避けるためだったのではないかと推測される。彼は、古代エジプトの統治者として、また、ミイラとして、近代のパスポートを支給された唯一の人物である。3000年以上死んでいた人としては悪くない待遇だ。

　西暦6000年に、生きたあなたに対して（これが理想）か、あなたの遺体に対して（あまり理想的ではないが、それでもたいていの人よりはいい）、パスポートが支給されたなら、あなたはオジマンディアスの前例に匹敵することを成し遂げたことになるだろう。

　この後、永遠に至るまでのさまざまな期間を対数尺度で表現して、それぞれの期間に有効な情報を保存するための戦略を見ていこう。最初は、情報を１年間残す戦略、次に10年、その次に100年、等々という具合に。た

いていの場合、あなたが保存しようとしているのはせいぜい２、３段落の文章だと仮定しているが、これらの戦略で使われる技術の多くは、費用がサイズに比例して上昇するので、十分な資金があるスーパーヴィランなら、自伝から、マニフェスト、真ん中にオールカラーの写真集セクションがある自伝プラスマニフェストまで、何でも保存できるはずだ。

　いざ、ご覧あれ！

期　　間：少なくとも１年間
作　　戦：インターネット上に投稿する
費　　用：０ドル

LO

　　　　　——インターネットの前身、ARPANETで送信された最初の
　　　　　メッセージ。「LOGIN」と送信するつもりが、すべての文字が
　　　　　送信できる前にシステムがクラッシュした（1969年）

　かつては、インターネットに公開した情報が簡単に消されてしまうこともあった。その情報は、あなたがそれをアップロードしたサーバーにしか保存されておらず、ストレージやバンド幅は高価で、ネットにアップロードされるものすべてをアーカイブとして保管しようとするのは、歴史的動機か利他的動機かのいずれかに駆られる場合だけだった。あなたが投稿したものを誰もコピーしなかったとしたら、あなたがそれを消したとき、そ

の情報は完全に破壊されてしまう可能性が高かった。それはとてもいいことだった！　好きなことを何でもかんでもタイプしておいて、あとになってそのことを否定すれば、人々はその言い分を受け入れるほかなかったのだ！

　その時代は1981年に終わった。それは、Usenetのディスカッション・グループ——その1年前に始まったばかりの、インターネット・パブリックフォーラムの初期形——が初めてアーカイブされたときのことである*。その時代がウェブ全体にとって終わったのは、1996年、ブリュースター・ケールとブルース・ギリアットが、発見したすべてのウェブサイトを訪れ、コピーし——数カ月後に再び同じことをして、経時変化を記録できるプログラムを作成したときのことだった。5年後に自分たちの取り組みを公開したとき、彼らはそのサービスを「ウェイバックマシン」と呼んだ。現在それは、20年以上にわたるウェブの歴史と、4390億を超えるウェブページのスナップショットを保存している。1991年から1996年のあいだにインターネットで閲覧できたページの大半は今では失われており**、その初期のものでまだ存在しているものは、ウェイバックマシンの背後にいる人々が、誰に許可を求めることもなく、入手できるものはすべてコピーし始めたからこそ今もあるのだ。このことを理由にケールとギリアットをヴィラン呼ばわりし、独創的で野心的な計画——その意義は、凡人にはとうてい理解できないが、彼らもいつかはそれに感謝するようになるはずの計画——を成功させたがゆえに著作権侵害者だと非難した人たちがいたことは、経験

＊　もちろん1981年以前にもUsenetのアーカイブはあったし、その一部は忘れられたハードドライブのなかにずっと潜んでいるのかもしれないが、1981年は、今日まで存続している誰もがアクセスできる最大のUsenetアーカイブに最初の投稿があった年である。そのアーカイブ、DejaNewsは2001年にグーグルによって買収された。

＊＊　ここで大半というのは推察である。なぜなら、自分が持っていたすべてのものの目録を実際に作ったことがないのに、何を失ったかの全容を知ることは不可能だからだ。しかし、初期のウェブサイトの最も古いバージョンは失われてしまっていると言っていいだろう。世界初のウェブサイト——http://info.cern.ch/hypertext/WWW/TheProject.htmlにあったサー・ティム・バーナーズ・リーのホームページ。1991年8月6日にインターネットで公開された——は、1992年に保存されたスナップショットから再構築されたものである。

豊かなスーパーヴィランには非常になじみ深いだろう。

　ともかく、これは単純な例だ。少なくとも１年はもつだろうという合理的な期待を抱いて、インターネット上に何かを無料で保存するには、無料のウェブ・ホスティング・サービスにアップロードするか、あなたのソーシャルメディア・プロファイルに入れるかすればいい。おしまい。簡単だ。

　ちょっと……簡単すぎる。

　じつのところ、オンライン上の真の困難は、忘れられることである。あなたが公開する情報は、サーチエンジン、スパマー、そして企業各社によって、彼らが私有するデータベースに定期的にコピーされている――たとえされていなかったとしても、あなたがインターネットのなかを動き回るにつれて、あなたに関する情報が生み出され、あなたの人となりと行動を把握することに経済的な関心がある人々によって保持されているのだ。それは普通、彼らがあなたに何かを売りつけられるようになるからである。

　適当な例を作ってご説明すると、これは次のような意味だ。2022年９月23日の午前１時35分にあなたが、あなたの住む地域のセックスがしたくてたまらないおやじさんたちに向けた広告をただ１度だけクリックしたとしたら、その事実は、どこかのトラッキング・データベースのなかで、何十年、あるいは何世紀にもわたって存続する可能性がある。じつのところその一度のクリックが、あなたの真のレガシー――あなたが、ほかの何よりも長く持続する直接的な行動から生み出したもの――なのかもしれない。神経科学者のデイヴィッド・イーグルマンは、かつてこのように語った。「３つの死があります。１つめは、体が機能しなくなるとき。２つめは、体が墓に委ねられたとき。３つめは、あなたの名前が最後に語られる、未来の瞬間です」と。

　今私たちは、４つめの死に当たるものを自分自身に与えたのである。あなたの人生に関する最後の事実が消去され、失われ、あるいは損傷する瞬間――その瞬間が来たことがあなた自身にはわからなかったとしても――というのがそれだ。夜更けに、くたびれたあなたが退屈しのぎに、近所のどのおやじさんが悶々としてインターネットにアクセスし、躍起になって

いるか、いっちょ調べてやるか、と思ったことを、もはや誰も知らなくなったとき、あなたはこの世界からついに消え去るのである。

　そのようなわけなので、そんなことが決して起こらないように、これほど気まずくないことを意図的に、より長期的に保存する方法を探ろう。

期　間：少なくとも10年間
作　戦：ウィキペディア上に投稿する
費　用：0ドル

歴史は、勝利を得たウィキペディア編集者によって書かれる。

——マーヤ・ハナン（2013年）

　2003年に創設された「マイスペース」は、2006年までには、世界最大のソーシャルネットワーキングサイトになったばかりか、アメリカで最もアクセスされているウェブサイトになっていた——ヤフー（当時はもっとすごかった）やグーグル（今もなお、すごい）を打ち負かしてのことだ。しかし、その栄光は徐々に薄れ、2019年——何カ月にもわたって、ユーザーたちからの自分のデータが見つからないという抗議が続いたあげく——マイスペースはついに、3年以上前に彼らのサイトにアップロードされたものは消えてしまったと認めた。データが失われたのは、サーバーの動きにエラーがあったことに気づかなかったためだと彼らは説明した。しかし、誰も気づかずにそれほど多くのデータがなくなることは通常あまりあり得

ないし、13年分のmp3ファイルを保存せずに済めば、経営難の会社にはかなりの費用の節約になるのは間違いないと指摘する声がすぐにあちこちであがった。ぼくはお前を絶対に忘れないよ、gold_digger_cover_by_nickelback-2007_NOT_A_FAKE.mp3のファイル。

マイスペースが彼らのデータのすべてを、誰でもアクセスできるどこかに保存しており（たとえば、誰でも自分で使う目的で好きな時に完全なコピーをダウンロードできる、分散型データベースなどに）、さらに誰でも彼らのサイトをそっくりそのままコピーしたもの——「ミラー」と呼ばれる——を世界中のサーバーに作っても良いことにしていたなら、そのデータは失われることはなかっただろう。だが、マイスペースは——あるいは実際、たいていの民間の営利目的のウェブサイトは——そのようには運用されていない。

しかし、ウィキペディアはそのように運用されている。

ウィキペディアそのものを破壊しても、そのミラーたちはそのまま生き残るだろう。すべてのミラーを破壊してもなお、そのデータやソフトウェアのコピーが世界中にオフラインで保存されているだろう、官民両方によって。これらの事実と、その本質が非営利的で非商業的であることから、ウィキペディア上の情報は10年かそこらは存在し続ける可能性が高い——多くのウェブサイト、個人用サーバー、そしてマイスペースなどの巨大ソーシャルメディアの場合、そうはいかない。

そのような次第で、あなたはウィキペディアにあなた自身についてのページを作り、そこにあなたのマニフェストを掲載すれば、それで終わりである。簡単ですよね？

えーっと……そうでもないのだ。自分の名前をタイトルにした記事を載せることには、深刻なマイナス面がいくつかある。ウィキペディア自体が「ウィキペディア：あなた自身についての記事は、良いこととは限りません」という明解なタイトルが付けられたページで述べている。言うまでもないが、あなたが自分についての記事に加える情報はどれも、変更されたり削除されたりし得るし、そのことについてあなたにできることはほとん

どない。それに、嘘、でっちあげ、そして悪意のいたずらがもたらすリスクもある――こういったものが、実際に他のさまざまな記事にこっそりと忍び込んで、見つかるまで何年も放置されていたのである（これまでに殿堂入りしたことのある人たちのための次のコラムを参照のこと）。それに、嘘が書き込まれなかったとしても、真実のほうがなお一層悪いこともある！　あなたが一番忘れたい気まずい話や敗北も、公になってしまえば、ウィキペディアのあなたのページに書き加えられ、ときには強調されたりすることもある。ウィキペディアでいつも一番好奇心をそそられるのは、「異論」というセクションだ。そして、ウィキペディアが各検索サイトで権威を誇っていることからすると、あなたについてのウィキペディアの記事が、あなたについて調べるときみんなが最初に見る情報になることが多くなるわけで、その後生涯にわたってあなたがインターネットに何を投稿しようが、それは検索結果のリストのなかでは、常に、他人が変更できて、あなたには絶対にコントロールできないウィキペディアの記事に次ぐ二番手になってしまう可能性が極めて高い。

ウィキペディア最大のでっちあげ

　　ウィキペディアは、彼らのサイトででっちあげ記事がどれだけ長く存在し続けるかの記録を取っており、「ウィキペディア上のでっちあげ記事のリスト」というページで公開している。彼らが見つけた（これまでで）最も長期間存続したでっちあげ記事は、ある架空のエジプトの研究者についてのもので、14年10カ月存在した。そのとき誰かが、彼についての記録はほかにまったく存在せず、シャイフ・ウーブチという彼の名前は、フランク・ザッパの1979年のアルバム、『シーク・ヤブーティ』か、KC&サンシャイン・バンドの1976年のディスコ・ファンクのヒット曲「（シェイ

ク、シェイク、シェイク）シェイクユアブーティ」から来ているのだろうと突き止めたのである。また、クロケットとホッケーをかけ合わせたフランスの球技「ボント」もでっちあげで、12年8カ月掲載されたあげく虚偽が発覚した。さらに、「ハイファイブ」についてのページで、映画『猿の惑星』シリーズのリマスター版で、猿が「とても低い」ハイファイブを求められて、応じる前にその手を素早く引っ込められて「遅すぎ」と決めつけられると——むかつくやり方で——戦争が始まるというトリビアが5年3カ月記載されていたが、やはりでっちあげだった。

　しかし、私たちの目的にとって最悪なのは、ウィキペディアがその記事のすべてに対して「特筆性」という基準を課していることだ。誰もがウィキペディアに自分のページを作ってもらえるわけではなく、あなたが注目に値するかどうかは、ウィキペディアのコミュニティが決めることになっている。彼らの特筆性の基準をクリアすることなく自分で自分のページを作っても、そのページは削除されてしまう可能性が高い。削除された記事は管理者だけしか見ることができず、おかげでこの計略の目的全体がおじゃんになってしまうし、世界の大部分に対して、あなたの言葉は消えてしまうだろう*。これで、「ウィキペディアにメッセージを保存する」というアイデアにとどめを刺されてしまうようだ……。

　……もしもウィキペディアが、アーカイブした記事すべての改訂を逐一記録していなかったなら。

　ある記事にあなたが編集を加えるたびに、旧版がウィキペディアのサーバーに保存されるので、そこで旧版を閲覧したり、リンクを張ったり、オ

＊　管理者は、ウィキペディアの編集者のなかで、選ばれた階層に属するごく少数の人々。2021年5月の時点において、ウィキペディア英語版の管理者は1097名のみである。登録されたウィキペディア編集者が4100万人、そのうち活発に編集活動を行なっているのが14万人であるのと対照的である。

ンライン上でシェアしたりすることができるのだ。もっとありがたいのは、ウィキペディアの全ページダウンロードをした際に、こういった旧版の記事も、そのなかに含まれているということだ——なにしろ、すべてのページのすべての版が含まれているのだから。人気の高い記事に、あなたのメッセージを書き加えて損傷させたあと、元に戻したとすると、あなたが加筆した版もオンライン上で存続し、その記事を探して見つけたすべての人が読めるわけだ。おそらく、ウィキペディアが存続する限り。もちろん、ウィキペディア上で強調されるわけではないが、そこに存在し続け、オンライン上にいるすべての人がアクセスでき、世界中のサーバーで、そして、ウィキペディアの全ページをダウンロードしたことのあるすべての人の個人用コンピュータ上で保存され、アクセス可能であり続けるのだ。*

　私はみなさんに、ニワトリにまつわる記事をお薦めします。2019年、世界中に259億羽のニワトリがいた。それは、他のどの鳥をも上回る数で、人間1人あたり3羽のニワトリがいたことになる。ニワトリは世界中で医療、科学、歴史、社会、農業、そして人間の食事に大きな影響を与えてきたことから、今から10年後もニワトリの記事がウィキペディアに存在している可能性は非常に高いというのが、私が熟慮の末長いあいだ持ち続けている見解だ。

　そして、自分の利益のためにウィキペディアを書き換えるのはヴィラン的な行動だと一般的に考えられているが、人類が持つすべての知識を無料で、収集し、体系化し、編集し、分配しようとしているだけの人々をイラつかせることは、そもそも私たちがここにいるのはそれを実現するためではなかっただろうか?

---

* 　ウィキペディア編集者には、2010年に導入された、「版指定削除」と呼ばれる権限があることに注意。これは、ある特定の版やログを一般ユーザーには閲覧不能とする権限で、これを行使されると、あなたが行なった変更が実際に衆目から覆い隠されてしまう可能性がある。だが、心配はいらない。これは、あからさまな著作権の侵害が含まれていたり、著しく不快または下品であったり、いやがらせや脅迫が含まれていたりするために、公開すべきでない編集や、悪意あるコードを含むものや、「荒らし」以外の何ものでもない内容などに対抗するために導入された、厳格なガイドラインを持つツールである。あなたのメッセージをなるべく短くし、あからさまに不快なものにならないようにすれば、版指定削除の対象になることはないだろう。

ヴィリペディア

満足だ。

期　　間：少なくとも100年間
作　　戦：本として出版する
費　　用：運が良ければ、これで実際に金儲けができ
　　　　　る

良い物語にはヴィランが必要だ。しかし、最高のヴィランは、あなたが密かに好きになるヴィランだ。

——ステファニー・ガーバー（2018年）
〔アメリカのヤングアダルト作家〕

　期間が長くなるほど、メッセージが生き残る可能性は低くなる。その状況を、本を出版することで改善しよう。出版は、全世界で産業として行なわれており、その目的は、同じテキストのコピーを大量に作り、便利な形にまとめて、世界中の家庭、図書館、本屋で保存されるように分配することだ！　出版は、情報を大々的にパラレルバックアップするための計略として機能する。本を燃やすことを巡っては文化的なタブーがあるので（理想的には）、本は長期間にわたって存続し、さらに、一番ありがたいのは、出版はもうかることもあるということだ。[*]

「でも、その分散型バックアップという方法は、さっきのセクションのウィキペディアの話でもうやったよ！　今さら何で実際に出版する必要があるのさ？」というあなたの声が聞こえる。答えはこうだ。コンピュータのデータも劣化する。しかもそれは、旧式のメディアよりも急速に、もっと驚くべき形で起こり得る。言うまでもなく、データはそれが保存されている媒体が損傷したり劣化したりすると、物理的に劣化する。ハードドライブは故障するし、磁気媒体は劣化するし、磁気テープ装置はテープが機械に詰まってしまうことがある。だが、コンピュータのストレージ媒体は常に進化しており、今生きている人々の記憶のなかで、コンピュータはパンチカードにデータを保存していた状況から、磁気コアへ、そして磁気テープ、互換性のないさまざまなサイズのフロッピーディスク、互換性のないさまざまな規格の光ディスク、可動部のないフラッシュ・ドライブへと移行していった。しかもこれらの技術はどれも互いに互換性がない。古いデ

---

[*]　本書をお買い上げくださり、ありがとうございます。また、もしも自分で買ったのでなければ、これを図書館から借りてきたり、友人から借りたりしてくださって、ありがとうございます！　図書館や友だちが、本書を購入してくださったのですよね！　本書を入手する実行可能な方法はほかに存在しないので、今すぐ、それらについて憶測をめぐらすのは、みんなでやめましょう。

ータを存続させるためには、常に１つのストレージ媒体から別のそれへと移動させなければならない。このことを無視すると、「ビット腐敗」と呼ばれることが起こる。データ腐敗の比喩だが、仮に媒体が生き残るとしても、データそのものはある時点で凍結したままなのだ。周りの世界は進化し続けているのに。データを読むためのハードウェアは生産中止になるし、ファイルのフォーマットは忘れられてしまうし、２、３年という短い期間のうちに、そのデータへのアクセス方法さえもはや誰も思い出せないような状況に陥ってしまうだろう。

　過去にもそんなことがあった。1976年にNASAのバイキング探査機が撮影した火星表面の写真が3000枚以上、一度も処理されなかった。1988年に画像の復旧が試みられたとき、データはまだ見つけることができ、それが保存されていた媒体は劣化しておらず、データを解釈するプログラムもまだ存在していた——幸運な大当たりだった、そう思うでしょう？　ところが、落とし穴があった。これらのプログラムを走らせられるハードウェアが、ソフトウェアのソースコード共々とっくの昔になくなっていたため、そのプログラムは当時入手可能な機械では走らせられず、作成しなおさなければならないということが判明したのだ。これらの画像を、撮影されてからたった12年後に復旧するためには、そのデータフォーマットをゼロから作り直さなければならなかったのだ。

　しかもこれは、NASAだけに限っても、唯一の事件ではなかった！　1986年、月周回衛星が撮影した画像が記録されたテープを廃棄することになったとき、ジェット推進研究所のアーキビスト、ナンシー・エヴァンスは、画像を廃棄するのはやめて、保存を試みることにした。ところが、テープを読むのに必要なハードウェア——アメリカ政府専用に製造された、冷蔵庫ぐらいの大きさの重たいAmpex FR-900テープドライバー——が、25年前に製造中止になっていたことがすぐにわかった。2008年までかかってようやく、壊れたAmpex FR-900 ４台の在処が突き止められた。これらの古いドライブを修理し、使える部品を取り外し、テープの画像が復旧できる、まともに動くドライブが１台組み立てられた。だが、この種の努力

は、復旧したデータが今なお良い状態であって初めて報いられる。NASA
が保管している数百万本の古いデータのテープのうち、数十万本が、
NASAが言うところの「嘆かわしい状態」になっていた。その多くは大変
脆くなっており、読むだけでも、記録媒体そのものがぽろぽろと崩れ落ち
た。つまり、そこに記録されているデータがまだ完全に失われてはいなか
ったとしても、何か新しい媒体にコピーしなければ、次に使うときに、そ
のデータは完全に消失してしまうに違いなかった。

　つまり、コンピュータ上にデータを保存することはできるが、それでも
そのデータは劣化し得るし、そのデータにアクセスしようとするまで、そ
れが失われてしまったことに気づかないかもしれないのだ。このように、
気づかないところで崩壊が起こっている可能性と、「情報は不死身だ」と
いう都市伝説があいまって、大量のデータが失われてしまう——デジタル
暗黒時代になる——恐れがあると気に病む人たちも以前からいた。これに
も前例がある。これまでに制作された無声映画の少なくとも75パーセント

はすでに失われている。米国議会図書館が「我が国の文化記録の、憂慮すべき回復不能な損失だ＊」と嘆くのも当然だ。フロッピーディスクを覚えておられるだろうか？ かつて至る所に存在し、今ではすたれてしまった媒体で、今も残るその大きな影響は、「保存」のアイコンにフロッピーディスクの形が使われていることに見られるが、それを実際に使ったことのない世代には意味がわからないだろう。フロッピーディスクに保存したデータは10年ほどはもつが、その後は劣化していく。かつてはそれ以上にどこにでもあったCD-ROMに保存されたものは、最長でも100年しかもたないと考えられているが、それも理想的な条件のもとでの話だ。そして、近年のフラッシュ・ドライブ上のデータの寿命は、ドライブの品質と、それが保管されている場所の温度によって、１年から100年ぐらいだろう。

　将来、データはもっと長期的に安定して保存できるようになるだろうというのは確かだ。しかし、12年前に出版されて、当時私たちが読むことのできた本で、今は読んでも理解するのが困難だというようなものは１冊もないというのも確かだ。忘れられたハードドライブのなかの10万個のファイルのように簡単に、誰にも気づかれずに消えてしまう10万冊の蔵書などないだろう。あなたが自分についてのデータが長く存続することを望むなら、数千年にわたって使われてきた技術に頼らなければならない。あなたに必要なのは執筆だ。実際の、物理的な、アナログ式の執筆である。あなたは本を出版しなければならない。

　だが、スーパーヴィランであることのマイナス面は、私たちの計略を挫折させようとする些細な問題がしょっちゅう介入してくるのに気を配らねばならないことで、ここでは——スーパーヴィランの代理をしてくれる出版エージェントを見つける苦労は別にして——私たちの問題は、言語は進化するということだ。初版から50年経った本は、往々にして少し古臭い感

＊　これらの映画の大半はニトロセルロースのフィルムで撮影されていた。ニトロセルロースは可燃性が非常に高く、燃えなかったとしても、経時劣化が著しい媒体である。また、初期の映画フィルムは銀塩式で貴重な銀が使われており、フィルムをリサイクルすれば、銀を回収し、売ることができることも、これらの古い映画フィルムを残しておくのをやめる動機となり得る。

じがする。100年前の本は、単語、言い回し、何を引き合いに出しているか、慣用句、そして比喩などに、もはや文化的に流通していないものが多くなるので、読むのが多少困難だ。そして、シェイクスピアの戯曲はまだ執筆から500年も経っていないが、今では、彼の元々の言葉を片側のページに、そして反対側のページに現在の解釈、現代語訳、歴史的背景を記した形で出版されることが多い。これはすごいことで、繰り返して強調するに値する。英語史上最も偉大な戯曲は、英語を話す平均的な人々にはもはや理解するのが困難になっているのだ。西暦700年から1100年のあいだのどこかで古英語（当時はこれが「英語」と呼ばれていた）で出版された『ベオウルフ』は、一層謎めいている。その冒頭の1行は、「Hwæt. We Gardena in geardagum, þeodcyninga, þrym gefrunon, hu ða æþelingas ellen fremedon*」となっている。言語は時と共に変化し、元々のものは、やがて現代人の耳には理解不能になる。そしてこのことは、私たちが何をするにも問題になってくる。

　ああ……いかさまさよう。

シェイクスピアの戯曲は真に最も偉大な英語の戯曲だと言えるのか？

　シェイクスピア研究者たちは間違いなくそう思っているだろう！　しかし、私は実際にそのいくつかを読んだことがあるので、「彼の戯曲は悪くないよ」と私が言うとき、私はその資格があって言っていることになるだろう、と、私は思う。だが、もっと良

---

* 現代英語訳は、だいたい「Listen: we all know of the mighty Spear-Danes in the old days, and how they were glorious and courageous warriors（聞け、いにしえの偉大なるスピア・デーン族のことは誰もが知っている。そして彼らがいかに輝かしい勇猛な戦士たちだったかも）」といったところか。

くなるように手を加えることはできなかったと主張するのは難しいだろう。たとえば、シェイクスピアの作品のなかで、たった1人の登場人物すら巨大ロボットスーツを使えなかったし、ましてや、それを使って敵をやっつけたことがなかったということをご存じだろうか？　研究者たちは、彼らが愛してやまない「エイボンの詩人」は人間性のまさに核心を、卓越したニュアンスとうっとりするような壮麗さで捉えていると主張するだろうが、中に乗り込みたくなるほど大きくて、目からレーザービームを放射し、手からミサイルを発射するようなロボットを所有したいという念頭を去らない願望を除外した人間性の概念はやや偏狭に感じられる。

　偉大なヴィランがすべてそうであるように、私たちには、戦局を変える、これまでのところ世間には知られていない兵器があるのだ！　ここで私たちが利用しようとしているのは、歴史言語学的分析からは、すべての単語が同じペースで進化するわけではないことがわかっているという事実だ。中にはほんの数年で変わってしまう言葉もあれば（「コンピュータ」という言葉は、かつて、「手計算をする通常は女性の作業員」という意味だったが、その意味はコンピュータが発明された数年後には失われてしまった）、何千年ものあいだ安定したままの言葉もある。そんなわけで、私たちの秘密兵器とはこれだ。一般に、ある単語が日常語のなかでより頻繁に使われるほど、その単語は歳月が経過してもあまり変化しないのである。では、将来どの単語が頻繁に使われるかなど、どうしてわかるのだ？　過去を振り返ると、歴史的に見て最も安定している単語は、短くて単純な単語で、人間の経験の至るところでしばしば出会う中核的概念を表すものだということがわかる。色（「赤と白」のほうが「コクリコとアラバスター」よりも持続するだろう）、基本的な数（「1」、「2」）、体の部位（「目」、「手」、「耳」）、単純な行動（「来る」、「見る」）、そしてよく目

にするもの（「山」、「星」、「魚」）などが安定している。これらの言葉の
うち、たった6パーセントだけが、1000年ごとに変化すると推測されてい
るが、14パーセントが変化するとする推測や、4パーセントしか変化しな
いとする推測もある——これらの数字は、会話に使われる言語の種類によ
って異なるだろう。

したがって、あなたのメッセージが今後も絶対に解読可能であるように
する1つの方法は、このような中核となる概念を表す一般的な単語だけを
使うことだ。2008年に発表された、コンピュータを使ったある研究は、さ
まざまな言語に共通して最も安定な40の単語を、アルファベット順に次の
ように挙げている[*]。

blood（血）、bone（骨）、breasts（〔女性の〕胸）、come（来る）、
die（死ぬ）、dog（犬）、drink（飲む）、ear（耳）、eye（目）、fire
（火）、fish（魚）、full（完全な）、hand（手）、hear（聞く）、horn
（角）、I（私）、knee（膝）、leaf（葉）、liver（肝臓）、louse（シラ
ミ）、mountain（山）、name（名前）、new（新しい）、night（夜）、
nose（鼻）、one（一）、path（道）、person（人）、see（見る）、skin
（皮膚）、star（星）、stone（石）、sun（太陽）、tongue（舌）、tooth
（歯）、tree（木）、two（二）、water（水）、we（私たち）、you（あ
なた）

今から1000年後にも理解される可能性が十分ある脅迫文の例。「I see you. I come. Nose sees knee. Skin sees blood. Bone sees sun. You die.（お前を見つけるぞ。〔そこまで〕行くぞ。鼻に膝げりを入れてやる。皮膚が裂け、骨が露出し、お前は死ぬ）」

「死ぬ」がリストに入っているのはありがたいが、それでもこれだけでは
かなり限定的である。しかし、ここでは、文章の理解しやすさをあまり損

---

[*] この研究論文のタイトルは「自動言語分類の精査（Explorations in Automated Language Classification）」で、ご興味がおありなら、巻末の参考文献に挙がっている。

なわずに表現の可能性を高めることができる。つまり、私たちは英語で書いているので〔著者は英語圏の人で、本書の原書は英語で書かれている〕、英語でよく使われる代名詞（she, he, they, who, my, your）、接続詞（and, but, so）、助動詞（am, be, do, have, will, may, should）、冠詞（a, the）、そして前置詞（on, of, for, in）などの、英語のなかで広く使われており、変化しにくいと考えられているものを加えればいい。そして、言語の安定性を若干損なう危険はあるが、ごく一般的に使われる英語の単語をもっとたくさん加えることもできる*。これによって、次のような「時間的に安定な脅迫文で使える単語」のリストが出来上がる。

a, all, am, and, ash, bark, be, belly, big, bird, bite, black, blood, bone, breasts, burn, but, claw, cloud, cold, come, could, die, do, dog, drink, dry, ear, earth, eat, egg, eye, feather, fire, fish, flesh, fly, foot, for, full, give, good, grease, green, hair, hand, have, he, head, hear, heart, hers, his, horn, hot, I, in, knee, know, leaf, lie, liver, long, louse, man, many, may, moon, mountain, mouth, must, my, name, neck, new, night, nose, not, of, on, one, path, person, rain, red, root, round, sand, say, see, seed, she, should, sit, skin, sleep, small, smoke, so, stand, star, stone, sun, swim, tail, that, the, their, they, this, tongue, tooth, tree, two, walk, water, we, what, white, who, whose, will, woman, yellow, you, your

前のものに、さらにニュアンスを加えたが、それでもやはり今から1000年後に理解される可能性は十分ある脅迫文の例。「私は火と煙の巨人だ。お前は私の名を知ることになるだろう。私はお前の男たちと女たちのところへ行く。彼らの、熱い血潮に満ちた皮膚を見る。彼らに爪を立てる。すると、彼らの血が地に降り注ぐ。彼らのおいしい肉は私のものになる。彼らの心臓は冷たくなる。一夜にして、お前の男たちは死ぬだろう。お前の女たちも死ぬだろう。そしてお前も死ぬだろう、膝をついて、私の大きな足がお前の小さな頭を踏みつけ、私の名がお前の口から発せられるだろう、〔本書の読者さん、ここにあなたの名前を入れてください〕と」。

---

* これらの単語は、実質的に、言語学者モリス・スワデシュが作成し、1970年代前半に初めて出版された複数のリストに基づいている。彼の目的は、人間にとっての基本的概念を特定し、その後それを異なる言語どうしを比較するのに使うことだった。

なかなかいいではないか。これであなたは、もう1つやるべきことを果たせば、それでいいことになる。あなたのメッセージは必ず複数の言語に翻訳されて、原文と共に一緒に製本されるように段取りするのだ。ロゼッタ・ストーンが有名になったのは、そこに書かれている内容のせいではなく、伝えたいことをどんな形で伝えたかによってだったことを思い出してほしい。そこには、同じメッセージが3度繰り返されていた。古代ギリシャ語、エジプトのヒエログリフ、そしてデモティックという、異なる文字の異なる言語で記されていたのである。ロゼッタ・ストーンが発見された1799年には、古代エジプトのヒエログリフは、もう1200年以上にわたり、地球にいる誰にも理解されていなかった。しかし、その後、私たちがまだ持っていた古代ギリシャ語の知識によって、ロゼッタ・ストーンに書かれていたギリシャ語の文章が最初に解読されたことが、ほかの2つの言語を解読する鍵となった。さらに、この2つの言語が理解できるようになったおかげで、古代エジプトの文化と文明に関する豊富な知識への扉が開かれたのである。これと同じように、あなたの文章を複数の言語に翻訳し、同じ本に掲載して出版すれば、今から数百年後に生きている人々にも理解してもらえる可能性が大いに向上する。

2021年に地球で最も多く使われている言語は、英語、中国語、そしてヒンディー語で、それぞれ、13億人、11億人、6億人が話している。あなたの本のなかでこれらの言語を使えば、あなたは好スタートを切ることができる！（Use these languages in your book and you'll be off to a great start!）（书里用了这些语言，便有了金彩的开场白！）（अपनी किताब में इन भाषाओं का इस्तेमाल करें, आपकी शुरुआत अच्छी होगी!)

ロゼッタ・ストーンには実際何と書かれているのか？

　歴史についての私たちの理解に大きな影響を及ぼしたにもかかわらず、ロゼッタ・ストーンは実際に読んでみると非常に退屈だ。それは紀元前196年に聖職者の会議が承認した、ある勅令を記している。まず、当時まだ少年だったプトレマイオス5世の即位1周年を祝う言葉がある。続いて、彼の業績がいくつか列挙され（減税を行なった）、彼の失敗には触れず、そして、彼の栄誉を称える像が新たにいくつか建設され、彼の神殿のすべてを、10の冠で飾ることを誓い、市民たちにも自宅に同様の神殿を作ることを勧めた。しかし——私たちには一番役立つのだが——さらに、この勅令を記した石柱を、翻訳も含めた3つの言語による表示もすべてそっくりそのまま複製してエジプト全土の神殿に設置するよう命じていた。つまり、エジプトのヒエログリフ（神を称える神聖文字。当時ヒエログリフは神官だけが理解する死んだ言語だった）、デモティック（文書の記録に使われた文字。デモティックは当時の行政官が使った）、そしてギリシャ語（当時の市民が使っていた書き言葉）の3種類である。少年王プトレマイオス5世、ありがとう！

　以上をまとめておこう。あなたが執筆した本をできるだけ多くの部数印刷すれば、それだけ本が生き残る可能性が高まる。シンプルで、変化しにくい単語だけを使えば、理解してもらえる可能性が高まる。あなたの文章を複数の言語に翻訳したものを一緒に掲載することで、たとえ英語という言語そのものが忘れ去られても、あなたの言葉が読み継がれる可能性が格段に高まるだろう。そして最後に、あなたの本を十分面白く、あるいは、

十分悪名高くできたなら、愚かな死すべき人間たち（および天才スーパーヴィランたち）は、あなたのレガシーを所有し、保存することができる栄誉のために金を出すだろう。あ、そうそう、長〜いセクションを読んでくれて、ありがとう。

　以上が100年以上存続する本を書く方法である。

期　　間：**少なくとも1000年間**
作　　戦：**歴史から隠す**
費　　用：**1つ当たり1万8900ドル、プラス旅費**

一度呼吸するたびに、あなたは一歩死に近づく。
　　　　　　　　——アリー・イブン・アビー・ターリブ（600年代）

　直前のセクションであなたが印刷した本は、適切に保存されれば、1000年以上もつ可能性がある——たいていの本はそうだし、じつのところ、たいていの物質は1000年以上もつ。西暦79年の古代の性具が発見されているほか、紀元前200年ごろの手回し式計算機、紀元前2500年ごろのパピルス（文字が記されたもの）、紀元前3500年ごろの革靴、そして古代の人体が保存されて残っているもの（紀元前7000年ごろのミイラと、紀元前8000年ごろの湿地遺体）まである。

今あなたが挙げた、クールな古いものについて、もっと教えてください

よろこんで！

性具というのは、西暦79年にヴェスヴィオ山の噴火で破壊され埋もれた都市ポンペイで出土した工芸品である。もちろん、これよりも古い性具はあるが、ポンペイのものは、その数の多さと保存状態の良さで印象に残る。ポンペイ市民は、18世紀以降に遺跡を発掘した人々よりもはるかに性についてオープンだったようで、この工芸品が発見されたとき、それはスキャンダラスだった。勃起した陰茎の絵や像が街中にあふれており、彫刻や絵画から、風鈴、石油ランプまで、あらゆるものに使われていた（男性の生殖力の神プリアーポスを描いたある絵画は、その陰茎の巨大さゆえにあまりにショッキングだったのだろう、漆喰で塗りこめられてしまったが、1998年に、雨で漆喰がはがれ、再発見された）。1821年にナポリ王は、これらの陰茎や女性器やセックスに関連するポンペイの遺物をすべて、ナポリ国立考古学博物館の準・部外者立ち入り禁止の部屋にしまい込むように命じたが、これらの古代の裸体像が持つ生々しい性的なパワーはそんなことでは抑え込めず、1849年には、この「秘密の収蔵庫」への入口がレンガで封鎖されてしまった。それ以来、その部屋は閉ざされたままだが、開かれたことが数回ある。最近では2000年に開かれた。

古代のコンピュータは、「アンティキティラ島の機械」と呼ばれるもので、手回し式の古代ギリシャの時計仕掛けの機械であり、日食や月食を予測し、月の運動を追跡し、そして、それではまだ不十分だと言うかのように、次にオリンピックが開催されるのはいつなのかも表示できた。1901年に発見されてから、これがどの

ように機能するかを再現するのに、2006年までかかった。ちなみにこの取り組みでは、X線スキャンでさらにいくつかの機構が見つかったほか、内部に説明が書き込まれていて、それがまだ読めることもわかったことが大きな進展をもたらした。これに匹敵するような複雑な時計は、14世紀になってようやくヨーロッパで作られるようになったのだが、世の時計職人は、その技術がすでに1000年以上前に達成されており、エーゲ海の底に沈んだ難破船のなかで発見されるのを待っていたとは、露とも知らなかったのである。

パピルスは、工事のための物資輸送について記録した文書（2013年にエジプトの砂漠の高温で乾燥した洞窟の内部で発見された）で、メレル（「愛される人」の意）という名の男が書いたものだ。メレルとそのチームは、ギザの大ピラミッド建設に終盤近くなって参加したのだが、彼の日記には、白い石灰岩（ピラミッドの外側に使用された）をトゥーラの石切り場からナイル川を下ってギザまで運ぶ経過が記されている。このピラミッドについては、後ほどもっと詳しくお話ししよう！

靴は、「アレニ・1の靴」と呼ばれるもので、（現時点で）世界最古の革靴である。2008年に、アルメニアの涼しく乾燥した洞窟のなかで非常に良好な状態で発見された。大きさはアメリカの女性用の7号（イギリスの5号。24センチ）に相当する。

そして**ミイラ**は、チンチョーロのミイラである。世界最古のミイラ化した遺体だ！ これまでに、チリのアタカマ砂漠で、282体のミイラが発見されている。そこは、高温で乾燥した環境で、遺体は腐敗する前に乾燥し、また、砂に塩分が多かったため、バクテリアの繁殖が抑制された。おかげで、遺体をただ埋めるだけの単純な行為で、ミイラ化が確実に進み、長期の保存が可能になったケースが少なくなかったわけだ。湿地遺体は、これとは違うかたちで保存されたミイラだ。酸性の水と低酸素という条件がそろ

った泥炭地では、遺体の皮膚がなめされて長期保存が可能な耐久性が生じる一方、骨は溶けて脆くなる。その結果、湿地遺体のなかには、「しぼんだ袋」のような姿をしているものもある（ここでは良し悪しの判断はしておりません）。

この時間尺度では、あなたのメッセージがどんな材料に印刷されているかよりも、それがどんな条件のもとで保存されているかのほうが重要だ。石は外気にさらされていると劣化するので、石という材料がかなりの長間にわたって水に接触しない、暖かく乾燥した場所、たとえば砂漠の洞窟などが望ましい。有機物の場合、バクテリアの繁殖を阻むものが役立つ。ミイラなら乾燥した塩分濃度が高い砂、湿地遺体なら酸性で酸素が欠乏した水がいい。そして、泥炭地に飛び込む前にメッセージを自分の肌の上に入れ墨するっていうのは、遠い未来の世代とコミュニケーションをする有望な方法だと、あなたがまさに今考えているなら、そのとおりだ。間違いなく実行可能だ。

だが、問題がある。これはスーパーヴィランの栄光に関する直感に反することだと、私たちの誰もが認めることなのだが、あなたがこれまでの生涯の、あるいは、本章を読む間の苦労の集大成である、自らの素晴らしい言葉の記録媒体として選んだものが何だったとしても、それをまず、人々が忘れてしまうようにすることが必要なのだ。

本セクションの冒頭で述べた品物はどれも――1つ1つがユニークで貴重な歴史的宝物だ――、意図的に私たちの時代に到達したのではない。後世の人々のために保存しようと決意した、注意深いアーキビストたちがいくつもの時代を通して引き継いで伝えてきたのではない。今それらのものがあるのは、一旦失われた、つまり、見捨てられて忘れられたものの、たまたま放置された環境がそれらのものを保存してくれて、「歴史」と呼ばれる、私たち誰もが常にさらされている破壊的な一連の出来事が及ばないように安全に守ってくれており、その後最近になってそれを私たちが見つ

けたからだ。

　あなたの遺品を人類から隠しておくことに、どれだけの効用があるというのだろう？　比較のために、「古代世界の七不思議」を見てみよう。これは、古代の世界で驚異的とされた建造物を7つ挙げたもので、どの1つをとっても、それを生み出した文明の最高の業績であり、威信と権力の公的な象徴として、その文明が絶対に保存したいものだ。バベルの空中庭園（美しい庭園）、ギザの大ピラミッド（巨大な墓）、ロドス島の巨像（巨大な彫像）、アレクサンドリアの灯台（巨大な灯台）、ハリカルナッソスの霊廟（巨大な墓）、アルテミス神殿（巨大な神殿）、そしてオリンピアのゼウス像（巨大な彫像だが、これは座像だった）の7つである。現在、1つを除き、ほかのすべては失われている——唯一の例外はピラミッドで、その外側の白い石灰岩は、他の用途に使うために長年にわたって削り取られてきたが、損傷を受けながらもまだ残っている。これらの人類の偉大な成果は、略奪、放火、地震、劣化に襲われてきた。かつては大切にされていた文化的な遺物でも、打ち捨てられた末に死滅する可能性だってある。アレクサンドリアの図書館が、紀元前48年に火災に遭ったことはよく知られているが、それが火災を生き延びたものの、その後は支援と名声を失って疲弊し、やがて西暦260年ごろには歴史の記録から完全に消えてしまったことは、あまり知られていない。

イラストレーターが表現したアレクサンドリアの図書館の没落。アーティストは何なりと自由に発想することができ、それが歴史的に正しくなければならないという法律は存在しないのだと、あなたはご存じだっただろうか？　このイラストレーターは古代エジプトの図書館を現代語の看板、製本された書物、そして完全に時代遅れの野球帽を逆向きにかぶった犬で表現している！　よくがんばりましたね、イラストレーターさん。もう１回発想しなおしてごらんよ‼

　ある程度以上に長い期間になると、最も権威ある遺物でも、人気を失ったり、政治問題化されたり、あるいは、煙たがられるようになる恐れがある。それに、維持に費用が必要なものは、やがてはそれに金を支払いたくないと思う世代に直面することになる（第８章で見たチャントリーのように）。当たり障りのなさそうな物体でも、ある時代の文化でそれが嫌われることになったなら、失われてしまう可能性がある。スペインの侵略者たちとカトリックの司祭たちが16世紀中ごろにマヤの書物をすべて焼こうとしたとき、彼らは成功し、４冊を除くすべてを破壊した。しかし、この４冊が残ったのは、ここで紹介した他の長寿遺物すべてとある点で共通していたからだ。十分小さくて隠すことができ、十分堅牢で長期間安定してお

り、さらに、焼いたり打ち砕いたり片づけたりしたい世代の人間から逃れられる程度には幸運だった。そして、最終的に、私たち現代人が幸運にもそれらを再発見できたというわけである。

ここでもまた、あの言葉が出てきた。「幸運」だ。残念ながら、この時間尺度では、保証はまったくないし、それに成功には常にある程度の幸運が必要だ。あなたのメッセージが記された物体を十分うまく隠し、数千年の出来事を避けられるようにする一方で、二度と再び発見されない、などということにならない程度のほどほどの巧みさで隠さなければならない。隠し場所としては、あなたの遺物を今良好に保存できるのみならず、そのような条件が1000年以上持続するところを選ばねばならない。そして、あなたの遺物の複製を多数作り、世界中のさまざまな場所に隠すことで、成功の可能性を高めることが可能だし、また、そうすべきである。しかし、1000年後に生きている人々に話しかけようとするとき、保証はまったくなく、未来に何が起こるかは誰も知らない＊。私は何も約束することはできない。

だが、あなたにとってずるいくらい状況が良くなるようにする方法をお教えすることはできる。

まずは環境だ。人間が普段うろつき回って様子を探ったりしないところにあなたの遺物を保存しよう。したがって、地表の大部分は除外しないといけないし、地中でも、人間がショベルで掘り返して、あなたの思惑よりも早く見つけてしまう恐れがある浅いところはだめだ。しかし、人間が近づけそうもない環境も避けなければならない。最終的には誰かにひょっこり見つけてもらわなければならないのだから。そして、材料の物質については……ちょっと時間をかけて、いろいろ考えてみよう。とりあえず実施上の問題点はすべて置いておくとして、私たちの目的に理想的な材料とは何かを想像してみよう。あなたの遺物は、非常に硬くて数千年にわたってその形を保てなければならないだろう――押しつぶされそうなほど大量の

＊　それを変えたいなら、第6章を参照するのを忘れずに。

土が上からかぶさってこようが、水の風化作用にさらされようが。腐食に耐える必要があるのは明らかだ。さらに、それは美しくなければならない——なにしろ、あなたの素晴らしい言葉が記されているのだし、また、発見されたときも、その後どこかの博物館か礼拝所に収蔵先が決まって、その場所で展示されたときも、人の目を引かなければならないからだ。そして、「理想的な材料が満たすべき条件のリスト」を作るのと並行して、この物質は何らかの方法で自らを維持することができなければならないとしよう。つまり、その物質は、厄介なものにさらされたときはいつも、自動的に硬い保護膜を形成して、その内側にあるものを何でも守ることができるのだ。

あなたは運がいい。このような環境も物質も、両方とも存在する。そして、見なさい、あなたはその両方を利用するのである。まず、あなたのメッセージを青銅で鋳造し、つづいて、それを海に投げ込むのだ。

青銅は、銅を主成分とした（約88パーセント）銅と錫の合金である。青銅は硬く、高密度で、長持ちする。現在まで残っている最古の青銅像は、約4000年前のインダス文明のもので、紀元前2300年から紀元前1750年のあいだに鋳造された。現在私たちはそれを「踊る少女」と呼んでいる。腕の長い少女の裸像で（ご注意：歴史はしばしば裸です）、片手を腰に付けて立っている。この像に含まれている情報（いろいろあるが、その1つは、当時間違いなく裸体の女性がいたということ）はこれまで約4000年存続したわけなので、その寿命は、像を鋳造した人物よりも少なくとも40倍長く、そして、その人物を生み出した文明の少なくとも2倍長い。もしもこの像が、少女の裸像ではなく3言語併記のメッセージだったなら、それを生み出した人々と文化について、そのなかに裸体の女性は素晴らしいと思っていた人たちがいたという事実のほかに、もっと多くのことがわかっただろうに。

青銅は、情報を未来に伝える優れた媒体だというのは確かだが、残念ながら、価値が高いと同時に再利用可能でもあるのだ。たった950℃ほどで融けてしまう。鋼鉄よりも融点が低く、今振り返ると必然的な、青銅器時

代という名称で呼ばれている時代の炉でさえ十分到達可能な温度である。青銅像が生き延びるためには、材料の青銅が、比較的容易に鍛えなおされて作り変えられる可能性がある、大砲、硬貨、シンバル、盾、武器、釘、ドラム、ベル、調理具、新しい像などの形よりも、「そこに鎮座して時々見つめられる以外に何もしない」という形であり続けるほうが価値があると、後世の人々に思ってもらわなければならない。このため、当時の彫像としては最高のものと考えられているにもかかわらず、古代ギリシャの等身大の青銅像で現存しているものはごくわずかである（その制作の詳細について私たちが知っていることの大半は、じつはローマ人たちが作った複製石像から得られたものである）。

　ここで「海」の意義が浮上してくる。海は、あなたの青銅作品にみんなの汚い手が触れないようにしてくれる。在処を隠してくれるし、あなたの青銅作品にちょっかいを出すのを、ほかの人たちの作品に手を出すよりもはるかに困難で高くつく（ゆえに不経済な）行為にしてくれる。私たちが実際に今見ることができる数少ない等身大のギリシャ青銅像の２体は、リアーチェのブロンズ（青銅）像と呼ばれている。イタリアのリアーチェという村の沖で、海底に沈んでいるのが発見された。それは、年齢が異なる２人の男性をかたどった、等身大の裸像で（やはり、歴史はときどき裸体である）、あり得ないようなスーパーヒーロー的身体をしており、紀元前460年から420年のあいだに制作されて、その後海に投げ捨てられたらしい。 ２体の像は、その後そこに何千年ものあいだ留まり、ついに1972年８月16日、ステファノ・マリオッティーニという、夏休みにイオニア海で水中銃を使って魚獲りをしていた人物に発見された。マリオッティーニは、イタリアのリアーチェ村の200メートル沖で、水深10メートルもない海の底に像が沈んでいるのを発見した。人間の手の形をしたものが、海底を覆う砂から突き出しているのが見えたのだ。彼は最初、人間の死体かと思っ

***

＊　意図的に廃棄されたのではなく、運んでいた船が難破したためだとされているが、難破船の残骸はまったく発見されていない。

たそうだ。

　その手がそれほど良好な状態だったのは、青銅が他の金属のようには酸化しないからだ。金属が酸化するとき——たいていの金属は酸化する＊——、それは要するに、その金属が空気中にも水中にも存在する酸素と化学反応を起こすということなのだが、その結果一般的にその金属は腐食する。あなたもご覧になったことがあるはずだが、自動車の表面にさびが生じるのはこの現象である。さびとは鉄の酸化に過ぎず、十分長い時間が経てば、鉄でできたものは何でもさび果てる。

　だが、青銅には特殊能力があるのだ。

　青銅が酸化するときに表面にできる「緑青」と呼ばれる硬い酸化物の被膜には、その下側の青銅がさらに腐食するのを防ぐ効果がある。これこそが、青銅が未来に情報を送るための偉大な媒体である所以だ。リアーチェのブロンズ像が発見されたとき、それらを覆っていた緑青は薄く、本体の詳細な特徴が十分表れていたので、像の形がまだはっきりと見えた。顔の特徴、あごひげのふさふさした感じ、そして個々の筋肉まで。制作から再発見まで数千年経っていたのに、それが裸の好男子の像であることは明らかだった。そして、緑青が除去されて修復が終わると、像は鋳造されたその日の姿とほとんど変わらず、元々の詳細な特徴がすべて残っていた。2体の像が海底で過ごした2000年を超える長い間に受けた損傷は、一方の像の片目が失われたことだけだった。目は青銅ではなく、白い方解石を別個に加工して作られており、いつのまにか一方が外れ、失われてしまったのだった。それ以外のものは、まったく問題なく未来に伝わったのである。

　あなたの像もこれとまったく同じように保存することができる。リアー

＊　まったく酸化しない金属がいくつか存在する。このような非反応性の金属を貴金属と呼ぶが、そのうちいくつかはあなたもご存じだろう（銀、金、白金、パラジウム）が、それ以外のもの（ルテニウム、ロジウム、イリジウム、オスミウム）にはあまり馴染みがないのではないだろうか。残念ながら、美しく輝かしいという点では、これらの金属はすべて私たちの像作りに使える可能性があるにもかかわらず、どれも、柔らか過ぎる、可塑性が高すぎる、脆すぎる、希少過ぎて価格が高いなどの問題があり、私たちが目指している、データの長期保存という目的には合わない。青銅は、長寿、美、そして価格の3条件が最適な金属なのだ。

チェのブロンズ像と同様に、自分のメッセージを青銅に鋳込むのだ。長さ２メートル、高さ２分の１メートル、奥行３分の１メートルという、同じサイズの複数の青銅に。腐食に打ち勝つ可能性をさらに高めるために、文字は高さ３センチで、表面から少なくとも３センチの厚さで盛り上がらせよう。腐食が起こった場合でも読みやすいように十分大きくするわけだ。高さ３センチの文字を、隣の文字との隙間が１センチになるように並べる（さらに、行と行のあいだも１センチ空けることにする）。すると、青銅材の最も広い２つの面には、50字からなる行が12行並べられることになる。したがって合計1200字の記入が可能だ。そして最後に、あなたはその「像」を、どこか略奪者の目には触れないが、十分長い時間のあいだに偶然見つけてもらえるような場所に置いてくる必要がある。つまり、どこかの海岸の沖合の、深いけれどアクセスできないわけではないあたりの海底に置いてくるのだ……。海岸の200メートル沖の水深10メートルの海底も非常に良い候補地の１つだ。

　ここで論じているような特注の青銅像の値段は、今日(こんにち)制作するなら、だいたい１万8900ドルぐらいだろう。[*]青銅像を鋳造するには、まず像の型を作り、次にその型を使って像の複製を作る。複製を作れば作るほど、コストは低くなり、しかも、そのうちの１つがあなたが希望する期間が経過するころに発見される可能性を高めることもできる。あなたがこれを500個注文し、５パーセントの大量購入割引をしてもらうとすると——あなたが持っているスーパーヴィラン的交渉能力によっては、もっと大きな像を作ることができるかもしれない。以上のことから、約900万ドルあればこの計略を成功させることができるだろう。さらに、気前よく500万ドルを出せば、像をこっそりと世界中に運び、人目につかないように世界中の海の沖合に沈める費用は賄えるだろうから、あなたのメッセージが今から数

[*]　この値段はビッグ・スタチューズ有限会社の社長マット・グレンに教えていただいた。グレンはブロンズ像を専門とする彫刻家で、大変ご親切に、私がお話しした怪しげな制作依頼の話を、詮索するような、厄介な質問などほとんどせずに、快く検討してくださった。グラン社長は、あなたの話も聞いてくださると思いますよ！

千年後に発見され、読まれ、敬意を抱かれ、恐れられ、崇拝され、神聖なものと認められることを、最大限確実にすることができるだろう。

だが、忘れないでほしい。それはただ、あなたが成功する可能性を高めるだけだ。あなたがまだ億万長者になっていないのなら、1つの像でも、この「千年記念碑宝くじ」に参加するチケット1枚になるし、値段も新車1台より安い。

「私は、それはもうすごかったのだ。私がバイクで、数台のバスを飛び越えたときの姿がこれだ（こんなことを私はしょっちゅうやっていた。私にとって朝飯前だった）。この時代のことをよく知らないあなたには、私が嘘をついていると証明することはできない」

期　　間：少なくとも１万年間
作　　戦：ラシュモア山国立記念碑の新たな改良版を
　　　　　あなたの顔と言葉を彫って作る
費　　用：山に初歩レベルの彫刻をするための6400
　　　　　万ドル＋制作現場の調整に追加料金

**きさまたちは、神から授かった顔があるのに、それを紅白粉で塗りたくり、
まったく別物の仮面をつくりあげる。**

——ウィリアム・シェイクスピア（1599年）

〔『ハムレット』第3幕第1場　福田恆存訳　新潮社〕

　１万年という歳月を考えると、隠された小さな物でも、失われ、永久に
取り戻せなくなるかもしれない。この時間尺度であなたの勝算を最大にし
たいなら、あなた自身の特注「ラシュモア山国立記念碑」を作ることだ。
　ラシュモア山国立記念碑は、４つもの巨大な頭部が山肌に彫られており、
これ自体がすでにスーパーヴィランの美学にど・っ・ぷ・りはまり込んでいる。
あと、北米大陸ではなくて、太平洋のどこかにある未知の島に作ってさえ
いれば、完璧だったのに。そして、ラシュモア山国立記念碑には、現実の
邪悪な創生物語まであるのだ！　４つの頭部が彫られたブラックヒルズ山
地は、1868年の条約でアメリカ政府が永遠にラコタ族のものであると約束
した、聖なる土地だった。だが、その条約が守られたのはほんの束の間だ
った。条約締結後ほどなくして、アメリカ人たちがブラックヒルズに金鉱
を発見すると、アメリカ政府は1876年、ブラックヒルズ戦争を起こし、力
づくでこの地域を取り返そうとした。戦況が思わしくない政府軍は、ラコ
タ族を兵糧攻めにして、1877年についに土地を奪い取ったのだった。山に

彫られた頭部は、ガットストン・ボーグラムという彫刻家が設計し、彫ったものだが、このボーグラムは白人至上主義者で、「クー・クラックス・クラン」（KKK）の諮問委員会のメンバーでもあった。彼は、サカガウィア、クレイジー・ホース、そしてラコタ族のリーダー、レッド・クラウドなど、白人以外の人物も加えるという当初の考えを覆し、白人男性であるアメリカの大統領だけを彫ることにした。やがて、山の名前自体も、弁護士チャールズ・ラシュモアという弁護士がボーグラムの仕事を支援するために最大の寄付を行なうと、ラコタ語の名前──「6人の父祖」──から彼の名に変更されてしまった。

　以上から言えることは、ヴィラン的な巨大プロジェクトに関しては、必ず前例があるということだ。そしてこの事例は、ほとんど完遂されている。4つの巨大な顔が、その山に実際に彫り込まれたのだ。当初は胴体も彫られる予定だったが、資金が尽きてしまい、結局今では高さ約18メートルの頭部だけが聳え立っている。制作には、約400名の作業員による1927年から1941年までの14年間の作業を要した。総費用は当時の値段で正確に言うと98万9992.32ドル、今の値段にすると1800万ドルに近い。だが、あなた自身のラシュモア山を作ろうと、あわてて小切手を切ってはならない。なぜなら、巨大プロジェクトは当時のほうが安かったからだ。2017年に《ワシントン・ポスト》紙が、そのころ大統領だったドナルド・トランプの顔をラシュモア山に付け加えるとしたらいくらかかるかを推定した。それによると、トランプ像を加えるには180名が約4年かけなければならない。その内訳は、設計者25名（時給100ドル）、石工30名（時給50ドル）、そし

て作業員125名（時給30ドル）だ。これを合計すると、たった１つ顔を増やすだけで約6400万ドルかかることになる。

だが、その6400万ドルで何ができるか考えてみてほしい！　４つの巨大な顔が彫り込まれたサウスダコタ州の花崗岩は、１万年ごとに約2.5センチメートルずつ自然に浸食されていく。そのため、あなたが自分の記念碑を作るとき、文字を2.5センチ深く彫るたびに、それを読んでもらえる期間は１万年ずつ長くなる。このペースで浸食が続くなら、ラシュモア山記念碑では鼻だけが240万年もち、その後はそれすらすっかり浸食されてしまうだろうが、少なくとも、顔があったという何らかの痕跡は、720万年後まで残るだろう。その上、ボーグラムは、当初はこの記念碑に巨大な銘を付け加え、そこに2.5メートル近い高さがあり、しかも、推定で約10万年は摩耗し切らずにもつだけの深さがある文字を彫る計画だった。だが残念ながら、像を彫るのに適した場所が足りなくなり、銘が予定されていた場所にはリンカーンの頭部が彫られることになってしまった。この10万年という推定値を、エジプトのスフィンクス――やはりその場の岩盤を彫って形成された――の場合と比較してみよう。スフィンクスは、4500年にわたる風化と人間による接触とを経てもなお、はっきりと顔がわかる。スフィンクスのほうが、柔らかい石灰岩に彫られているにもかかわらず。[*]　そしてもちろん、ギザの大ピラミッドが、風化を受け、盗掘されても、建ち続けており、なおも世界的に有名であることはすでに見たとおりだ。

----

[*]　もちろん、スフィンクスは、「KKKの委員会の一員が、所有権を争われていた山に彫った４人のアメリカ合衆国大統領の記念碑で、そのうち２人は奴隷所有者だったもの」ほどには議論を招かない。ということは、ラシュモア山は、今後人々がどう反応するかによっては、スフィンクスよりも短命に終わる可能性がある。

ジョージア・ガイドストーン

　　自分自身のラシュモア山記念碑を作るための6400万ドルがなかったとしても、もっと小規模な記念碑にすればいいだけである。1979年に匿名で発注され、1980年にアメリカの（おわかりだと思うが）ジョージア州で公開された、ジョージア・ガイドストーンは、5枚の花崗岩の厚い板で、それらが配列された上に、冠石が1枚載せられたもので、全体の高さは6メートル近かった。石板には、あるメッセージが、アラビア語、中国語、英語、ヘブライ語、ヒンディー語、ロシア語、スペイン語、スワヒリ語の、8つの言語で刻まれていた。

　　残念ながら、そこに記されたメッセージそのものは大して役に立たないものだった。10項目のガイドラインなのだが、「狭量な法律と無能な役人を廃せ」（ご助言ありがとう、ガイドストーンさん！）、「1つの新しい現代語で人類を統一せよ」（たくさん言語があっても何ら問題ない。なぜなら、どの言語も代替可能ではないし、実際多言語のほうが人間の経験と文化の深さと広さを捉えるのに役立つからだ、ガイドストーンさん！）、そして「健康と多様性が向上するように生殖を賢明に導け」（どうしてここに優生思想を持ち込む必要があるのかな、ガイドストーンさん？）などの指針が含まれている。設置後、数十年存続したが、モニュメントとしては小さく、誰でも近づくことができたため、何度も壊された。

　　しかし、あなたのモニュメントを損なうのは、単なる風化だけではない。「6人の父祖」つまりラシュモア山があるサウスダコタは、気温がしばし

ば氷点下になる。水がたまりやすい亀裂などは、たまった水が冬場に凍る恐れがある。凍った水は膨張し、風化だけが働く場合よりもはるかに早く彫像を傷めてしまう。だがあなたは、将来子孫たちが吸引カップであなたの彫像の亀裂から水を吸い取ってくれるほうに賭けたりしないだろう。では、あなたにはどんな選択肢があるのだろう？

　1つめは、エジプトのスフィンクスのように、気温がめったに氷点下にならないところだけにモニュメントを作ることだ。だが、残念ながら、この1万年という時間尺度になると、今どこかの場所がモニュメントに適した気候でも、それが今後もそのまま続くという保証はまったくない。たとえば、現在はサハラ砂漠が占めているアフリカ北部の広大な土地は、6000年前は湖が点在し、樹木に覆われていた。また、ヨーロッパでは、14世紀から19世紀にかけて小氷河期と呼ばれる寒冷な気候が続き、冷夏や厳冬が繰り返され、穀物の不作、飢饉、そして、凍結による岩の劣化が、それまでまったく見られなかった場所でも頻発した。人間が生み出す温室効果ガスで、地球は今後数千年間温暖化が続く可能性があり、そのおかげで、地球上の温暖な地域が寒冷化する可能性は低くなるだろう（しかし、温暖化を緩和する手法については、第4章を参照のこと）。だが、このような時間尺度では、確実に言えることは何もない。そして、このモニュメントの大きさからして、私たちが青銅像でやったのと同じように、バックアップ・コピーを数個作るのは、今回の場合は難しい。その代わりにあなたにできるのは、どこか暖かい場所を選び、亀裂が生じないように花崗岩をゆっくりと注意深く彫り、水がたまらずに流れ落ちるような形の文字にし、そして、スフィンクスと同じように、今後数千年間、あなたの傑作であるモニュメントを誰もあまりひどく荒らさないようにと願うことだけである。

　地殻そのものに直接自分のメッセージを、それが他の何よりも長持ちするような方法で彫ることには、何か本質的に魅力的な——そして、本質的にスーパーヴィラン的な——ところがある。そして、あなたのメッセージが、多くの人々に使われている複数の言語によって重複して記されているなら、彫られた単語のいくつかが失われたり損壊を受けたりした場合に、

少なくとも多少の保険になる。

（見よ！ これが私、1000年に1人の偉大な人物だ。私はあなたに過去からの重要な言葉を持って来た！ 私の言葉を心に留めよ、なぜならあなたは（スフィンクス2に続く）

このアイデアの実体化の一例だが、あなたはおそらくもっとうまくやれるだろう。いや、そうすべきだ。

でも、ちょっと待って。こういう翻訳を併記しておくことにしたのは、そもそも言語が進化することに対処するためで、そこに書かれた言語の1つが、遠い未来にもまだ理解してもらえる確率を高めるためだったはずだ。さらに、それは100年後、1000年後と少しぐらいまでは言えるとしても、数万年後にもそうだと期待することはできるのだろうか？

できない。ここで私たちは、1万年存続した言語は、人類史上1つもないという不都合な真実に向き合わねばならない。

現在知られている最古の文字は、紀元前3200年ごろの楔型文字（シュメール語）だが、この言語は西暦200年ごろに消滅したので、出現から4000年も経たずに絶滅したことになる。人間は、紀元前3200年ごろに物事を書き下すようになる前に、あらゆることについて話していたに違いないが、そのような初期言語は完全に失われてしまい、それらについて私たちが知っている証拠と言えば、言語学的再構で得られたものだけだ。

英語、ロシア語、ギリシャ語、ドイツ語、ヒンディー語、パンジャブ語、

アルメニア語、イタリア語、ラテン語、サンスクリット語、そしてフランス語など（これらとてその一部に過ぎない）のインド・ヨーロッパ語族に含まれる言語はすべて、私たちが「インド・ヨーロッパ祖語」（PIE）と名付けた１つの祖語から生じたものだ。PIEは紀元前4500年から紀元前2500年ごろまで話されていた[*]が、何千年も前に消滅してしまった。PIEを話す人々が各地へ移住し、新たなコミュニティを形成していくにつれ、話し方の様式が訛りになり、訛りが方言になり、方言が新しいさまざまな言語になっていった。PIEから派生したさまざまな言語を詳しく調べることによってPIEを部分的に再構成することができる。カエルとトカゲをじっと見つめて、両者の共通の祖先はおそらく１本の脊椎、２つの目、４本の脚を持ち、卵生だっただろうと推測することができる。しかし、実際に祖先の証拠がない限り、大まかなことしかわからない。つまり、その言語の最も大きな特徴はわかっても、その細部にある魅力、美、そして品格などはわからないだろう。PIEの子孫であるインド・ヨーロッパ語族のどの言語でも極めてよく似た発音の単語が使われている例などを見つければ、そこから、知識に基づく推測を行なって、元のPIEでの発音を探っていくことができる。また、文法上の共通点を突き止め、そこからPIEそのものの大まかな形を推測できる。しかし、これらはすべて、あくまでも推測に過ぎない。なにしろ、元々のインド・ヨーロッパ祖語は完全に失われてしまったのだから。

　そして、インド・ヨーロッパ祖語は最初の言語ですらなかった。おそらくそれ以前に、アフロ・アジア祖語が話されており、はっきりとはわからないが、紀元前５万年ごろには、また別の言語が話されていた可能性もある。これらの言語を話していた人々がそれを書いたりすることはまったく

---

* シュメール語はこのリストに載っていないが、それは、この言語がインド・ヨーロッパ祖語から発展したものではないからだ。じつのところ、シュメール語がどの言語から進化したのかはわかっていない。他の言語との関係がまったく立証できない言語を「孤立言語」と呼ぶ。これらの言語は、独自に自然発生的に生まれたか（たいていの場合、それは考えにくい）、他言語との関係が非常に希薄なため結びつきを認めることができないか、あるいは、進化した元の親言語がすでに失われてしまったかのいずれかである。

なかったし、山の露頭に巨大な文字を彫ったことなど絶対になかったのだから。さらに、言語はかなりのペースで進化する——とりわけ、書かれることがまったくない場合は——ので、最初の言語の痕跡を今信頼性のある形で再構する方法は存在しない。

　これらの点をすべて考えると、つまり、現時点ですでに忘れられてしまった言語がたくさんあり、言語の進化は急速に起こるということに加え、さらに、今あなたが思いをはせている遠い未来とのあいだを隔てる長い長い時を考えると、１万年先の人々にあなたを理解してもらうために、一体何ができるというのだろう？

　アメリカ政府には、あなたを支援する用意がいつでもできている。

　原子力発電で生じる放射性廃棄物は１万年後にもなお人間の健康に脅威を及ぼす。そのことを踏まえると、ニューメキシコ州カールズバッドにある核廃棄物隔離試験施設で私たちが20世紀末から続けているように、どこかに埋めたとしても、いつかそこに住むかもしれない人々のために、危険なので掘り返してはいけないと警告するのがせめてもの礼儀だと、ある時点で私たちは気づいたのである。その一環として、米国エネルギー省は、施設の管理期間が終わる１万年先まで、このことを伝えるにはどうすべきかという問題の解決策を見出す仕事を、さまざまな特別部会や研究者に委託した。

　1984年に設置されたある特別部会は、「原子力聖職者」を作ることを提案した。これは「自薦した」人々からなるグループで、そのエリアで実際に起こっていることについての知識を得たうえで、人々をそこに近づかせないために、ありもしない迷信をでっちあげ、その責任を負うのである。「このエリアに近づくな、さもないと復讐に燃える神々の罰が当たるぞ」というメッセージは、聖職者が年中行事のなかで、この新しい物語を繰り返し語ることによって、何世紀にもわたって伝えられていくだろう。その物語の復讐に燃える神々に仕えるには、そのエリア一帯に設置された多数の標識を250年ごとに書き換えて差し換え、そこに使われている言語が常

にその時代に使われているものと一致するようにすることも必要だろう。[*]
だが、1つ問題がある。それは、このリポートでも指摘されているのだが、
新しい宗教を軌道に乗せるのは非常に難しく、何かを守るために神の脅威
を持ち出すというこれまでの努力──本や墓に呪いの言葉を記し、本を盗
んだり墓を暴いたりしないよう警告するなど──は総じて、意欲に燃える
略奪者から守る役にはほとんど立っていないことだ。

呪われろ、バーカ！

　神の祟りが必ず下るという脅し文句で核廃棄物を守ろうという
考えは、呪いを保安システムとして使うという人類の長く誇らし
い伝統に加わった一項目でしかない。ウィリアム・シェイクスピ
アの墓碑銘には、「良き友よ、イエスのために、ここに葬られた
亡骸を掘るのは慎め。これらの石をそのままにする者に祝福あれ。
そして我が骨を動かさんとする者に呪いあれ」とある（2015年、
ウィットウォーターズランド大学の研究者フランシス・サッカー
レイは、シェイクスピアの遺体の研究に関心を抱いていたのだが、
彼は、骨を動かすことなく、その表面だけを調べれば、シェイク
スピアの遺言に逆らわないで済むと述べたが、やがて、もう1つ
抜け道を見つけて、こう言い添えた。「なお、シェイクスピアは

---

[*]　この研究リポート、『1万年の架け橋となるコミュニケーション手段』はまた、このエリア
に悪臭を漂わせても、人々を寄せ付けない確実な方法にはならないだろうと示唆している。そ
の理由は、未来の人間たちはロボットを使って（リポートの文章が曖昧なため、もしかすると、
「彼ら自らロボットスーツを身にまとって安全を確保したうえで」という意味かもしれない）
世界を探検する可能性が高く、そのような場合、臭いはしないだろうからだ。さらに、余談と
してではあるが、人類の生存にとって重要で、その存続そのものに影響を及ぼし得る情報が、
「マイクロサージャリー〔顕微鏡下での微小手術〕」によってヒトDNAに挿入される日がいつか来る
とも述べている。だが、歯がゆいことに、この重要な情報とは何なのか、彼らは決して明記し
ない。もしかしたら、あなたのメッセージのことかな？

その墓碑銘で、歯についてはまったく触れていない」)。

　本に関しては、本が手書きされており、今よりはるかに人手がかかる貴重品だったころ、最後のページの奥付に呪いの言葉を書くことは珍しくなかった。それは、たとえば次のような脅迫だった。

・破門（「本書を持ち去る者は、救い主の庇護を永遠に失うだろう」）
・罵倒（「本書を盗む者、あるいは、借りたのちに返却せざる者には……本書をその手中にて蛇に変え、彼を引き裂かしめよ……彼を苦痛に呻吟させ、慈悲を求め泣かせよ……地獄の業火に彼を永遠に焼かしめよ」）
・病魔（「彼にはまた、神の手によって極めて苛酷な悪疫を受けさせよ」）
・カニバリズム（「本書を盗む者あらば、彼に死を迎えさせ、平鍋にて焼かしめよ」）
・絞首刑（「我が正直なる友よ、本書を盗むなかれ。絞首刑で命を終え、そのとき主に「汝が盗みし書物はいずこや」と問われることを恐れるならば」）

そしてさらに、次のようなものまである。

・絞首刑の後、鳥による責め苦（「本書を盗まんとすなら／汝は喉首から高く吊るされよう。さては烏らが集い来て、汝が両の眼を見付けそれらを引き抜き、かくて汝が『おお、おお、おお！』と叫ばんとき、思い起こせよ、汝がこの災いに値することを」）

印刷機の発明により、本の値打ちは下がり、本に書かれていた

呪いは、蔵書票へと進化した。蔵書票とは、本の所有者が誰かを示すための簡素な紙片で、借りた本を返し損ねている者をあからさまに呪うことは、避けているのが普通だが、そうでない場合もないわけではない。

　さらに２つの専門家チームが招集され、1993年に発表された両チームの合同リポートは正反対の方向を示していた。もしも誰かがその恐ろしい神話を否定し、その直後に何も起こらなかったなら──廃棄物によるがんは症状が現れるまでに何十年もかかるので──このプロジェクト全体が疑問視されるだろうと指摘し、真実を語ることを勧めたのだ。そのうえで彼らは、メッセージを複雑さによって４段階に分割し、１万年後にも少なくともその一部が理解される可能性を高めるよう提案した。最低限（「人間が作ったものがここにあります」）、警戒（「人間が作ったものがここにあり、それは本当に危険です」）、基本的（核廃棄物の「何が」「どこで」「なぜ」「いつ」そして「いかに」危険か）、さらに、複雑（極めて詳細な説明と、記録、チャート、グラフ、地図、図など）の四つの段階だ。

　興味深いことに、そのリポートは、最初の２つのレベルの情報は、人目を引く威嚇的な影像のほか、花崗岩の一枚板のブロック、地面から石の突起がたくさん突き出している原っぱ、恐怖心をそそるような土塁、風が通り過ぎるとき身の毛がよだつようないやな音を立てるように彫刻を施された石などの、付加的なものもサイトに置くという、言語によらない方法で伝えることも可能だとしていた。これらの設置物によって彼らが伝えられるだろうと考えた非言語的なメッセージの多くは、じつのところスーパーヴィラン的脅迫としても非常にうまく使えるのである。「この場所はメッセージである……しかも、より大きなメッセージの一部である……注意してこれを見よ！　このメッセージを送ることは我々にとって重要であった。我々は自らを強力な文化だと考えた。このメッセージは危険を警告するものだ。その危険はまだ存在する、あなたの時代にも、我々の時代がそうで

あったのと同様に。その危険は身体に関するものであり、死に至ることもある。その危険はあなたがこの場所を物理的に大きく乱した場合に解き放たれる。この場所には近づかないようにし、誰も住まないままにしておくのが一番よい」

　そのような次第で、あなたはいつでも、このようなメッセージを、長く残るヴィラン的インスタレーション・アートの形で伝えようと試みることができる。しかし、仮にあなたはそれ以上のことをやりたいのだとしよう。

　報告書は、メッセージの重複も示唆していた。基本的な情報は、花崗岩の構造物に多言語で彫り込む（さらに、一番下に余白を残しておき、のちの世代が彼らの新しい言語を書き加えられるようにしておく）だけでなく、小さな陶器としても多数制作し、サイトの随所に埋めるようにすればいいというわけである。そのようにすれば、その付近を掘っている人がそれを見つけてくれるかもしれず、大きな設置物が劣化したり損壊したりした場合にも、メッセージが伝わる可能性を高めることができるはずだ。その地区一帯をある1つのイメージで覆いつくすという考え方は、20世紀以降、ブランディングというかたちで非常に巧みに実施されている。このレンズを通して見ると、マクドナルドやディズニーなどの大企業はすでに非常にヴィラン的に振る舞っているのであり、あなたもそれを真似るといいだろう。あなたのメッセージは、つまるところ、ゴールデンアーチやミッキーマウスや、あの詮索好きでおせっかい焼きなスパイダーマンがとっくに消えてしまったあとも存続しなければならないのだから。

　構造そのものは、すぐに見分けがつく、幾何学的な形にするようお薦めする。そうしておけば、あちこち部分的に形が失われてしまっても、本来の全体の形がわかってもらえるだろう。この考え方のヒントになったのは、

＊　これまでに発見された最も古い陶器は、紀元前1万8000年のものだ。陶器を埋めておくと、長期間もつ可能性がある。発見される可能性を高めるため、プラスチック、チタン、硬質ガラスなど、さまざまな材料で小片を作るといい。そうしておけば、1つの材料がダメになっても、ほかのものは存続するかもしれないので、完全な失敗を回避できる可能性が出てくる（チタンは安価ではないが、銅の緑青のように、表面に酸化被膜ができるため耐久性が高い）。

ストーンヘンジである。その最初の建設が行なわれたのは、紀元前2300年ごろのことだった。現在では、ストーンヘンジを構成する石の約３分の１が失われているが、石はすべて、規則的なパターンに配置されていたので、残った部分的なデータから全体の形を再構築することは今でも可能だ。

最も複雑な情報は、構造物の中央に保管するのがいい。保管場所は、一種の博物館のようなしつらえにし、やはり主に花崗岩を使って形作る。そのなかに、この場所全体について、そして地下にある核廃棄物について、説明できることすべてを、縮尺模型や元素周期表（作業部会は、１万年後も周期表は理解してもらえるだろうと考えた）の助けも借りて記しておく。この「博物館」全体を封じ込め、小さな岩１個だけを外せるようにしておく。外した穴は、人間が１人這って内部に入るには十分だが、内部にある花崗岩の展示物を外に出すには小さすぎるようなサイズにする。

だがここでも、説明に使われた言語が翻訳可能だということが大前提になっており、リポートも、複雑な情報は翻訳なしには伝えられないだろうと認めている。未来の人間があなたの作品を翻訳したいと考える可能性は常にある——なにしろ、象形文字を発見したときの私たちはそうだったし、謎めいたものは間違いなく魅力的だ——が、未来にそう思った人たちが翻訳しようとしたときに成功するという保証はない。

では、言語に依存してはならないのなら、何を使えばいいのだろう？

記号なら自らその意味を示唆してくれるだろう。記号は言語よりも普遍性が高く、記号を一種の暫定的な言語としてコミュニケーションに使うことが可能だ。それに、私たちはすでに放射能を示す記号を使っている——中心にある小さな円から３枚の扇型が外に向かって出ていく様子を表したもの——ので、私たちは早くも素晴らしいスタートを切ったようなものだ、そうですよね？　いや、ここでは、記号もやはり、文化のなかで理解されるということが問題になる。1930年代のインドでは、鉤十字は吉祥の印であったが、ドイツではまったく異なる意味を持っていた。天文学者カール・セーガンは、死と危険を意味する世界共通の記号として、頭蓋骨の下に交差した２本の骨を描いた図を使うよう勧めた。すべての人間がこれらの

骨を持っており、それらが何を表しているか理解しており、しかもそれらの基本的な形は変わらないだろうから、というのが提案の理由だった。だが、この議論でもやはり、文化的な状況が問題になる。リポートは、頭蓋骨と2本の交差した骨の図が瓶についているなら、それは確かに「毒物」を意味するが、大型帆船にその記号が描かれた旗が掲げられていたら、それは「海賊」を意味するし、中世の錬金術師にとっては、頭蓋骨とは聖書のアダムの頭蓋骨であり、2本の交差した骨は復活の約束だった。永遠の命の約束は、核廃棄物について警告している人々が伝えたいメッセージとは正反対だ！　さらに、放射能の記号は1946年に作られたばかりで、1万年後のことを託すにはあまりに新しく、効果のほどは不透明である。リポートは、未来の人々が、この記号を船のスクリューの絵だと勘違いし、古代人たちはそんなものを何個か埋めて必死に自慢しているが、一体どうしてなんだろうと訝る可能性もゼロではないと指摘している*。

命にかかわる危険な放射線、もしくは、絶対楽しい水上娯楽プロペラ船を示す記号が、死または海賊行為の警告もしくは、永遠の命を示唆する記号と並んでいる。

＊　2007年、国際原子力機関と国際標準化機構は、電離放射線を示す新しい記号を発表した。この記号では、従来の「プロペラの羽根」のマークの下に波線が数本伸びて、走って逃げようとしている人間に向かっており、その人間は頭蓋骨と2本の交差した骨から逃げようとしている。

　1万年後にも認識してもらえる可能性がある形状もあるものの、そういった形状がそのころ同じ意味を持っているかどうかははっきりしないということは間違いない。ナイフをかたどった記号は脅迫なのか、それとも、付近で料理をやっているという意味なのか、どちらだろう？　私たちはすでに、洞窟壁画でこれと同じことを経験している。そこに描かれた人間や動物の形はわかるが、それらがなぜ描かれたのかは推測するほかないし、それらが何を表しているのかすら、はっきりとはわからない。リポートで挙がっていた別の例をイラストで表したのが次の図なのだが、次の問いに、考え込まずにすぐに答えてほしい。「この図は何を伝えようとしているのでしょうか？」

　この2人の人物は、闘っているのかもしれないし、あるいは、ダンスをしているのかもしれない。そして、そのいずれだったにしても、彼らがそれを行なっているのは良いことなのか、それとも、これは悪い例を示して教訓を伝える物語なのだろうか？　私たちはここに描かれた人物たちに拍手を送っているのか、それとも、彼らを批判しているのか、どちらだろう？　それは約束なのか警告なのか、そして私たちは、そこに示されていることを行なわなければならないのか、それとも、それを避けよというこ

となのだろうか？　文化についてなにがしかの知識があれば──たとえば、私がブギウギを踊るのが大変好まれる地域の出身だと知っていれば──情報に基づく推測が可能だ。しかし、1万年後の人々が私たちの文化を理解するかどうか、確かなことはわからないし、私たちが彼らの文化を理解することは絶対にできない。記号を順番に並べて物語を伝えようとしたとしても──言い換えれば、漫画を使うとしたとしても──それでもやはり、使った記号を正しい順序で読んでもらって、ちゃんと理解してもらえるようにする手段を何か講じなければならない。

左から右に読むと、核廃棄物で汚染された水を飲まないようお願いする、恐ろしい警告の漫画だが、右から左に読むと、胃の不調を鎮め、気分を良くする素晴らしい核万能薬の、目を引く広告になる。

　だが、1組だけ、これまでのところ人間にとって時代を超えた共通の記号が確かにある。人間の顔の表情である。文化や時代を問わず、人間の赤ん坊は、同じ刺激に対して同じ表情で反応する。嬉しくなれば笑顔、腹が立ったらしかめ面、痛かったら悲しい顔、怖かったらぞっとした顔などで反応を示す。ぞっとした顔は、1万年後もやはり警告として受け止めてもらえると考えるのは理に適っている──しかし、これも、アートだとか、恐怖を崇拝する文化の聖堂などと、誤って解釈される恐れはある。とはいえ、叫んでいる顔がいくつも花崗岩に彫られていれば、未来においても、

起こり得る脅威や警告として理解してもらえるというのは、それほど間違った推測ではないだろう。そして、危険を警告するインスタレーション・アートは、本質的に面白く、面白いものは何でも、好奇心旺盛な人間を引き付けるだろうという事実は、作業部会のリポートが対応に苦慮している点の１つではあるが——それはじつのところ、あなたにとっては素晴らしいことなのだ！　あなたは自分のメッセージが面白く見えてほしいし、さらに、注目も浴びてほしい。そもそも、ラシュモア山規模のものを何か作ろうとすることの本質はそこにある！

　そのようなわけで、あなたのメッセージを山に刻み、そこにさまざまな言語に翻訳したものも添え、その場所の周辺にゾッとするようなインスタレーションを配置し、怖い顔のマークも随所に使って、さらに、冗長性を持たせるために、メッセージを耐久性のある材料でできた小さなものにも刻み込んで、さまざまな深さのところに埋め、その一部は機械類を使わなければ簡単には掘り出せないような十分深いところに埋めるようにし、メッセージは、いくつかの異なる複雑さと詳しさで表し、そのうえでさらに、これらのものはすべて、本質的価値はほとんど無く、もっと有用なものに作り変えることが困難または不可能な材料（つまり、花崗岩か陶器。金属を使うなら、より深いところに隠し、現在の文明が滅んだあとの社会が、容易に収集して別用途に使わないようにすること）で作ろう。そうすればあなたは、本書——と、米国政府が収集した知識と資源——が提供できる、１万年以上後にあなたのメッセージが受け取られ理解されることを確実にする最善のチャンスを手にすることになるだろう。

　そして、１万年後に地球に住んでいる人々があなたのメッセージを理解できなかったとしても、あなたのモニュメントの遺構または残骸は、それがどんな形であれ、少なくとも、あなたを力のある神として崇拝する気にさせるだろう。それはいつの時代にもなかなかまっとうな慰めとなる御褒美だ。

期　　間：少なくとも10万年間
作　　戦：海への投入作戦に逆戻り。ただし、今回は
　　　　　はるかに深く
費　　用：約3万3000ドル、プラス旅費。青銅の選
　　　　　択肢も採用するなら追加コストも

あるものは　火に包まれて　世界は終わる　と言う、
あるものは　氷に包まれて　と言う。
これまで　欲望を味わってきた　僕自身の経験から
火を支持する人たちに　賛成だ。
でも　もし世界が　二度破滅しなければいけないとしたら、
僕は　憎しみも　十分知っているので
破滅にとって　氷もまた
大きなものであり
それでこと足りるであろうと　言いたい。

　　　　　　　　　　　　　　──ロバート・フロスト（1920年）

〔『ロバート・フロスト詩集　ニューハンプシャー』所収「火と氷」藤本雅樹訳　春風社〕

　あなたのメッセージが10万年後まで確実に存続するようにするためには、まず、この10万年のあいだに地球が直面するであろう脅威にはどんなものがあるかを把握しなければならない。そして、将来の世代は、戦争を回避し、飢饉を緩和し、疫病を治療し、私たちが本気で望んだならできたはず

だが、まだ着手に至っていなかった「いいこと」をすべて実施する素晴らしい世代だという可能性もあるのは確かだ。しかし、地球規模の自然災害を予防する方法を見つけた者は、これまでのところ皆無であり、また、あなたの計略に影響を及ぼし得る大きな自然災害が2つ、ほぼ確実にやって来る。

　1つめは、新たな氷河期だ。地球では氷河期が周期的に訪れる。前回氷床が最大になったとき——紀元前2万4500年ごろ——には、北米、ヨーロッパ北部、そしてアジア北部の大部分が氷で覆われた。氷河期がもたらす巨大な氷河は、地表にあるものを残らず押し流し、人間が居住していた痕跡を一切合切取り除いてしまう。だから、ラシュモア山よ（そして、直前のセクションであなたが作ったラシュモア山の複製が、どこか氷河作用に直面する場所に彫られたなら、その複製も）、どうか破片だけでも安らかに残ってくれ。次に氷河が最大になるのは、今後5万年以内のことだと予測されているが、もちろん人間が生み出した温室効果ガスのせいで、もしかするとさらに最大5万年ほど遅れる可能性もある——5万年遅れたなら、私たちが今検討している10万年という時間幅に一致してしまう。そのような次第で、私たちのメッセージが10万年以上生き延びてほしければ、そのころ地球は新たな氷河期の真っ只中にあるという非常に現実的な可能性を考慮に入れなければならない。

　だが、自然の脅威はそれだけではない。2つめは、スーパーボルケーノだ。「非常に大きく、火山爆発指数の最大値に達してしまう火山」と専門的に定義されるものを記述する客観的に素晴らしい（しかもヴィラン性にぎりぎりまで接近している）名称だ。この指数の最大値は8だが、これは1000立方キロメートルの火砕物を、成層圏に達するに足りる力で噴出する火山爆発にのみ与えられる。その際に噴出する火砕物は、オンタリオのトロントからケベック州のモントリオールまでの距離を、厚さ1キロメートルの灰、軽石、そして溶岩で覆うに十分で、その後も、このエリア全体に降り積もり続けて、すべてをさらに2キロメートルの火砕物で覆ってしまう。これだけの火砕物が積もるのなら、もしも世界で最も高いビル、ブル

ジュ・ハリファがこの範囲内に建っていたなら、この超高層ビルですら1キロメートル以上の岩石や破片の下にすっぽり埋もれてしまうだろう。しかもこれは、スーパーボルケーノの最低基準に過ぎないのだ！　だが、もちろん現実には、この量の火砕物なら、カナダの2つの都市のあいだの厚さ1キロメートルの帯よりもはるかに広大な土地に影響を及ぼすだろう。スーパーボルケーノは、北米大陸全体に及ぶ広い範囲に影響を及ぼし、その過程で──第4章で見たように──世界の気候を変えてしまえるほど、規模が大きいのだ。これまでのところ、このような噴火を人類が科学的に観察したことはない（主な理由は、幸運にも、そんな噴火が起こっている最中に誰も付近にいなかったからだ[*]）が、その種の噴火が地球の表面に残した傷跡は発見され研究されている。そして、スーパーボルケーノの噴火──「スーパーエラプション」、これは私の造語ではなく、率直に言って素晴らしい、ある地質学の論文から引用している──の歴史を見てみると、それらは平均して10万年に1度の頻度で起こることがわかる。未来のスーパーエラプションで、何キロメートルもの厚さの灰、軽石、溶岩に覆われてしまったら、あなたのメッセージを誰かに見つけてもらうのは不可能に近いと言っていいだろう。

　このように、火と氷──あるいは、より正確には、スーパーボルケーノと地球規模の氷河期──の2つが、メッセージをどこに置いておくかを選ぶ際に大きな制約要因となる。赤道から離れた場所の地表近くは、氷河でメッセージが破壊されるのでダメだ。テクトニックプレートがぶつかり合うプレート境界に近いところは、火山が形成される場所に当たるので、やはりダメだ。したがって、私たちが使えるのは、赤道に近く、プレートの動きが安定した領域に限られる。さらに、人間が何でもつつき回すのが大好きだということは、私たちもさんざん見てきたので、あなたはやはり、

---

[*]　直近のスーパーボルケーノのスーパーエラプションは、紀元前2万4500年ごろに起こった、ニュージーランドのタウポ火山の噴火だ。ありがたいことに、当時ニュージーランドに住民はいなかった。だが、程近いオーストラリアには人間が住んでいたので、何か気づいたかもしれない。

メッセージを海に投げ込むのがいいだろう。海の底なら、あなたのメッセージは、少なくとも10万年ほどのあいだ、人間につつき回されなくて済むだろう。

　ここでも青銅を使ってみてもいいのだが、残念ながら、青銅の像が、緑青ができようができなかろうが、水中でそれほど長期間持ちこたえるという証拠はまったく存在しない。青銅の像は10万年もの昔にはまだ存在しなかったからだ。人間の文明自体、そのころにはまだなかったし、10万年前に人間がまったく存在しなかったわけではないが、彼らは石器時代の真っ只中にいた。それでも、あなたに捨てるほどの金があれば試してみてもいいが、この時間尺度を考えて、青銅ほどありがたがられないが、間違いなくもっと豊富に存在する素材を使うことにしよう。1907年に人間が発明するまで、地球上には存在しなかった物質ではあるけれど。

　あなたの高貴なメッセージを記す媒体は、プラスチックにすべきだ。ポリエチレン・テレフタレートなどの完全な合成プラスチックだ。

　あなたはおそらく、環境保護主義者が海洋プラスチックについて警告しているのをお聞きになったことがあるだろう。海洋プラスチックがそれほど大きな脅威なのは、合成プラスチックは光分解（紫外線を受けて、どんどん小さく分解していくこと）するが、一般に生物分解はしないからだ。新しい材料なので、プラスチックを消化できる生物など地球にはまったく存在しないと、かつては思われていた。最近になってわずかながらそのような生物が発見された──2017年、ハチノスツヅリガの幼虫がプラスチックを食べてゆっくりと穴を空けていくことが発見されたが、膨大な量の廃プラスチックを、もっぱら蛾の幼虫に食べさせることで処分しようなんて非現実的だ。私たちがこれまでに作り出したポリエチレンの大部分は、焼却されでもしなければ、今なおどこかに存在しており、その大半はゴミとして残っている。地球にとっては悪い知らせだが、遠い未来の人々とのコミュニケーションという難題に取り組んでいるスーパーヴィランにとっては素晴らしいニュースだ！　これであなたは、あとは、数百万年のあいだ、光が到達せず、地球にいるプラスチックを食べるユニークな生物が近づい

たりしないような場所を見つけるだけでいいのだ。さらに、次のような事実がある。（a）光は水深１キロメートルほどまでしか到達せず、そのあたりの深度で吸収されてしまう、（b）海の最も深い部分は水深10キロメートル、そして、（c）私たちが知る限り、そしてすべての証拠が示唆しているように、プラスチックを食べる何ものも、最も深い海の底の、超高圧の溝のなかで生きることはできない。

完璧だ。

プラスチックのなかには浮かぶものもある――「太平洋ゴミベルト*」には、この種のプラスチックが文字通り何トンも浮遊している――が、プラスチックは十分高密度にすれば海底まで沈み、そこで持ちこたえることができる。あなたのポリエチレン・テレフタレート（略してPET）のプラスチックのメッセージを、赤道付近であり、かつプレート境界から十分離れたどこかの海に沈めれば、あなたのメッセージが生き延びる絶好のチャンスを得たことになるだろう……だが、残念ながら、それでもなお、それが実際に発見される可能性が十分あるとは言えないのである。思い出してほしい。海は広い。地球では、海底の面積は陸のそれの2.5倍近く大きい。長さ２メートルのプラスチック片が隠れる場所はたっぷりとある。あなたのメッセージがいつの日か発見される可能性を高めるためには、人々の興味を引くような場所に置いておくのがいいだろう。

今から10万年以上先の人々にとって、何が興味の的なのか、どうすればわかるだろう？　今すでに人間が地球について興味を持っているものは何かと見てみると、地球で一番興味深い場所の１つ――しかも、世界中の大人も子どもも知っている場所――はエベレスト山だ。私たちの大半がこの山に引かれるのは、地質学的興味でもなければ、歴史や固有の生物のためでもない。地球に存在する最も高い山で、登ることもできるからである。エベレスト山に登頂したなら、それより高い登るべき山はもはや存在しな

＊　具体的にどこなのか気になる方のために、ここに書いておきます。西経135度から155度、北緯35度から42度の範囲。

くなる。エベレスト山の山頂は、遠いし、命を失いかねないし、登ろうとして失敗した大勢の人々の遺体が散在しているが、それでも人々は登ろうとする。そこに存在しているから、というだけで。[*]

　エベレスト山に相当する海中の人気スポットは、マリアナ海溝の底だ。地球で最も深い海である。あなたのプラスチックのモニュメントはマリアナ海溝で10万年存続できると仮定すると、そこにあるものは何でも、未来に海を探査している人間に発見してもらえる可能性は平均よりもかなり高いはずだ。なぜなら、未来の人間たちがこれを発見するための技術を持っていれば、彼らは当然それに引き付けられて、やってくるだろうから。

　唯一の問題は、あなたのモニュメントは、そこで彼らを待っている不滅のプラスチックとして最初のものではないということだ。

　マリアナ海溝は海抜マイナス10.9キロメートルもの深さではあるが（エベレスト山をマリアナ海溝に持ってきたとしたら、山頂すら海面に届かない）、その内部にはすでにプラスチックが沈んでおり、未来の探検家たちに発見されるのを待っている。意図的に置かれたわけではないが、すでに何台もの水中カメラがポリ袋を撮影している——スーパーマーケットでもらうような、一度使ったら捨ててしまうポリ袋だ。これがあなたを出し抜いて、先にゴールしてしまう恐れがある。

---

[*] 「そこにそれがあるからだ」というのは有名な言葉で、イギリスの登山家ジョージ・マロリーが、自分がエベレスト山に登るのはなぜかを説明した際の発言とされている。彼とパートナーのアンドリュー・アービンは、1924年にエベレスト山を登ろうとしていた途中で姿を消した。凍結し、そのまま残っていたマロリーの遺体は、1999年に発見されたが、アービンの遺体はまだ見つかっていない。アービンは山頂を撮影するためにコダックの初期のカメラを持っており、そのフィルムが現像できる可能性があった。カメラが発見されれば、2人が亡くなる前に実際に登頂に成功したかどうかを確かめることができるのだが。というわけで、あなたにはエベレストに登る2つの理由ができたのだ。「そこにあるから」と、「アービンの凍結した遺体がカメラと共にあるから」の2つである。

遠い未来への過去からのメッセージ。言葉がなくても、「ははは、それが何か??」という気持ちは伝わるだろう。見えないほうの面に言葉が書いてあるなら、あなたも以前セイフウェイの店で「無敵のお値引き」に出くわしたことがあるでしょう、という気持ちも伝わるかもしれない。

　じつのところ、2018年にその最初のポリ袋が発見されてから、ますます多くのポリ袋がマリアナ海溝で見つかっている。したがって、あなたは文字通りゴミと競い合うことになるが、あなたのモニュメントはポリ袋よりずっと大きいし、丈夫だし、ずっとずっと印象的だ。そして、それが伝えているメッセージはあなたのことばかりだが、それでもやはり、ポリ袋が送るメッセージ——「私たち人間は無思慮にも、無差別な環境汚染を続け、意図せぬこととはいえ、地球で最も近づきがたい場所にまでゴミを送ってしまいました。ははは、やべー」——に比べてはるかに想像力を刺激するだろう。

　マリアナ海溝ではテクトニック活動が盛んだ。そこは、太平洋プレートがマリアナプレートの下に沈み込むところだ。これらのテクトニックプレートは年に数ミリしか動かない——太平洋プレートは、その下側に沈んでいく相手側のプレートに対して、年に30〜57ミリ動いている——ので、10万年経っても、まだ3〜5.7キロメートルしか動いていないはずだ。モニュメントを、少なくともマリアナ海溝の6キロメートル東に沈めておけば、これだけの時間が経っても、怒り狂う地下の溶岩で破壊される心配はない

だろう。心配すべきは、火山活動で海底まで上昇した怒り狂う地下の溶岩で破壊されないかどうかだが、これは想定内のリスクだ——そして万一のために、海のなかでも、もう少し安全な場所を選び、そこにバックアップを沈めよう。そうすれば、テクトニックプレートがマリアナ海溝に近づくのと並行して、バックアップのモニュメントもどんどん海溝に近づき、ゆっくりとではあるが確実に、10万年の期日が近づくにつれ、それが発見される確率も上昇するというおまけもついてくる。

だが、この計画にはもう1つ脅威がある。それは、進化だ。

プラスチックが容易に生物分解しない理由は、それが非常に新しいことにある。地球上に存在する、プラスチックを消化できるごく限られた生物は、偶然そうできるに過ぎない——彼らの通常の食料源がたまたま化学的にこの合成物質に近かっただけだ。そして、プラスチックを直接餌とするというニッチを利用するように進化した生物はまだ存在しない。しかし、今プラスチックだけを餌とする生物が存在しないからといって、いつかプラスチックだけを餌とする生物が登場することはないというわけではない。プラスチックという高分子の鎖には大量のエネルギーが封じ込められており、青銅とは違って、プラスチックは有機分子——炭素、酸素、窒素など、生物と同じ元素——でできている。食物になり得るものが大量に存在するとき、やがては何かそれを利用するものが進化によって登場することは、歴史が示しているとおりだ（第4章で見た、微生物が数百万年の進化を経て木材や樹皮を食べる方法を見出したときのように）。そして、確かなことは言えないが、10万年は、食料が乏しく寒い永遠の暗闇である海底で暮らしている微生物が、水中にどんどん増えてきて、海床に散らばっているエネルギーが豊富な物質を餌にする方法を突き止めるに十分な時間のようだ。あなたのレガシーは、進化を相手に競争することになって、それはすこぶる厄介だ。

コストに関しては、頑丈なPETの板を購入し、それらを溶接してモニュメントの形を作り、メッセージをプラスチックに直接彫る（文字を窪みとして彫り込むか、あるいは、文字の周囲を彫って文字を浮彫にするか、

どちらでもよい）というやり方をするとして概算してみよう。幅0.5メートル、長さ1メートル、厚さ10センチ以上の産業用PETシートは約3500ドルで、あなたの青銅のモニュメントと同等の大きさのオブジェを作るには、それが8枚必要だ。ただし、もちろん節約志向のスーパーヴィランなら、1枚のPETシートでも、海底で発見してもらうのが難しくなるというリスクはあっても、満足できるかもしれない。出資を惜しまず最大限のことをやるなら、モニュメント1つ当たり2万8000ドルに加え、シート溶接と両面に文字を彫る費用がかかるが、これは念のために5000ドルと見積もっておこう。ここまで来れば、あとは口が堅い船長が指揮する太平洋横断クルーズ船を予約する費用があればいい。

理想的な船長

　モニュメントを何個か、人々の注目を集めるマリアナ海溝の近くに沈め、さらにもっと安全でそれほど人の目を集めず、プレートの活動が激しいス

ポットから離れたところに複製を何個か置くことで、あなたの偉業を伝えるプラスチックの塊が10万年後の地球の住人たちに確実に届くようにする最善の対策を講じたことになる。

期　　間：少なくとも100万年間
作　　戦：地球を完全に見捨てる
費　　用：4000万ドル以下

宇宙はなぜ光に満ちていないのだろう？　宇宙はなぜ暗闇に閉ざされてしまったのだろう？

――エドワード・ロバート・ハリソン（1987年）

　あなたはおそらく、直前のセクションで、10万年存続する可能性を最大にするには、できるだけ安定して、孤立した、人間からできるだけ遠いところへ行くのがいいのだと気づいただろう。残念ながら、100万年のあいだちょっかいを出されたくなければ、人間の介入を回避する裏ワザはもうあまり残っていない。

　1つは、化石だ。化石の特徴をまねた陶磁器を作って埋めるか、化石が自然に生まれる可能性が高い場所――たとえば、砂で覆われた川底の湾曲部など――に金属の手紙を埋めることもできるだろう。そのようなものは、何百万年も存続することが知られている。しかし、化石に勝算はあまりない。実際、数字を見るとはなはだ芳しくない。すべての生物の99.9パーセ

ントが化石を残さずに死に、何かが化石になる可能性は10億分の1以下だ。だが、この形勢を逆転したとしても、それでもまだ十分とは言えない。化石として記録されるためには、あなたが残したい物体が再び発見されなければならないわけだが、そのためには、その物体は化石を生み出すことができる場所になければならないし、そして化石になって、次いでその化石が破壊されることなく現代まで存続し、さらに人間が発見しやすい地表近くに埋もれており、しかも人間がそこを掘り、化石を見つけ、自分が何を発見したかを理解し、そしてそれを世界と共有しなければならない。地球に存在したことのある種のなかで、化石記録に1つでも載っているのは、1万種に1種でしかない（他の推測値はこれより低く、たった12万分の1だ！　計算は、過去にどれだけの数の種が存在していたとするかによって異なるが、これを正確に突き止めるのは困難だ。なにしろ、化石記録にない種の数を見積もるのだから）。

　それなら、地球なんかもううっちゃっておこう。とにかく地球は暑すぎるし、おまけに寒すぎる――どういうわけか、同時に。命に限りある、おばかな人間たちに彼らの貴重な惑星を任せておけばいいさ。あなたはそのあいだ、地球のはるか上空で――具体的に言うと、高度5900キロメートルの安定した軌道上で――永遠の命を手にする方法を探し求めるのだ。

　ここで私たちの手本になるのが、1976年に打ち上げられたLAGEOS‐1衛星だ。質量400キログラム、直径60センチのアルミニウムの球で、中核部は真鍮でできている。表面には426個のコーナーキューブ型再帰反射器が配置されているので、巨大なゴルフボールのようにも見える。バスケットボールの2倍くらいの大きさのゴルフボールを想像してもらえば、かなり実像に近い。電子機器も可動部もなく、レーザー光を反射して地球へと戻すことだけが仕事である。レーザー光がLAGEOSへと発射されてから戻ってくるまでの時間を正確に測定することができ、そこから、LAGEOSとレーザー光源の距離を正確に計算することができる。そのため、これが成功したことによって、大陸移動や、地球の自転のわずかな不規則性など、さまざまなものが人類史上初めて測定できるようになったの

だった。

さらに、私たちの目的にとって一層役立つのは、LAGEOSが安定した極軌道〔ここでは、地球の北極と南極の上空付近を通る軌道〕にあることだ。十分上空なので、ごくゆっくりとしか減速せず、高度も1日当たり1ミリずつしか低下しない。NASAの計算によれば、このペースならLAGEOSはおよそ840万年経たなければ大気圏に再突入しないという。これは未来の人々とのコミュニケーションを図るチャンスだと気づいたNASAは、銘板に情報を刻み、LAGEOS内に搭載することにし、カール・セーガンがそのデザインを考案した。残念なことに、LAGEOSに載せられた、まったく同じ2枚の、エッチングが施されたステンレス製の銘板（長さ18センチ、幅10センチ）は、「これは、1から10までの数を二進法で表したもの。そしてこれは、2億6800万年前の大陸の姿を推定したもの。さらにこれは、本機打ち上げ時の大陸の姿。それから、840万年の未来のあなたたちが見ている大陸の姿はこうなんじゃないかと楽しくあれこれ考えて作った推定図」以上のことはほとんど何も言っていない。

＊　LAGEOS搭載の銘板に描かれた840万年後の大陸の姿の想像図を「楽しくあれこれ考えて作った推定図」と呼ぶのは口が過ぎると思われるかもしれないが、そんなことはない。NASAにしても、1976年のLAGEOS打ち上げに関する報道資料で、各大陸の未来の位置について、「当て推量よりは多少ましなもの」と呼び、「（大陸移動についての）私たちの知識は、LAGEOSによって大いに向上するに違いない」と言い添えている。そして、そのとおりだった！　この報道資料はまた、この銘板の搭載について、「その遠い未来の時代に地球に住んでいるのが誰であれ、その人たちは（LAGEOSが地球に帰還したときに）はるかな過去から小さなグリーティングカードが送られてきて喜ぶことだろう」と、お茶目なことを述べている。NASAの言うとおりかもしれないですよ！

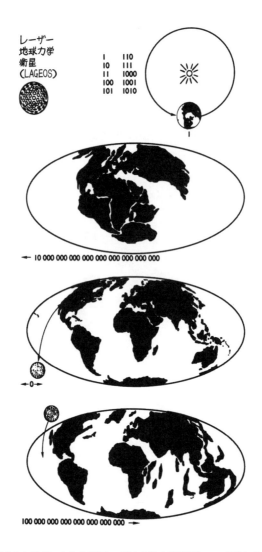

LAGEOSに搭載された銘板。未来の世代に、私たちは大陸移動について少なくとも少しは知っていたと自慢するためにデザインされたもの。

　これは、未来とコミュニケーションを取るための、まさに達成可能な方

法だ。打ち上げに必要なロケットはすでに発明されているし、それ以外に
特別な技術は不要だ。また、私たちの目的にはレーザー反射もいらないの
で、どんなものでもいいから手頃な塊を、LAGEOSと同様に中程度の高
度の地球周回軌道（「中軌道」）に打ち上げればそれで目的を達せられるだ
ろう。それは安上がりでもある。LAGEOSのコストは、LAGEOS衛星そ
のものと打ち上げロケットを合わせた値段で、1976年にはたった850万ド
ルだった。現在の通貨に換算すると約4000万ドルである。さらに、企業各
社が民間の衛星打ち上げの受注合戦に入っており、価格は低下しつつある。
おまけに、ロケット工学では、価格は重量とともに上昇するので、あなた
が作る衛星が軽ければ軽いほど安くなるはずだ。衛星の重量を400キログ
ラム軽くできれば、その分銀行にお金が残る[*]。ここでの話がすべてそう
であるように、これも保証はない。それに、宇宙への打ち上げがますます
ありふれたことになってくると、あなたが打ち上げた衛星が破壊されたり、
損傷を受けたり、予期せぬ早さで回収されてしまう恐れも出てくる。だが
これとて……そうはならない可能性もある。

　どのようなメッセージを衛星に搭載すべきかについては、これまでのセク
ションで当てにしてきた人間の基本的な表情ですら、もはや誰もが理解
するとは言えなくなるという、非常に現実的な可能性に私たちは直面しな
ければならない。今私たちがコミュニケーションを取ろうとしている未来
がどれくらい遠いかを実感していただくために申し上げると、100万年前、
人間は存在しなかったのである。さらに、私たちの祖先に当たるホモ・エ
レクトゥスのような古代の人類は、「火」や「同じ家族のなかで負傷した
者たちをいたわる」などの実験を、まさに行なっているところだった。彼
らが今と同じように感情を表情で示したかどうかはわからない——ひょっ

---

[*]　だが、軽くし過ぎないように。全体を純粋なアルミニウムにしたほうが軽くできたはずなの
に、NASAが中核部を真鍮にしたのは、軽くなりすぎると空気抵抗の影響を受けやすくなるか
らだった。あなたの衛星にも十分大きな慣性を持たせて、高度5900キロメートルに残っている
わずかばかりの大気が及ぼす空気抵抗で減速しすぎ、予定より早く地球に戻ってくることがな
いようにしなければならない。

としたらしてたかもね──ということはつまり、100万年後の地球に誰が暮らしていようと彼らが私たちと同じように物事を感じるかどうかはわからないということだ。彼らが自分たちは人間だと思っているかどうかすらわからない！　そのような次第で、人間の顔の表情を使うのはたぶんダメだろう。言語は絶対にダメなので、結局、LAGEOSの銘板と同じように、地球そのものと、基本的な数の数え方を図示することに望みをかけるしかない。しかし、たとえそうしたとしても、それで理解してもらえるという保証はない。

　だが、率直に言って、あなたが100万年以上の未来にメッセージを送ったという事実は、十分な偉業なので、あなたのメッセージの詳細は、もはやあまり重要ではなくなる。やりたいだけやればいい。あなたのマニフェストを一通り書き、あなたの偉大さを吹聴し、彼らの子孫を脅迫しよう。あるいは、1981年発売のアーケードゲーム『ドンキーコング』でキルスクリーンに達した自分の姿を彫って、彼らに見せてやるだけでもいい。あなたのメッセージは、もしも発見されたなら、すぐにしげしげと眺めまわされ、詳しく調べられて、やがて広く知られるようになるだろう。ここでは間違った答えなどないのだ。

メッセージが伝わったのかどうか、確かめようもなく、もどかしい未来の想像図

期　間：少なくとも1000万年間
作　戦：1人の人間にとっては小さな1歩だが、人
　　　　類にとっては大きな跳躍をする
費　用：無人ミッションの1億ドルから、あなたも
　　　　同乗したければ200億〜300億ドル　±
　　　　2、30億ドル

私がたった一人で抱いていた秘密は、ある希望で、私はそれに全力を傾けた。月が私の深夜の研究を上空から見つめ、一方私は、弛まず息もつかぬ熱意で、自然をその隠れ家まで追跡した。
**　　　　——メアリー・シェリー『フランケンシュタイン』（1818年）**

　1000万年後の未来の世界にメッセージを送るには、地質学的活動がほとんどなく、有害な気象現象、あるいは天候そのものが起こらず、地球に存在するすべての人間から38万4000キロメートル以上離れたところにそれを置かなければならない。
　あなたは、メッセージを凍てつく月に置くのだ。
　月には酸素がない——のみならず、それ以外の気体にしても、大気と呼

べるほどのものはない——ので、金属がさびる心配はなく、おかげで青
銅よりも安い金属を使うことができる。とはいえ、配慮が必要な環境因子
は他にもある。真空中では、極端な寒暖に対処できるものが望まれるし、
また、寒暖によってあまり膨張したり収縮したりしないものがいい。この
ような制約からすると、相も変わらぬとはいえ、実証済みの材料を使うこ
とにしよう。ほかの宇宙船でも使われているステンレス鋼だ。ステンレス
は隕石が多少衝突しても耐えられるだけの密度があるし——長期間月にと
どまるはずのものにとっては重要な性質だ——その後数百万年にわたりさ
らされる、交互に繰り返す灼熱と極寒を耐え抜くのに十分強さがある。
並大抵の灼熱と極寒ではない。地球の13.5日に相当する時間続く昼間には
温度が127℃に到達し、その後の13.5日間の夜には温度はマイナス173℃に
まで低下するのだ。

　月面における主な自然の脅威は、すでに軽く触れた、宇宙からの飛来物
の衝突だ。地球には大気があるので、隕石や小惑星がやってきても、そ
の速度はかなり低下し、最も大型のもの以外は燃え尽きて無害な火と煙に
なってしまう。だが月面では、飛来物は元々の大きさのまま、そしてその
ままの速度で衝突する。残念ながら、月面にどのくらいの頻度で隕石等が
衝突するのか、実際のところ私たちにはわからない。なぜなら、月面への

* これは厳密には正しくない。月にはごくわずかな大気が存在する——密度は国際宇宙ステー
ションの軌道上に存在する大気と同じくらい——が、それはたいていの目的にとって機能上真
空と同じである。
** 安全策を取りたければ、月の南極の近くには、あまりに深いため、内部には永遠に日が当
たらないようなクレーターが存在していることを利用すればいい。そこの温度は、一般的な月
面よりもはるかに低くなる——−247℃にまで下がる——が、温度は総じて、日光が直接当た
る場合ほどには変動せず、−173℃以上に上昇することはない。しかし、このような深いクレー
ターは、形成されてから長期間融けていない、月の水でできた氷が存在していると考えられ
ている場所でもある。したがって、そこは人々の関心を呼び、何かモニュメントがそこにあっ
たとしたら、私たちの予定よりも早く、未来の人々に破壊されてしまう可能性が高い。
*** 隕石と小惑星は基本的に同じもので、どちらも宇宙からやってくる岩石を主成分とする
物体だ。違いは、隕石が直径1メートル以下であるのに対して、小惑星は、それより大きいが、
惑星よりは小さいものすべてを指す。これでわかりましたよね！　あなたの友だちはもう、こ
の分類についてあなたにダメ出しできなくなりました。そして、これからはあなたが、別の友
だちにこの話題でダメ出しできるようになったわけです。

隕石衝突について、それほど注意深く長期間にわたって人間が観測したことがないからだ。しかし、（非常に！）大雑把に見積もって、地球と月は比較的近いので、両者は同程度の隕石衝突の脅威にさらされているが、月のほうがターゲットとして小さいので、月面に衝突するものはそれだけ少ないだろう。月はサイズの点（直径の長さ）では地球の４分の１、質量は地球のそれの1.2パーセントしかないのだ。小規模な隕石が衝突しても、あなたのモニュメントはもちこたえられるだろうが、大規模なものなら、そうはいかないだろう。そして、地球の場合、直径１キロメートル程度の小惑星——大都市を１つ破壊するには十分だが、私たちが知っている形の生命を壊滅するには至らない——は50万年に１度程度の頻度で衝突する。月の直径は地球の約27パーセントしかないので、隕石・小惑星衝突の頻度は断面積の大きさに比例すると仮定すると、月ではおよそ670万年に１度のペースで起こると考えていいだろう。これでもまだ、今私たちが考えている時間範囲にしっかりと入ってくる。したがって、しょっちゅう起こる小規模な隕石衝突に加えて、巨大な小惑星の衝突も、やはり考慮しなければならない。

　この上空からの脅威を緩和する方法は２つある。１つめは、これまでにも使った、「多数の複製を地球（今の場合なら月）のあちこちに隠す」作戦だ。この作戦は常に、あなたのモニュメントが、認識され理解されるに十分な程度の軽い損傷しか受けずに生き延びる可能性を高める。２つめは、モニュメントを埋めることだ。月では、地質学的活動と液体状の水が（さらに、どんな種類の生命も）存在しないので、月に埋めた物体は、地球にあったとした場合よりも、生き延びる可能性が高い。また、深く埋めるほど、隕石や小惑星の衝突に対して、よりよく守ってもらえる可能性は高くなる。そして、普通はそうすることでモニュメントは見つけにくくなってしまうが、ステンレス鋼のモニュメントが埋まっていたなら、そんなものは他に存在しない月の上では、それはそれだけで興味深いものとなる。もしもその存在が検出されたなら、あなたのメッセージがすぐにでも発見される可能性はかなり高いはずだ。

　あなたのステンレス鋼のモニュメントを月に運ぶ費用は、１億ドルを少し超えるくらいだ。これは、2019年にイスラエルの月探査機ベレシートを月に送るのにかかった費用である。そして、ご存じのとおり、ジャイロスコープの故障で軟着陸ができず、月面に衝突してしまったが、実際、あなたにとってはそれは好都合だ。落下して衝突するなら、それはあなたがモニュメントを埋める手間を軽減してくれるのである。さらに、１億ドルは本章では初登場の高額だが、1960年代のアメリカの「レンジャー計画」の費用に比べれば格安だ。レンジャー計画では、あからさまに月に衝突させる（理想的にはその過程で落下しながら写真も撮影させる）目的で設計された一連の探査機が開発され、そのコストは今日の貨幣価値で10億ドルを超えていた。

　しかし、月にモニュメントを送る唯一の目的があなたのレガシーを確実なものにすることなら、おそらく、クールにやる価値は十分にあるはずだ。月に行き、モニュメントを自分で設置するのだ。2019年、NASAは、2024年までに再び月に宇宙飛行士を送り込む計画のコストとして200〜300億ドルという見積りを発表した。この数字はやや大雑把である。そこには、NASAだけに可能な、既存の宇宙船を再利用──あなたはそんなことは嫌だろう──するというコスト削減策が含まれている。だが、そのほか、月面基地のコストが含まれている。これは、未来とのコミュニケーションに費やした長い１日の終わりにくつろぐにはいいかもしれないが、必須ではないことは間違いない。それでも、リラックスするためには非常にありがたい場所だろう。

　あなたが直面する最後の脅威は、いつものように、ちょっかいを出してくる子どもたちだ。より正確には、現在生きている人々と、未来まで続くその子孫たちだ。もしもあなた以外の誰かが、今後1000万年のうちに再び月を訪れたなら、あちこち跳びまわり、ゴルフボールを手あたり次第他のものにぶつけて、何やかやを倒して、爆破して、そして、あなたがこれが最善と思って立てた計画を総じて狂わせてしまう。ここでのあなたの強みは、月旅行がまだ稀にしか行なわれないことだ。これまでに月に行った人

は12人しかいない。そのうち8人はすでに亡くなっているし、1972年12月以降、誰も月には行っていないし、「21世紀に初めて月に旅行する最初の人間」になる競争にはまだ誰でも参加できる。そんな状況なので、あなたのモニュメントが早く月に到達するほど、それが何にも代えがたい人類の世界的な遺産の1つであり、別の天体の上にある永遠に人間的なるものであると主張する権利は大きくなる。

もしかすると道を見失ったのかもしれない文明？（ちなみに、左の爆発物の話は本当だ。宇宙飛行士たちは月用地震計のデータとするために爆発物を爆破した）

永遠に人間的なるもの

「永遠に人間的なるもの」という言葉は、ウィリアム・サファイアが当時のリチャード・ニクソン大統領のために書いた、あるスピーチに起源を発する。それは、月着陸船が正常に機能せず、ニール・アームストロングとバズ・オルドリンが月面で足止めを食

らってしまった場合に読み上げられることになっていた。その中身だが、この2人の勇気をほめ称え、知識の追究のために2人が払った尊い犠牲に言及したのに続き、「他の者たちがそのあとに続き、必ず帰還するだろう。人類の探求が否定されることは今後もない。しかし、この2人がその最初の者たちだったのであり、彼らは私たちの心のなかで最も重要な人たちであり続けるだろう。今後訪れるすべての夜、月を見上げるすべての人間が、もう1つの天体に永遠に人間的なる片隅があることに思いを致すだろう」という美しい感傷的な言葉で結ばれている。

このスピーチは2人の宇宙飛行士が月面に足止めを食らったものの、まだ生きているうちに読み上げられ、その後初めて、宇宙管制センターとのコミュニケーションが遮断され、アームストロングとオルドリンのプライバシーを尊重することになっていた。私たちはみな死ぬときは独りだが、アームストロングとオルドリンは人類史上最も孤独な死を迎える可能性に直面したのである。

アポロ11号──1969年に人類を初めて月に運び、彼らの足跡、排泄物の入った袋、その他の遺物を残していった宇宙船（394ページのコラムを参照のこと）──の着陸地点は、未来の世代が尊重し保存する史跡となると思われるし、損傷を受けた場合には修復される可能性が高い*。しかし、その理由の1つは、アポロ11号が着陸したとき、月にあった他の人工物はたったの30個だけだったからだ。それらは、意図的なものも偶然そうなったものも含めて、月に落下した人工物の残骸である。今日では、地球製の

---

* 2020年12月31日、「宇宙における人類の遺産を守るための小さな一歩法」がアメリカで制定された。NASAに協力している企業に、過去のアメリカの月ロケットが着陸した地点を損傷させることを禁ずる法律だ。ミシシッピ大学の航空宇宙法の教員ミシェル・ハンロンが指摘するように、それは「地球外に人類の遺産が存在することを認識する国家が制定した法律としてたまたま最初のものになった」。

宇宙船が少なくとも80機月面のあちこちに落ちている。そして、それらの宇宙船が地球から運んできたさまざまな物体——月面車、ゴルフボール、アルミニウムでできた小さな宇宙飛行士の像、爆破によって散布されたソ連のロゴ入り金属小片*、そして、もしかすると、アンディ・ウォーホルが描いた男性器の小さな線画**）——も含めると、総計数百点の人工物があることになる。

このすべてが特別なわけはない。

地球から送られたものがますますたくさん月に残るようになると、新たに何かを月に持って行っても、特別な感じはどんどん薄れていく。総じて、前例がどの程度あるかの順でその薄れ方は著しくなる。今、「月を訪問する順番」の、なるべく前のほうに付けておくようにすれば、明日あなたのメッセージが可能な限り遠くまで届くことは、きっと確実になるだろう。

---

* この、たくさんの金属小片は、1959年のルナ2号のミッションで月に運ばれた。これが、人間が作った物体が別の天体に到達した（そして／または衝突した）最初であった。そもそもルナ2号は、金属製の球を2個、月まで運んだ。それぞれの球は、外側を72個の小さな金属のシールドで覆われており、一部のシールドにはソビエト連邦の紋章が、また別のシールドには「CCCP」の文字が刻まれていた。金属球はルナ2号から放出され、月面に衝突した際に意図的に爆破された。そのとき完全に破壊されていなければ、ソ連を表すマークや文字が広く月面に散らばったはずである。

** ようこそ、「アンディ・ウォーホルが描いた男性器の小さな線画」の脚注を読みに来てくださった、傑出した読者のみなさん！　何があったかというと、アメリカの彫刻家フォレスト・マイヤーズが、ウォーホルを含む何人かの芸術家が描いたシンプルな白黒のスケッチを集め、長さ19ミリ、幅12ミリのシリコンウエハーに印刷したのである。マイヤーズによれば、このウエハーは、アポロ12号の着陸モジュールの熱シールドの下に、このプロジェクトに参加していた1人の技術者によってこっそりと置かれた。アポロ12号の乗組員たちが、背後に小さなアートギャラリーを残して月を去ったあとになってマイヤーズがこの悪ふざけを世界に公表したときは、それを確認するにはもう遅すぎた。彼の公表と同時に《ニューヨーク・タイムズ》紙に掲載されたこの「月の美術館」のウエハーの写真では、誰かの親指がウォーホルの絵をさりげなく隠していた。

アポロ11号が月に残したもの

　アポロ11号の宇宙飛行士たちは、月に着陸すると、地球に持ち帰るために月の岩の試料を収集したが、その結果当然ながら、宇宙船の重量は増した。制限重量内に収めるため、彼らはもはや不要になったものを捨てた。おかげで、100点を超えるものが月に残されることになった。空になった食料品の袋、月面ブーツ2足、ハンマー1本、アメリカ国旗1枚、そして、そのとおり、彼らが排泄物を貯めていた袋である。そんな嫌な袋、誰も持って帰りたくないよ！

　あるいは、私たちはそう思っていた。その後歳月を経るうちに、これらの排泄物袋を回収することに、れっきとした科学的な関心が持たれるようになったのだ。人間の排泄物にはバクテリアがたくさん存在しているので、これらの袋の1つでも、月の苛酷な環境のなかを持ちこたえ、まだ生きている微生物が含まれていることが発見されれば——たとえ休眠中の状態であっても——それは私たちが将来のミッションで、ほかの天体を地球の微生物で意図せずして汚染してしまう可能性はどれくらいあるかを推定する1つの手がかりになるはずだ。

　ちなみに、アポロ11号の宇宙飛行士たちが月面に立てて写真を撮ったことで有名なアメリカ国旗は、彼らが乗った着陸船が軌道に戻る際の爆風でひっくり返り、その後ずっとそのまま、大気によって弱められることのない強烈な日光で色褪せ、分解するまま放置されている。みなさんも欲しいと思われているかもしれないアドバイスをしておこう。未来へのメッセージを、薄いナイロンの布に記すのはやめよう。

期　　間：少なくとも1億年間
作　　戦：宇宙の墓場へ行く
費　　用：約2万ドル～3億6500万ドルだが、あな
　　　　　たのマニフェストには芸術的価値があると
　　　　　誰かに納得させられたなら、最低のコスト
　　　　　で行ける

彼女は敢えて苦難の道を歩んだ
　　　　　　　　　——ベティ・デイヴィスの墓碑銘（1989年）

　通信衛星の多くは、静止軌道にある。静止軌道とは、赤道の上空3万
5786キロメートルを周回する軌道で、この軌道にある人工衛星は地球の自
転と同じ方向に同じペースで運動する。そのため、地面から見ると、その
人工衛星は空の同じ点にまったく動かずに静止しているように見える。衛
星テレビを見るために衛星アンテナの向きをしょっちゅう調整したくない
人には、これはじつに便利な性質だ。
　しかし、その閉じた楕円の軌道に配置できる人工衛星の数には限りがあ
るため、今新たに打ち上げる人工衛星は、耐用年数の終わりに達したとき
に、静止軌道から離れるために最後の燃料を保持しておくように法律で義
務付けられている。そういった衛星は、さらに約300キロメートル上昇し、
その後停止する（地球に落下して衝突するよりも、さらに上空の宇宙へ送

るほうが安上がりなのだ)。人工衛星が死にに行く、この静止軌道よりもさらに上にある軌道は、「墓場軌道」と呼ばれている。そこはほかのどんな目的にも使われておらず、見捨てられた衛星は、数億年を超える悠久の時を、ゆっくりとその高度で周回しながら存続することができる。

「できる」とはいうものの、じつのところ、それはものすごい重労働だ。それはこういうわけだ。太陽系は数学的にはカオス的であり、太陽系の惑星の軌道が今後どうなるかという最善の予測も、200万年〜2億3000万年先になると、どの惑星をシミュレートしているのかや、初期の測定値の精度に応じて、使い物にならないほど不正確になってしまう可能性がある。しかし、すべての衛星が墓場軌道で無傷で残っており、1億年以上の未来にもなお存続していると期待することはできない一方で、その一部は存続していると推測することは理に適っている。これらの人工衛星は実際、太陽系の内部に人類が存在したという証拠として、最も長く残る可能性があるのである。

　そして、そんな人工衛星の1つや2つは、あなたのものであっていいはずだ。

　ここでの手本は、2012年に打ち上げられたテレビ衛星、エコースター16である。2027年にはその耐用年数を超え、静止軌道から墓場軌道へと上昇させられる予定だ。エコースター16が特別なのは、直径約12センチメートルの、金メッキを施したアルミ製の小さなクラムシェルケースに収められたシリコン製のディスクを載せているからだ。このディスクの表面には、「ラスト・ピクチャーズ(最後の画像)」がエッチングの手法により彫り込まれている。それは、遠い未来に対して今の地球を代表するものとして芸術家トレヴァー・パグレンとそのチームが選んだ100枚の白黒写真である。ケースに収められているのは、宇宙の苛酷な環境からディスクを守るためであり、金メッキされているのはケースが宝物のように見えるようにするためだ。そして、ディスクがシリコン製なのは軽量性(何かを宇宙に打ち上げる際には常に問題になる)のためと、過去に宇宙船で成功した実績のためと、さらにその安定性のためである。

　このような時間尺度では、あなたは拡散を心配しなければならない。これは、原子が十分長い期間のうちに、固体物質の内部で移動する現象だ。ある１つの物質のなかに、２種類以上の異なる分子が共存している場合、拡散が起こる可能性があり、長い期間のうちに、ある程度以上の移動が起こると、その物質のなかにコード化されて保存されている情報が分散し、破壊されてしまう恐れがあるのだ。これを緩和するために、エコースター16のディスクはたった１つの物質、シリコンでできており、そのシリコンは、ディスク全体が、端から端まで、継ぎ目や境界がまったくない１つの結晶からなっている。この単結晶シリコンは、硬いと同時に安定であり、さらに、それほどの微視的尺度でシリコンにエッチングを施す技術はすでに発明されているというボーナスの御利益までついてくる。私たちはこの地球上で、コンピュータ用の集積回路を作る際にはいつも、この技術を使ってきた。その結果出来上がるのは、情報がぎっしり詰まった、宇宙へと持って行くことができるほど十分軽く、墓場軌道に行っても存続するに十分頑丈なウエハーだ。そして、そこに刻み込まれた何枚もの写真は、裸眼でも見分けられるのに十分な大きさではあるが、拡大して見ると、はるかに多くの詳細な情報が得られる。

　ディスクが入ったケースが取り付けられた、エコースター16の外側の場所は寄付されたものだったので、誰か自分の人工衛星会社を持っている人（とシリコン加工会社を持っている人）を、あなたの計画に賛同するよう説得して、同じように衛星の外側をタダで使わせてもらえれば、このプロジェクトは実際に、大した支出なしに成功させることができるだろう。だが、もしそうできなかったとしても手はある。エコースター16はロシアのプロトン‐Mという重量物打ち上げロケットで打ち上げられた（１回の打

＊　ニューヨーク市のJ・フッド・ライト・パークに設置されたあるアート作品は、この現象を利用している。彫刻家テリー・フューゲート・ウィルコックスによるマグネシウムとアルミニウムの板を交互に重ねてボルト付けした、2000キログラムもある作品だ。制作者は、西暦3000年までに、原子の拡散、あるいは他の現象によって２種類の金属が融合すると期待しており、この作品を「3000 A.D.」と命名している。

ち上げのコストは6500万ドル）。ただし、静止軌道まで到達するには、さらに3億ドルかかる可能性がある。あなたが十分小さく、十分軽い衛星を自費で調達したなら——小型軽量で十分だ、なにしろ、ウエハーのほかに運ぶべき重量は、自らを低地球軌道から静止軌道まで運ぶためのエンジンと燃料だけなのだから——多数の衛星を同時に打ち上げることができ、打ち上げ当たりのコストが下がり、衛星のうちの1つが、エコースター16の写真集と同じように、数億年ものあいだ生き延びる可能性を高めることができる。そして、シリコンのディスクそのものは、打ち上げ費用に比べたら微々たるコストで製造できる。なんと1枚当たり2万ドル以下というお値段。

あなたのディスクに何を記すかについては、100万年後まで存続させることを目標にしていた際に、その時間尺度では、あなたのメッセージがそれほどの遠い未来に辿り着くまで十分長く生き延びたという事実そのものが、あなたのモニュメントの真の重要性になるので、メッセージで何を言おうとあまり関係ないのだと納得したことを思い出してほしい。これと同じ理屈がここでも当てはまる。

私がトレヴァーに、遠い未来とコミュニケーションを取ろうという気持ちと、それをうまくやり通すのは難しいという知識とのせめぎ合いをどう解決するのかと尋ねたところ、彼は、自分が協力して選んだ写真は、いつの日か人類の墓碑銘——人類についての警告、あるいは、そうなる可能性が最も高いが、それを発見した人にはまったく不可解なものでしかない墓碑銘——になるだけかもしれないことを自分はしっかり認識していると述べた。だが、そうとわかっていても、やはり写真は意図的に選択したという。「この世界には、どんな人間よりもはるかに大きな力がいくつも働い

＊　これは、ディスクを製造したマサチューセッツ工科大学が、「ラスト・ピクチャー」事業にシリコンのディスクを寄付するための予算を確保するために出した見積りの数値で、そこには、材料費、実験室使用時間にかかる費用、製造費、数度の製造現場訪問の費用、そしてプロジェクトがスムーズに進むよう見守る大学生1人の人件費が含まれる。2枚以上のディスクを作れば、単位コストは下がる！

ています。経済的な力、気候の力、政治的な力、等々、何の力であれ。そして、このような力に誰かが、何らかの形で影響を及ぼす可能性は——プラスの方向に影響を及ぼすことはもとより——基本的にゼロに近いですよね。ですが、だからと言って、あなたが何も気にかけなくていいという言い訳にはならないでしょう。参加しなくていいという許しをもらったことにはなりません」

というわけであなたは、すべてのスーパーヴィランと同様に、全力を尽くして参加するのだ。

エコースター16の写真集には、あなたが期待するような題材も選ばれている（自然の風景、動植物、洞窟壁画、ロケットの打ち上げ、月から見た地球の写真）が、もっと折衷的な選択もある。後者の例は、双方向的フィクション・ゲーム「Zork」の最初の言葉をそのままスクリーンショットで撮ったもの（「白い家の西側にある空地で、お前は板張りの玄関扉の前に立っている。そこに小さな郵便受けがある」）、1972年の映画『猿の惑星・征服』の舞台裏を写したスナップショット、中国の美術家、艾未未（アイ・ウェイウェイ）がエッフェル塔に中指を立てている自分を撮った写真、そして、1970年代のマーベル・コミック『アベンジャーズ』の75話から取ったキャプテン・アメリカの線画（ロイ・トーマス著、ジョン・ブシェーマ下絵、トム・パーマーペン入れ・仕上げ）などである。＊

そして、もしもあなたが、もっと暗い印象の絵にしたければ、その前例もある。エコースター16には、地球での暮らしについて、あまり誇れない画像も含まれている。たとえば、エボラウイルス、大規模密閉型の鶏舎で延々と続く何列もの段に詰め込まれ身動きも取れずに飼育されているニワトリたち、第二次世界大戦中アメリカの捕虜収容所に拘束された日本人の子どもたち、ベトナム戦争で広く使われた枯葉剤の影響で先天性障害を負った子どもたち、そしてCIAのプレデター・ドローンが、アメリカ政府の

＊　宇宙においてであっても、あなたのために仕事をしてくれたアーティストたちの功績を公に認めることは大切だ。

遠隔暗殺計画の一環として上空を飛んでいるところをパキスタン国内で地上から撮影した画像などだ。

これらの画像のすべてが、私たち自身を超えて存続する可能性がある。

未来へ送る、まったく不可解だが、まったく素晴らしいであろうメッセージ

墓場の衛星から部品を頂戴する

未来の世代が、墓場軌道を周回しているこれらの人工衛星を荒らし回って、材料や部品を奪い取るのではないかという懸念は常にある。2012年、DARPA（国防高等研究計画局。軍事使用を目的とする技術の開発を担う米国国防総省の機関。これまでに、インターネットをはじめ、サイバネティック・ビートル、先に触れたプレデター・ドローンなどを成功させている）はフェニックス・プロジェクトを提案した。ロボティック衛星が、墓場軌道にある死んだ人工衛星から利用可能な部品（たとえば、アンテナなど）をかき集めて、そして軌道にとどまったまま、それらの部品を使

って新しい衛星を作るという計画だ。この方針は2015年に放棄され、その後このプロジェクトは、存在している衛星を調べ、修復することに焦点を移した。

　墓場軌道にロボティック衛星が打ち上げられたことはまだないが、恐れることはない。あなたの（機能的には使えなくなった）衛星は、誰が作った「遠方の軌道から回収すべきポンコツ衛星」のリストでも、ずっと下のほうにしか載っていないだろうから。

期　間：少なくとも10億年間
作　戦：タイタンへ行く
費　用：約39億ドル

地面のように堅固な壁が文明を野蛮から隔てていると思うかもしれない。申し上げよう。その仕切りは1本の糸、1枚のガラス板でしかない。ここに一度触れる、あるいは、あっちを一度押すだけで、土星（サターン）の支配が戻ってくる。

　　　　　　　　　　　　　　　　　──ジョン・バカン（1916年）
　　　　　　　　　　　　　　　　　〔カナダ総督を務めた小説家〕

　2017年9月15日、20年近いミッションを終了したカッシーニ土星探査機

は、土星に向かって落下させられて、かねてからの計画通り破壊された。そのフィナーレはエミー賞をも勝ち取った。しかし、それよりもずっと以前、2005年に、カッシーニの小型探査機ホイヘンスが土星最大の衛星タイタンに着陸を成功させていた。タイタンの魅力は、そこには生物に適した環境があるかもしれないことにある。

　太陽からはるかに遠い——地球が受け取る太陽光の約1パーセントしか受け取らない——にもかかわらず、タイタンの表面下にはアンモニアが多く含まれた水が、凍った地殻の下に存在していると考えられている。ときおり液体状の水が火山から表面へと噴出し、地表には炭化水素の湖もいくつか存在する。これは、地球以外の天体で初めて発見された、安定して地表に存在するまとまった液体である。タイタンには窒素に富んだ大気があり、地球の大気よりも高密度だ。あなたは宇宙服を着ずに（ごく短時間）歩き回ることができるが、やがて、酸素がないために窒息し、マイナス179℃の大気のなかで凍死するだろう。タイタンには天気と季節が存在し、さらに、地球の水の循環と似た、メタンの循環も存在している。そして、これらのことをすべて考えあわせると、タイタンではいつの日か生物が進化によって出現する——その遠い彼方の天体の内部のどこかに——わずかな可能性がある。また、今そこに生物がまったくいないとしても、それはいつの日か生物がそこに登場することなどないという意味では決してない。

＊　正確には、エミー賞の「傑出した独創的双方向プログラム」部門。土星への最後の飛行は実際に「ザ・グランド・フィナーレ」と呼ばれていた。
＊＊　ホイヘンス小型探査機はタイタンに着陸する前に滅菌されなかったため（ホイヘンスが送信したデータが、タイタンは当初思われていたよりも生物に適した環境だと示していたため、今後のミッションではもっと注意しなければならないかもしれない）、ホイヘンスの着陸によって地球の何かの生命体が、うっかりタイタンに持ち込まれ、地下の海に入り込んでしまった可能性も、一層わずかではあるが、ある。

「待ちの戦術」実施中

　54億年ほど未来に、私たちの太陽は赤色巨星の段階に入る——赤色巨星となった太陽は膨張し始め、最終的には、水星、金星、そしておそらく地球、私たちの月、そしてそれまでのあいだにこれらの天体の周囲に私たちが打ち上げたすべての人工衛星も、呑み込んでしまうのに十分な大きさに

なるだろう。約70億年後にそうなったとき、太陽はタイタンを約マイナス70℃まで温められるだけのエネルギーを放出しているだろう。ここまで温まれば、大量のアンモニアがあるおかげで、凍っていたタイタンが実際に融ける可能性が出てくる〔アンモニアの融点はマイナス77.73℃なので〕。太陽は数億年間その状態のままだと考えられるが、これはこの地球で生物が進化するのにかかった時間よりも長いため、タイタンは、太陽系内で、この期間に生命が進化する可能性が最も高い場所となるはずである。そして、もしかしたらタイタンに生物が登場して、しかもそれが知性を持っており、さらに、のちに太陽が冷え始めたときに、それに適応できて、その後十分長いあいだ存続し、ひょっとしたら、私たちがその生物のために残したものを読めるところまで到達するかもしれない。もちろん、そんなことが起こる可能性は（文字通り）天文学的に低い。10億年以上未来に生きているものについて論じようとするとき、そんなことにはならない可能性が圧倒的に高いという以外に、確かなことは何もない。だが、それでもなおチャンスはある。

地球における最後の死

良い知らせがある。50億年後に太陽が赤色巨星になったときに地球では誰も死なないのだ！　悪い知らせは、その理由はそのこ

---

* ここで私はみなさんにお詫びしなければならない。本章に含まれる、これまでのすべての「未来に話しかける」作戦でみなさんの時間を浪費してしまったからだ──そのすべては、数十億年後には赤色巨星になった太陽に呑み込まれ、破壊されているだろう──とりわけ、あなたが本書を読みながらそれらの作戦をある程度実施し始めていた場合は。
** この可能性を探っている論文の1つ（「赤色巨星となった太陽の下でのタイタン──〝新種の居住可能な衛星〟」ラルフ・D・ロレンツ、ジョナサン・I・ルーニー、クリストファー・P・マッケイ著）は、タイタンで生じうる地球で「原初のスープ」と呼んでいるものの冷製版を「原初のガスパチョ」と呼ばずにはいられなかった。そして私はこのことをみなさんにお話しせずにはいられない。

ろには地球のすべての人がとっくの昔に死んでいるから、ということだ。今からたった10億年で、太陽はずいぶん温度が上昇し、海を沸騰させ、人類がわずかでも居住可能な場所はもはや存在しなくなる。そして、その後18億年のうちに、他から分離され、保護されていた場所（涼しい山頂や凍った洞窟など）でなんとか生き延びてきた単細胞生物たちが作った小さなコロニーですら、やはり死んでしまうだろう。水もついには蒸発してしまうが、水のないところでいつまでも生きていられる生物を、どんな形のものであれ私たちは知らない。

　今から28億年後の、この最後の死の瞬間、地球における生命の物語は一巡して振り出しに戻る。かつて地球は、犬や恐竜や奇妙な虫や人類の進化が頂点に達したことを誇ったものの、最後に地球に残った生命体は、シンプルなバクテリアである可能性が高い。肉眼では見えない、単細胞の、孤独な、そして、約68億年前に地球で進化した、最初の微生物に最も似たものだろう……だがそれとて、この世界から間もなく消え去るのだ。

　そして、あなたはそのチャンスをものにするのだ。NASA、欧州宇宙機関、そしてイタリア宇宙機関の力をあわせてもできなかったことを、あなたは成し遂げるのだ。10億キロの距離と、10億年の時を超えて、凍った衛星タイタンにメッセージを送るのである。人間とではなく、今後そこに進化するかもしれない知性ある生命体とコミュニケーションを取れるかもしれないと期待して。

＊　地球上のすべての人間は、先ほどのコラムですでに絶滅しています。気づかなかった方、ごめんなさい。

　1997年に地球から打ち上げられたカッシーニ‐ホイヘンス土星探査機は、地球外生命体へのメッセージはまったく運んでいなかったが、終始一貫してそういう計画だったわけではない。NASAのボイジャーレコード（このあとすぐに述べる）のデザイン・ディレクターだったジョン・ロンバーグは、早くも1994年から、いつの日かタイタンに出現するかもしれない未来の生命体と触れ合おうという非常に野心的な計画を主導してきた。それは、工業用単結晶ダイヤモンドの円形ウエハー——厚さ１ミリ、直径2.8センチ、重さ4.32グラム——に情報を刻み込むというものだった。アメリカのジェット推進研究所とカナダ国立研究評議会が協力して、ダイヤモンドに微視的なメッセージを刻み込むという前例のないことを成し遂げる方法を模索した。そして彼らは、それが可能だと示すことに成功した。ダイヤモンドは、どう見ても高価な材料だが、次のような理由から選ばれた。私たちが持っている最も硬い材料なので、すでに知られているほかの何ものよりも摩擦と風化に耐えられるだろう。さらに、ダイヤモンドは不活性で、タイタンに存在する既知の物質と反応しない。そして最もありがたいのは、透明なので、ダイヤモンドの第２の層を上に重ね、メッセージを歳月の流れから守ると同時に、誰が発見してもちゃんと読めるように保つことがで

きることだ。保証はないが、ここで私たちに必要な期間〔少なくとも10億年〕、ダイヤモンドのウエハーがもってくれる可能性はゼロではなかった。

　この小ささでは、2、3個の画像を彫ることしかできなかったし、発信者の居場所と発信した時間を示すための画像——どの時代から来たのかを表すために、恒星の配置と土星の環の絵（どちらも、時の経過によって徐々に変化する）を載せ、ほかに、太陽系の模式図と、現在の各大陸の位置を示した地球の絵など——を描いたあとは、1つか2つの画像しか刻めなかったが、それらを「人類のポートレート」にしようということになり、これが公式名称となった。その画像はステレオ写真として撮影することに決まった——2つのカメラで同一の被写体を別々の角度から撮影する手法だ。冗長性をもたせられるし、また、もしも両方の画像が生き延びたなら、タイタンの人々は、2つの画像の微妙な違いから、両者を同時に見れば三次元像を作り出せる——おもちゃのView Master™*のように——と気づく可能性が出てくるからだ。これにはさらに、背景にある物体の大きさを示すという科学的な利点もあった。

「人類のポートレート」の写真は、さまざまな年齢、性別、民族の人間たちのグループが、全員ハワイのビーチに集まり、メンバーの1人がダイヤモンドウエハーの複製を掲げ、このウエハーを参照物として、みんなの体の大きさが明確にわかるように、注意深く撮影された。授乳する母親の姿が含まれており、人間がいかに子どもたちに愛情を注ぐかを表し、また、人間には性差があることを示すために、1組の男女混合双子が載せられた。1996年12月、ハワイの写真家サイモン・ベルが撮影した1000枚を超えるステレオ写真から、NASAによって勝者が選ばれた。そして、あとはダイヤモンドウエハーにエッチングを施して、それを宇宙船に載せ、1997年10月の打ち上げを待てばいいだけとなった。

＊　もちろん、タイタンの人々が視覚、両眼視、あるいは、View Master™のワザを持つようになっているという根拠は何もないが、その場合彼らには少なくともある程度の深さ情報を復元できる可能性が出てくる。

　ウエハーの複製は6つ必要だった。ホイヘンスが搭載して着陸する分が1枚、カッシーニが搭載する分が1枚（この時点では、カッシーニを土星で破壊することはまだ決まっていなかった）、それぞれのバックアップ宇宙船に1枚ずつ、残りの2枚はテスト用だ。この6枚のウエハーのコストは1995年時点で6万ドルと見積もられたが、現在の値段に換算すると約10万ドルになる——ミッション全体の最終コスト39億ドルに比べれば微々たるものだ。

　そしてそのころ、すべてがおじゃんになった。

　ダイヤモンドウエハー計画の財源には、富士ゼロックス株式会社が出資していたのだが、資金提供の見返りに、彼らは富士ゼロックス社のロゴもダイヤモンドに刻み込んでほしいと考えていた。NASAがこれに同意していたなら——当初は確かに同意していた——この独創性のない、せわしな

く、長ったらしいものが、最も寿命が長いロゴ、そしておそらく、人間が存在したという、最も長期間持続する証拠となっていたかもしれないのである。

THE DOCUMENT COMPANY
FUJI XEROX

この企業ロゴは、人類の苦闘と勝利のすべてを永遠に代表するものとなる寸前までいった。そんなロゴはそうそうない。

　ところが、NASAがこのロゴはディスクに載せないことに決定すると、資金調達が危うくなってしまった。おまけに、画像の最終決定権は誰にあるのかというお決まりの言い争いや、このプロジェクトの手柄は誰のものになるのかを巡る、くだらない政治的駆け引きもあった。結局、70億年のあいだタイタンでじっと待機させておくために、エッチングしたダイヤモンドウエハーを宇宙へは送らないほうが、簡単だし安上がりだということになり、実際そうなった。

　だが、あなたはNASAで働いているわけではないし、しかもあなたはスーパーヴィランだ！　あなたは他の人間が縛られているつまらない良心の呵責や倫理からは解放されている。つまり、あなたは富士ゼロックス社〔現在は富士フイルムビジネスイノベーション社になっている〕の善良な人々に、ついに自分たちの企業ロゴを数十億年間タイタンに置いておけるぞと思わせておくことに何の呵責も感じずに、嬉々としてそうするだろう……あな

＊　このロゴは2008年に廃止され、スローガンをなくし、単語をひと続きにした新しいロゴが採用された。そして、もちろん2008年だったので、シュっとした模様が付いたボールが添えられた。

たの宇宙船が地球から打ち上げられるとき、そこに載せられているのは、あなたのロゴとあなたの顔と、私たちの太陽系の次代を受け継いだ者たちに対するあなたのメッセージが刻まれたダイヤモンドウエハーであって、その未来のタイタン人たちが、文書を複写する必要に迫られたときにどの会社に発注すべきかというヒントのかけらさえそこには含まれていないことなど、彼らはその瞬間まで知らないわけだ。

期　間：少なくとも100億年間
作　戦：太陽系をすべて見捨てて、未知の
　　　　領域へと旅する
費　用：約50億ドル

この時は過ぎるだろう──すべては過ぎ行く、
この生のはかない場面に。
だが、それでも未来は
過去が見たすべてを映し出す。
　　　　　　──レティシア・エリザベス・ランドン（1835年）

　あなたは100億年の未来にメッセージを送ることを試みる。それはなかなか大それたことだ……しかし、必ずしも不可能ではない。あなたの情報を、誰もが見られるようにインターネットにアップロードして保存したのが、そもそもこの努力の始まりだったのだが、その後保管場所を地球の軌

道に、次に月へと移し、そしてついには、130万キロメートル彼方の別の惑星の衛星の上に隠して、そこに知性ある生命が登場し、メッセージの意味を理解してくれることを願うことにしたのだった。だが、100億年先を見つめると、私たちの太陽系の端にずっと置いておくことすら、もはや意味をなさなくなってしまう。

　そのころには、水星、金星、そして地球はすべて無くなっている可能性が高く、消え去る際に、ほかの惑星に衝突してしまったものもあるかもしれない。君のおかげでさんざんだったよ、水星。かつて赤色巨星だった太陽は、その外層を宇宙に吹き飛ばし、崩壊して、高密度の白色矮星になってどんどん冷えている。今や太陽系は惨憺たる状態だ。どうなるかまったく予測がつかないので、惑星が何個あるかもわからないし、予測不可能なおかげで、私たちが望む永遠に安定した軌道をめちゃくちゃにしてしまう。

　あなたが取るべき解決策は、太陽系そのものを見捨て、宇宙の彼方へ行くことだ。ほとんど空っぽであることで有名な宇宙の領域である。これといった目的地はない。発見してもらえるという特定の望みもない。それに、たとえ発見してもらえても、100億年後に宇宙の彼方にいる者が何であろうと、あなたを理解してくれるとは絶対に期待できない。だが、それこそが、あなたの勝利の形なのだ。なぜなら、ボイジャー宇宙船が切り開いた道を辿り、地球から何かを宇宙の果てに送るとき、あなたは自分の素晴らしさ（そして、おそらく人類の偉大さも）を伝えるゴールデンレコードや、何かほかのモニュメントを送っているだけではないはずだからだ（もしもスペースがあればだが）。

　あなたは、絶対零度よりほんの少しだけ高い温度まで冷やされ、宇宙の彼方の凍てつく極低温のなかで朽ちることなく保存された、ご自身の美しい遺体も一緒に送れるだろう。

　多くのバクテリアは酸素なしには生きられないし、生きられるものにしたって、文字通り万物が至ることのできる最低の温度にこれほど近い温度では活動できないことは間違いない。あなたの遺体は、生きていたときとほとんど変わらぬままで、少なくとも外からの目視でわかる範囲では、気

が遠くなるほど長いあいだ同じ姿を保つだろう。＊これこそ、第8章で論じた人体凍結術を宇宙の尺度まで持っていった決定版であり、冷却と監視を常時行なう必要もない。そして、あなたの宇宙遺体は、地球における生命に関する豊富な情報を、幸運にもそれを見つけた者に提供するのみならず、宇宙の計り知れない遠方を飛行しながら、・地・球・上・に・こ・れ・ま・で・に・存・在・し・た・、あるいは、今後存在するだろうすべての生物の究極の代表物、あるいはそのモニュメント、もしくはその両方になりつつあるのだ——すべてが計画通りに運べば。

　あなたはスーパーヴィランなので、「ばか者めらが！　今に見てろ！　お前ら全員、目にもの見せてやる‼」と、過去のどこかの時点で言ったに違いない。だが、本気でそうする覚悟があるだろうか？　なぜなら、地球が生み出したもののなかで、最後まで存在しているものになるのは、彼ら全員に目にもの見せてやる・究・極・の方法だからだ。

　それを成功させるには、次のようにすればいい。

　あなたの計画のお手本は、2機のボイジャー宇宙船だ。1機めのボイジャー1号は、1977年、太陽系を観測する目的で打ち上げられた。本書出版時において、ボイジャー1号は地球から220億キロメートルのところにあり、非常に高速で飛行している（時速6万キロメートル以上）ため、毎年5億キロメートルずつ遠ざかっている。人類が作ったものとしては最も遠方にあり、また、最も速いものの1つである。さらに、星間空間に入った最初の人工物であり、しかも、今なお活動中だ（しかし、それも長くは続かない。2025年には、ボイジャー1号の電源を供給している放射性物質が崩壊してしまい、1台の機器を動かすための電気も生み出せなくなり、ボイジャー1号はついに完全に停止してしまうだろう）。だが、電源が停止

＊　だが、あなたの体は間違いなくさまざまな物質でできているので、長期的に見たときには、原子拡散、つまり、いろいろな原子があちこち移動することを心配する必要が実際に出てくるかもしれない。とはいえ、あなたがここでやろうとしている冒険の特徴から考えると、もしも原子が絶対零度近くまで冷えるなら、原子が動くことはほぼまったくないだろうし、太陽に近い軌道にある宇宙船とは異なり、あなたの体は絶対零度よりほんの少し高いだけの温度だろうから、大丈夫なはずだ。

しても、ボイジャー1号は秒速16キロメートル以上という速度で宇宙のなかを旅し続けるだろう。ボイジャー1号は特に何を目指しているわけでもないし、宇宙はほとんど空っぽなので、ほぼ無期限にその飛行を続けられる可能性がある。

　最終的には宇宙の彼方をただ進み続けることになるとわかったうえで、NASAが2機のボイジャー探査機のそれぞれに、銅に金メッキを施したレコードを搭載したことはよく知られている。レコードのジャケットには、これの発見者が私たちと同じ数学体系と感覚系を持っており、毎分16と3分の2回転で再生するとはどういう意味か理解できるとの仮定に基づいて、そこに記録されているデータを解読する方法が記されている。レコード本体には、116枚の写真と、世界各地から集めたさまざまな音楽が90分、55カ国語による挨拶、そして地球のさまざまな他の音が記録されている。*

ボイジャーレコードには、ほかに何が収められていますか？

　あまり知られていないが、ボイジャーレコードには、このプロジェクトのクリエイティブ・ディレクターのアン・ドルーヤンの脳の電気活動を1時間にわたって記録したものが含まれている。より詳しく説明すると、脳波図モニタリングにより記録されたも

＊　ジョン・ロンバーグ（タイタンのダイヤモンドウエハーも担当していた）が私に話してくれたことによれば、ボイジャーレコードが実現したのは、奇跡なのだそうだ。それは、プロジェクトの開始から終了まで6週間しかなかったからだ。だが、その超短期スケジュールは天の恵みでもあったと言う。時間枠がそれだけ厳しかったので、NASAのお役人たちは「やるかやらないかすぐにどちらか選ぶ」しかなく、内容についてあまり茶々を入れていられなかったわけだ。NASAは「やる」ことに決め、ジョンとボイジャーレコード・チームのほかの全員がやった仕事は、これまでに人間が生み出した芸術のなかで、最も長生きするものとなる可能性が高い。ちなみに彼は、先ほど触れた放射性廃棄物に関する長期的メッセージのプロジェクトにも貢献している。

のを、音に変換し、1分間の音声データに圧縮したものである。10億年後の宇宙人はそんなものなど理解できっこないよと確信を持って言える人などいないという、信じられないほど楽観的な理屈の下で行なわれた。自分の脳の電気的活動が記録されているあいだドルーヤンは「……いろいろな思想と人間の社会的組織の歴史について考えました。私たちの文明がいつのまにかはまってしまった窮状と、地球の住民の非常に多くにとって、この惑星を地獄にしてしまった暴力と貧困について考えました。終盤近くでは、恋に落ちたときはどんなふうだったかという、自分の個人的な話をすることを自分に許しました」と、のちに語った。つまり、そこそこの量の人間の情報がすでに、物理的な媒体に記録されて、宇宙に送られて、どこか遠くを漂っているわけなので、あなたが送ろうとしている情報には意味はないなんて、誰にも言わせてはならない。当然ながら、その情報には、世界を支配するヒットとなった曲を思い出している時のあなたの脳波の記録も含まれている。

　ただ、そういった思考が未来の知的生命体によって必ず復元されると確信はしないように。思考に関するデータは脳波には存在しない。脳波計（EEG）は、脳のさまざまな部位の電気的活動を測定するだけだし、それもどちらかと言えば大雑把なレベルでしかない。EEGは、たとえば、あなたが右手を上げたときに脳のどの領域が活性化するかを見分けることはできるが、実際の思考を再構築するのに必要な分解能にはほど遠い。じつに荒っぽい比喩を1つあげると、あなたの友人が以前中国に住んでいた当時の、ある1日に、その人が悲しいと感じていたかどうかを知るために、恣意的に選んだ1枚の中国の画像を調べるのと同じようなものである。

　ここで物事は少し不確かになってくる。NASAの技術者たちの推測では、2機のボイジャーに載せられたレコードは10億年はもつ（宇宙のほうを向いており、宇宙がもたらす塵や微小隕石がぶつかる側の面について）だろうし、内側の面のほうは、それよりもはるかに長いあいだもつ可能性があった。表も裏も両方とも大してもたなかったとしても、万一の場合を考えた安全策として、時間の経過の記録として使えるように、レコードのカバーに電気メッキされた直径2センチの超ハイグレードなウラン238が残っている。完全に機能するレコードがない場合も、このウランメッキが少しでも残っている限り——異星人たちがウラン238の半減期は45.1億年だとすでに知っていたとしてだが——、彼らはこの宇宙船が作られてから少なくとも数百億年は経っていると特定することはできるので、私たちは少なくとも何かを伝えていることになる。だが、たとえそうだとしても、そのような悠久の時の流れを経た物質に何が起こるのか、私たちは実際には知らない。私たちはまだ、それを見守っていられるほど長いあいだ存在していないので、知識に基づいた推測をしているだけである。それより長く存続するかもしれないし、それより早く劣化してしまうかもしれない。地球そのものが生まれてから45.4億年しか経っていないのだから、私たちは地球の年齢の2倍以上の長さの時間に到達しようとしているのだ！　そしてもちろん、ほかの物質からの脅威が常にある。宇宙はほとんど空っぽである一方で、これまでにも言及してきた、宇宙塵や放射線や付近を通過するほかの物体などが、あらゆるものを、もはや見分けられないほど損傷させてしまう可能性がある。そのリスクがあるのは間違いない。しかし、

＊　ニコラス・O・エーベルグとセバスティアン・ロレンガによる最近の研究（エーベルグが論文の前刷を私に送ってくれた）では、ボイジャー2の内側の面は、約50億年後に起こると予測されている天の川銀河とM31銀河の衝突のころまでもつだろうと推定している。それ以降はボイジャー2の行方について信頼できるシミュレーションをするのは困難である。しかし、仮にボイジャー2がその後天の川銀河から放り出されて、塵がほぼまったく存在しない宇宙領域に行ってしまい、惑星系の付近を通過することも、恒星間天体（恒星と恒星のあいだに存在し、どの恒星などの天体にも拘束されていない、恒星以外の天体）に遭遇することもないとすると、レコードの内側の面はその後さらに1兆の1000倍の100倍（10京）年もつであろう。10京とは1のあとにゼロが17個並んだ数である。

100億年後に生きている誰かに話しかけたいなら、あなたは多少のリスクを負わなければならない。

　あなたの計画は、まずあなた自身にあつらえたモニュメントを作ることだ。ボイジャーに搭載されたレコード（コストは1977年当時で1万8000ドル、現在の値段に換算すると8万ドル）を真似て、あなた自身をますます偉大に見せるようなレコードを作るのである。あなたの生涯の栄光をたっぷり詰め込み、あなたの一番いい写真数枚と、大好きな曲も2、3添えるといいかもしれない。次に、あなた専用の宇宙船と打ち上げ機（これらもやはり、ボイジャーのものを真似ればいい）の資金を調達し、それらを製造し、打ち上げ、海王星の軌道のはるか外側の遠い宇宙へと送ってもらう。2機のボイジャーのコストは、1977年には約8億6500万ドル、現在の金額に換算すると約38億ドルだった。あなたにはボイジャーが1機あればいいので、これは見積りとしてはずいぶん余裕がある金額だが、さらに、まあ任意ではあるのだが、さらに10億ドルをかけて変更することが望ましい。あなたを宇宙船の内部にうまく収めるために必要な船内仕様変更と、あなたのボイジャーをカッコよく飾り立てるためである。いいですか、あなたは自分自身の墓を作っているのだから、ここでは金が問題になるべきではない。なにしろ、金を持って行くわけにはいかないのだから。*

　ありがたいことに、あなたが内部にうまく収まるようにボイジャーの船体を改造するのはそれほど難しくないはずだ。ボイジャーの宇宙船本体——本体から外側に伸びるブームやアンテナを除いて——は、小型車1台分の大きさと重さで、あなたを押し込むのに十分な空間がある。とりわけ、あなたの旅には必要ないカメラ数台や磁気探知機を取り除けば、さらに空間の余裕が生まれるだろう。そこから先は、必要な変更はごくわずかしかない。なぜなら、たいていの有人飛行とは違って、私たちはあなたを生か

＊　もちろん、あなたは多少の金を持って行くことはできるし、お察しのとおり、あなたが宇宙へ持って行く金は、歴史のなかで他の誰がやったよりも永続的に保存されるだろうが、それでもやはりすべての金を持って行くことはできない。スーパーヴィランの宇宙船にも重量と大きさの制限があるのである。

しておきたいわけではないからだ。それどころか、私たちの目的は、あなたが宇宙へ行って、その後できるだけ速やかに死ぬことなのだ。理想的には、レコードを手で抱えるようにして体に固定した状態で、あなたの不滅の遺体が全体として荘厳でしかも魅力的に見えるような体勢になっていてほしいのである。

レコードは10億年もつと推測されている一方、人間の遺体が宇宙でどれくらいのあいだもつかについては、「永久にもつかもしれない」という以上はわからない。宇宙は広大で、空っぽで、空気がほとんどなく、そして非常に寒いが、これらの性質は、人間の遺体を保存するために使われるすべての媒体にとって理想的である。だが、その一方で、熱力学第二法則により、真空中で絶対零度に近い温度で保存されたとしても、あなたの遺体はそれ以上秩序ある状態になることはない。そのため、遺体はいつかは崩壊するはずだ。100億年後にも無傷で残っている部分——おそらくそこそこ大きな塊——がある可能性は十分あるが、確かなことなど言えるわけがない。

そして、その次には何が起こるのだろう？

あなたは、遠方のブラックホールの1つに落ちてズタズタに引き裂かれるかもしれないし、そうはならないかもしれない。よその太陽のコロナのなかで燃え尽きるかもしれないし、そうはならないかもしれない。あなたの体の一部が遠方の惑星の原初の泥のなかに奇跡的に落ちて、その惑星のその後の出来事を永遠に変えてしまうかもしれないし、そうはならないかもしれない。そして宇宙がその究極の最後の結末を迎えつつあるとき、あなたは発見されるかもしれないし、発見されないかもしれない。あなたの唯一の慰めは、これらのリスクはボイジャー1号、ボイジャー2号、そして星間空間を進んでいるほかのすべての宇宙船にも当てはまるということだけだ。

いずれにせよ、あなたの50億ドルの投資により、略奪されることは決してない可能性が高い墓が作られ、あなたのために新しい種類の不死性が生み出された——忘れられた過去に、あなたに生命を与えた、あの失われた

遠い惑星で可能だった疑似的な不死性のいずれにもまったく似ていない不死性が。

安らかに眠れ地球よ、紀元前45億年～西暦70億年

たくさんの物を保存しておくのに好都合な場所

ボイジャー、再訪

　ジョン・ロンバーグはボイジャーのレコードについて、それは地球からのメッセージであると同時に地球へのメッセージ——つまり、私たちが自分たちをどのように見ているかの反映、あるいは、少なくとも、自分たちをどのように見たいと考えているかの反映——でもある1つの芸術作品だと考えている。「そこには、誇らかな要素があります。発見されてもされなくても……発見されない可能性が非常に高いですが……それはほとんどどうでもいいのです」と彼は私に語った。その内容については、「1977年には、私たちは未来について、もっと楽観的な見方をしていました。地球外生命体についての1977年の私たちのイメージは、もっと楽観的で肯定的でした。ニュー・ホライズンズ探査機〔2006年打ち上

げ〕で再びボイジャーレコードをやる機会が巡ってきたとき、NASAはそれを敬遠したのです……理由の１つは、宇宙は友好的な場所ではないかもしれないという疑いが強くなってきていたことです。自分たちが地球にいると名乗りを上げたりしないほうがいいだろうという気分が広まっていたのでした……宇宙では何も変わっていないし、宇宙は友好的かそうでないか、そのどちら側へと導くようなものが何か発見されたわけでもないのですが、私たちの文化が変わってしまい、私たちが変わってしまったのです」と説明した。

ボイジャーレコードのためにジョンが組織した諮問委員会が出した最初の決定の１つは、うまくいっているときの人類の姿を示そうということだった。「ボイジャーレコードのなかには、私たちが直面するたくさんの問題を示したり、ほのめかしたりするものはまったくありませんでした」とジョンは言い、次のように続けた。「しかもその決定は事実上全会一致で下されたのです。たとえてみれば次のような状況ですよ。出会い系サイトに行って、自分の欠点をすべて申告せず、一部を隠すのです。誰かと会うとき、自分がこれまでにやった悪いことをすべてその相手に話したりしたりしないですよね――とりわけ、それが追悼文なら。追悼文で誰かの最悪の日の話をすることなどめったにありません。そしてこれは私たちへの追悼文なのです」と。しかし、ニュー・ホライズンズ探査機のためのボイジャーレコード２の準備をしていたとき、異なる決定が下された。「国際顧問団――非常に学際的なグループでした――に、ボイジャーの『うまくいっているときの地球』という前例に倣うべきかどうかを私が質問したところ、彼らは全会一致でノーと言いました。気候変動やほかのあれこれで私たちが直面している問題を含めずに地球の姿を描いた画像は、不誠実だと」。このレンズを通して見ると、あなたが地球から送っているメッセージ――ほぼ空っぽの遠方の宇宙のなかで、金でで

きたものをしっかりとつかんでいるあなたの遺体——は実際、私たちが宇宙に送ったことのあるメッセージのなかで最も誠実なものかもしれない。

ちなみに、NASAは長期的メッセージ発信事業からまだ手を引いていないが、最近では、宇宙船に搭載するメッセージは以前よりずっと野心を抑制したものになっている。NASAが2018年のインサイト火星探査機にくっつける2枚のシリコンチップに、自分の名前を微細な線で刻んでほしい人を募集したところ、242万9807名が応募した。もちろん、そのメッセージを見つけた地球外生命体が、永遠の未来に向かって話しかける機会を得たときに伝えるべき最も重要なものは2、300万人のインターネット・ユーザーの名前だと決定した種のことを高く評価するかどうかを想像するのは困難だ。とりわけ、インサイトはそのメッセージと共に旅する死体を船内に載せていないのだから。

期　間：少なくとも1000億年間
作　戦：最善の事態になるように祈る
費　用：無料（直前の「自分の遺体を宇宙の彼方まで送る」計画をあなたが達成したものと仮定して）

しかし、なぜ世界の終わりのことなど思い悩む？　毎日が誰かにとっては世界の終わりなのに。時間の水嵩がどんどん上がって、目の高さまで来たら、溺れるまでだ。

——マーガレット・アトウッド（2000年）

〔『昏き目の暗殺者』鴻巣友季子訳　早川書房〕

　私たちが最善の努力をし、あなたの凍結された遺体が星間空間をどんどん進んでいたとしても、時の経過による損傷からいつまでも逃げることはできない。1000億年の未来を覗き見てみると、そこに見えるのは宇宙の終焉の始まりだ。

　それがどんなものか、ご説明しよう。

　私たちの世界がいかにして終わるのか、正確なところはわかっていないが、有力な説の1つによれば、宇宙はひたすら膨張を続け、無限に冷えていき、「宇宙の熱的死」と呼ばれるもので終わる。それは次のように進む。

・1000億年のうちに、宇宙膨張——私たちが考えていたよりも宇宙膨張は急激に加速していることが最近発見された——は非常に進んで、私たちが属する超銀河団内の恒星は別として、それ以外の恒星は空にはまったく見えなくなっているだろう——たとえ望遠鏡を使ったとしても。[*] したがって、あなたの凍った遺体を見つける可能性がある地球外生命体の集合は当然ながら小さくなる。

・3360億年経つと、銀河の外側に存在する個々の恒星はすべて、空虚で暗く均一な宇宙のようなものによって隔てられ孤立してしまう。その宇宙

---

[*]　私たちが知る限り、宇宙に光よりも速いものは存在しないが、だからと言って宇宙そのものの膨張に速度の制限があるというわけではない。しぼんだ風船の表面に乗っている2匹のアリを想像してみよう。この風船を徐々に膨らませると、2匹のアリは、どちらもじっとしているのに、どんどん離れていく。そして、もしもこの風船の膨張が著しく加速して、膨張速度が光速を超え始めると、2匹のアリはやがてお互いを見ることができなくなるだろう。なぜなら、宇宙の膨張が光速をはるかに超えてしまったあとに、一方のアリから出てくる光は、もはや他方のアリに届くことはないからである。2匹のアリはあまりに速いスピードで遠ざかっているので、光でさえ追いつくことができないというわけだ。

のようなものは、私たちが知っている宇宙の2億倍ほど大きいが、その内部にある物質とエネルギーの総量は私たちの宇宙と同じくらいだ。この状況で、あなたの凍った遺体を見つける可能性がある地球外生命体の数は一段と減少する。

・約1兆600億年経ったころ、宇宙は非常に大きくなっており——現在の大きさの600×10²⁴倍＊——平均粒子密度が非常に低いため、銀河間空間の個々の粒子は実質的に孤立しており、宇宙のなかで再び他の物質と出会うことは決してないだろう。その状況は、この虚空を猛スピードで飛んでいるあなたの凍った遺体——または、その残骸である何らかの粒子——にも当てはまるだろう。

・約10兆年経ったころ、恒星が形成されることはなくなる。恒星を作ることができるほど大きなガス塊が存在しなくなるからだ。このころ宇宙は想像を絶するほど大きくなっている。現在の大きさに、1のあとにゼロを2554個並べた数を掛けた、途方もない大きさである。まだ生き残っている恒星たちにできるのは、自分が持っている燃料を使い果たし、宇宙が徐々に暗くなっていくなかで死ぬことだけだ。そのようなときが訪れると、あなたの凍った遺体はより一層凍結が進み、そして、すべてを包み込む新たな宇宙の闇のなかで、誰かに見分けてもらうのは一段と難しくなる。

・もしも陽子自体が崩壊するなら（崩壊しないかどうか不明なので、崩壊するかもしれない。それとも、もしかしたら、すべての陽子は崩壊を始めるにはまだ若すぎるということなのかもしれない）、原子の構成要素そのものが、10³⁴年ほど後には、より軽い素粒子へと崩壊し始める可能性がある。残念ながら、もしもそうなったなら、その影響で、あなたの凍った遺体の残骸は破壊されるだろう。

＊　10²⁴は、人間が持っている「ものの大きさ」の概念をはるかに超えた数である。しかし、それがどれぐらい大きいのかという感覚を持っていただくために申し上げると、10²⁴には1兆が1兆個含まれている。アラビア数字で表記すると1,000,000,000,000,000,000,000,000。

・陽子は崩壊すると仮定すれば、10^{40}年後になると、宇宙ではブラックホールが主役となるだろう。そうなったら、たとえ前項で述べた陽子崩壊であなたの遺体が崩壊してしまわなかったとしても、あなたの凍った遺体の残骸はやはり破壊される〔ブラックホールに呑み込まれて〕。陽子が崩壊しなかったとしても、結局はブラックホールが宇宙の主役となるだろうが、それまでにかかる時間ははるかに長くなるだろう。

・ブラックホールはホーキング放射[*]と呼ばれる過程を経て、時が経過するにつれて蒸発すると考えられている。10^{100}年後にもなれば、前項で主役となったブラックホールはすべて、完全に蒸発してしまい、いくつかの孤立した粒子のほかは、宇宙はほぼ空っぽの場所となるだろう。

・この時点になると、あなたの凍った遺体の残骸について、良いニュースを見つけるのは非常に難しい。

　だが、やがて、すべての生命の死とすべてのものの破壊が訪れるにもかかわらず、未来とコミュニケーションを取る最も印象的で、最も記憶に残り、最もコスト効率がいい、最善の方法は、適切に製造された宇宙船の内部で死ぬことだ——その宇宙船が想像を絶する遠方の宇宙へと向かうよう打ち上げられ、それによってあなたの遺体の少なくとも一部が、宇宙の熱的死が始まるのを目撃する機会をあなたに提供してくれているあいだに。その「投資対不死性」比だけは、この計略は本書中ダントツで最高だ。

　幸運を祈る！

---

[*]　簡略化した説明は次のとおり。宇宙のなかでは、素粒子とその反粒子のペアがおのずと生じることがある。これらの２つの粒子は、生まれた直後に衝突して互いに消滅しあう対消滅を起こして消え去るが、ブラックホールの近傍では、このようなペアの片方の粒子がブラックホールの内部に落ち、そのあいだにもう一方の粒子は宇宙へと逃れていってしまう可能性が生じる。そのためブラックホールは、時が経過するにつれ粒子を少しずつ放射することになり——エネルギーは生み出されることも破壊されることもないという熱力学第一法則に反しないように——個々の粒子が放射されるにつれ、ブラックホールはゆっくりと小さくなっていき、ついには蒸発してしまうだろう、というわけだ。

結　び

今やあなたはスーパーヴィラン、宇宙にあるすべての世界の救世主

私は未知の世界に飛び込むことには慣れているので、ほかのどんな環境や
存在の形も、人間にはふさわしくないとは思わない。

——ヴェルナー・ヘルツォーク（1981年）
〔ドイツの映画監督〕

　本書はあなたを「面白いノンフィクションの本を読んでいる読者」から、
今や「恐竜を愛馬のように乗りこなしながら、空に浮かぶジオデシック・
ドームを操縦しつつ、気象に介入し、国を乗っ取り、不死になり、この宇
宙に存在する最後のものの1つになる方法を知る者」へと変貌させた。
　上出来だ、言わせていただけるなら。
　その後、今やスーパーヴィランとなったあなたの残りの人生のあいだ続
く日々のなかで、本書のページに記されていた教訓を忘れないでほしい。
その教訓とは、単に次のようなことだ。この世界は大きく複雑で困難で不
公平かもしれないが、それは知ることができる。それは理解され得る——
1つの種として、私たちは数千年のあいだ、まさにそれに取り組み続けて
きたのだ——そして、この世界が理解できたなら、それをコントロールす
ることができるし、改善することもできる。かつて大それた、実現不可能
な望みと思われたものが、一度達成されたなら、たちまちルーティンとな
る。そしてこの、いつのまにやら「ありきたりのこと」になってしまうプ
ロセスそのものによって、「マッドサイエンス」はただの……「科学」に
なるのだ。退屈な、普通で古い科学に。人間が、空を飛び、地球の反対側

にいる人たちとチャットし、火星にロボットを送り、世界的パンデミックのワクチンを１年という短期間にいくつも開発している世界の、ただの一部に。

　じつのところ、今の地球は極めて複雑になっているとはいえ、それでもなお個人が、単独行動によって、歴史の流れを変える余地はまだある*。私たちはみんな、常に世話をしてもらわなければ生きていけない分別のない赤ん坊として生まれてくるが、たった２、３年のうちに、歩行を学び、ズボンにおもらししないようにするにはどうすべきかを学び、周囲の人間たちが話しているのをただ観察するだけで、ゼロから言語を理解し、それが話せるようになる。言い換えれば、私たちは、好奇心旺盛で、早熟で、野心的な独学者として人生を始めるが、一部の者たちは、それを決してやめずに学び続け、いよいよ自分たちが人類の運命そのものを握る、素晴らしい日が訪れることに、他の人たちよりもほんの少しだけ、周到に準備をするのである。

　たとえばあなたは、たった今まさにその仕事を完了したのだ。

　だから、気兼ねなどせず、大きな夢を持とう。難攻不落と思えるものも、少しずつ崩していけば、やがて小さな「可能性」がポロリとあなたの手の中に入ってくるだろう。そのより良い世界を作り上げる能力はあなた自身の内にあるのだから、すべてのスーパーヴィランと同じく、始める前に誰かに許しを得ようなどとは考えもしなくていい。私はあなたを信じている。なおいいことに、私は私たちを信じている。レックス・ルーサーがスーパーマンに言ったように。

「俺を信じろ、クラーク。俺たちの友情は伝説になるぜ」

---

*　だが、直前の文で挙げた例（空を飛ぶ、地球の反対側にいる人たちとチャットする、火星にロボットを送る、ワクチンを発明する）は、すべてグループによる努力だったことは指摘しておかなければならない。そうです、あなたのスーパーヴィラン・ガイドには、最後の最後に意外な仕掛けがあったのだ。あなたがほかの人々とチームを組み、１人ならどんなヴィランにも不可能なほど、多くの惑星を征服する続篇への展開をほのめかしているのである。この続篇、出版が待ち遠しいね。

行け、そして手に入れろ、タイガー。

謝　辞

私たちが歴史に対して負っている唯一の義務は、それを書き替えることだ。

——オスカー・ワイルド（1891年）

　普通なら、著者は謝辞の冒頭で、本のなかに万一残っているかもしれない間違いについて読者に謝罪する。出版に至るまでのさまざまな段階で大勢の人が協力してくれたにもかかわらず、誤りが残っていれば、それは著者自身の責任で偶然残ってしまったのだと、読者に一種の弁解をするわけだ。しかし、私はそうはしない。本書が出版に漕ぎつけるまで、大勢の人が協力してくれたのは間違いないが、残っている誤りは、じつのところ、すべての悪巧みの真実は私自身の胸の内に留めておこうという、秘密のヴィラン的計画の一環として、私が意図的に残したものである。

　しかし、それでもなお、私は何人かの人々に感謝している！

　まず、私の編集者、コートニー・ヤングは、本書の着想段階から出版まで、すべての段階において、素晴らしいフィードバックをくださった。これには心から感謝したい。読者のみなさん、あなた方のお気に入りの著者は、担当編集者がいなければ何者でもなく——本当にダメ著者と言っていい！——コートニーはその点で、他の編集者よりはるかに抜きん出ている。あなたは最高の編集者だ、コートニー。

　もちろん、私の古くからの友人で最近一緒に仕事をするようになった、カーリー・モナードに感謝申し上げます。彼女の挿絵は本書に命を吹き込んでくれた。彼女がデザインしてくれたこのスーパーヴィランのキャラクターは、一瞬にして本書の中心となった。

　本書執筆中、私と話をしてくださり、私からの、いかにも胡散臭い質問にお答えくださった、トレヴァー・パグレン、ブレイク・リチャーズ博士、サイモン・ベル、ニック・エーベルグ、そしてジョン・ロンバーグをはじめとする専門家のみなさんに感謝いたします（私はジョンに、簡単な質問をいくつかさせていただくと約束したのに、結局予定の３倍も長い時間話してしまい、とうとう私が彼の時間を独占したことに罪悪感を覚え、話を終えることになった。彼は楽しくて思慮深い、素晴らしい人物で、彼とそのチームが２機のボイジャー宇宙船に関して行なった研究は、今日なお想像力を刺激する優れたものである）。

　本書全体のファクトチェックをしてくださり、私が意図的に入れておいた数カ所の誤りを見つけてくださったクリストファー・ナイトに深く感謝いたします。これらの誤りは、私が本の執筆が不得手なために生じたので・・はなく、彼を試すために入れたものであることは間違いないが、これほどファクトチェックが難しい本を書いてしまったことを、彼に謝らなければ・・ならない。真のスーパーヴィランは、終始私のなかにいたのだ。どうもありがとう、クリストファー！

　エミリー・ホーンは、私が書いたものを常に最初に読んでくれた。彼女は、豊富な情報を持ち、教養があり、世故に長けた良識の声の持ち主である。彼女は今回も、本書のうまく書けている部分と、そうでない部分を的確に指摘してくれた。ありがとう、エミリー、本書はあなたのおかげで格段に良くなった。そして、親切にも、本書の初期の草稿に目を通し、フィードバックすることを申し出てくれた、ほかの友人たち全員にお礼申し上げます。本書がより良くなり、私が著者として一層有能に見えるようになったのも、この人たちのおかげだ。以下にその方々を挙げる。私の妻ジェニファー・クルーグ、私の父ランドール、私の兄ヴィクター、そして、ジャネル・シェーン、チップ・ズダースキー、マイク・タッカー（前著では、彼の名前の綴りを間違えていた。モーク、申しわけない）、ユン・サン、マイク・トダスコ、マルグリート・ベネット、プライヤ・ラジュ博士、ケイティ・マック博士、ランドール・マンロー、ライアン・ジャンク他の、

才能あふれる友人たち。そして、ジョン・マニングをはじめとする「シークレット・ラボ」内およびその近隣の方々、さらに、グレッチェン・マッカロックをはじめとするシンチレーション・レギュラー・リーディング・グループのみなさん。とりわけ、ケリー・ウィーナースミスとザック・ウィーナースミスは、本書に彼らの著作と重なり合う部分がいくつかあることに気づいて、わざわざ私に彼らの研究ノートの一部を見せてくださった。お2人には深く感謝申し上げます（彼らは、本書の1年後に出版される予定の本を執筆中だった。というわけで、みなさん、次に読むノンフィクションの本がもう決まりましたね）。初期の草稿に対してザックがくださったフィードバックは、特にありがたかった――この人の頭脳からは、優れたアイデアと提案がいくらでも生まれ出るようだ。率直に申し上げよう。自分より頭が良くて才能も優れた人たちと友だちになろう、それに尽きる、というのが私からみなさんへの誠実なアドバイスだ。私に関しては、これまでのところ、このやり方で絶好調だ。

第9章で、中国語への翻訳をしてくださったS・チョウイー・ルウと、ヒンディー語への翻訳をしてくださったアルパン・マルビーヤに御礼申し上げます。宇宙へと送られたアベンジャーズのパネルを制作した人物を特定してくださり、大いに助けてくださったエリヤ・エドモンズに感謝いたします。そして、私が本書で直面した問題の1つについて、私がそれを乗り越えるのを助けてくださった、ニッキー・ライス・マルキとディヴィッド・マルキに御礼申し上げます。スーパーヴィランも1人では生きていけない。

そして最後に、私の著作権代理人で、ライター仲間でもあるセス・フィッシュマンに、心の奥底からの誠実な感謝を申し上げます。私は前著で彼に謝意を示すことをまったく忘れてしまっていた。彼は、新たにクライアントになってくれそうな人に、これまでのクライアントたちが彼とその仕事にどれだけ感謝しているかを示して印象付けようと、『ゼロからつくる科学文明』を本屋で1冊手に取って、謝辞のページを見たところ、自分の名が載っていないという事実に気づいたのだった。何たる失態。そのため

私は、本書では彼に２倍の感謝を捧げなければならない。

　あらためて、私の著作権代理人でライター仲間のセス・フィッシュマンに感謝申し上げます。

　そして、読者のみなさん、本書を読んでくださってありがとうございます！　おわかりですか？　あなたは本文を読み終えたあと、最後のこの付け足しのような部分までちゃんと目を通してくださったので、私からの感謝を直接受け取ることができたのですよ。読むことが、また役に立ちましたね！

ライアン・ノース
西暦2022年　カナダ、トロント

参考文献

この種の読物にどっぷりつかり、来る日も来る日も、夜は日が暮れてから明け方まで、昼は夜明けから暗くなるまで読みふけったので、睡眠不足と読書三昧とがたたって脳味噌がからからに干からび、ついには正気を失ってしまったのである。

——ミゲル・デ・セルバンテス『ドン・キホーテ』（1605年）

〔牛島信明訳　岩波書店〕

　以下に、厳選した参考文献のリストを挙げる。各章で論じたテーマに関連して、スーパーヴィランが特に興味深いと感じるであろう、アクセス可能な情報源が記されている。すべての参考文献のリストは、長すぎて本書には載せられないので、ウェブサイトwww.supervillainbook.comで公開している——あなたがまだインターネットを破壊していないと仮定してのことだが。

第1章

Craib, Raymond. 農業研究関連本の読者向けの未刊行本の注より引用。 Cornell University Department of History. n.d. Accessed 2021. https://agrarianstudies.macmillan.yale.edu/sites/default/files/files/CraibAgrarianStudies.pdf.

Doherty, Brian. "First Seastead International Waters Now Occupied, Thanks to Bitcoin Wealth." *Reason*. March 1, 2019. https://reason.com/2019/03/01/first-seastead-in-international-waters-n/.

———. "How Two Seasteaders Wound Up Marked for Death." *Reason*. November 2019. https://reason.com/2019/10/14/how-two-seasteaders-wound-up-marked-for-death.

Ells, Steve. "Endurance Test, Circa 1958: 150,000 Miles Without Landing in a Cessna 172." Aircraft Owners and Pilots Association. March 5, 2008. https://www.aopa.org/news-and-media/all-news/2008/march/pilot/endurance-test-circa-1958.

Etzler, John Adolphus. *The Paradise Within the Reach of All Men, Without Labor, By Powers of Nature and Machinery: An Address to All Intelligent Men, In Two Parts*. London: John Brooks, 1836.

Foer, Joshua, and Michel Siffre. "Caveman: An Interview with Michel Siffre." *Cabinet*. Summer 2008. https://www.cabinetmagazine.org/issues/30/foer_siffre.

php.

Fuller, R. Buckminster. *Critical Path*. New York: St Martin's Press, 1981.（R・バックミンスター・フラー『クリティカル・パス：宇宙船地球号のデザインサイエンス革命』梶川泰司訳、白揚社）

Garrett, Bradley. *Bunker: Building for the End Times*. New York: Scribner, 2020.

Hallman, J. C. "A House Is a Machine to Live In." *The Believer*. October 1, 2009. https://believermag.com/a-house-is-a-machine-to-live-in/.

Kean, Sam. "How Not to Deal with Murder in Space." *Slate*. July 15, 2020. https://slate.com/technology/2020/07/arctic-t3-murder-space.html.

National Technical Reports Library. *Triton City: A Prototype Floating Community*. U.S. Department of Housing and Urban Development. November 1968. https://ntrl.ntis.gov/NTRL/dashboard/searchResults/titleDetail/PB180051.xhtml.

Piccard, Bertrand. "Breitling Orbiter 3: GOSH Documentary." Accessed May 2021. YouTube video, 54:06. https://www.youtube.com/watch?v=kSmrHsG2v8I.

"Polar Explorer, Stabbed by a Colleague, Made Peace with Him in Court." *RAPSI News*. February 8, 2019. http://www.rapsinews.ru/judicial_news/20190208/294778187.html.

Poynter, Jane. *The Human Experiment: Two Years and Twenty Minutes Inside Biosphere 2*. New York: Basic Books, 2006.

seasteading. "THE FIRST SEASTEADERS 6: Fleeing The Death Threat." February 29, 2020. YouTube video, 10:59. https://www.youtube.com/watch?v=OovkeOuZsqU.

Silverstone, Sally. *Eating In: From the Field to the Kitchen in Biosphere 2*. Oracle, Arizona: Biosphere Foundation, 1993.

Stoll, Steven. *The Great Delusion: A Mad Inventor, Death in the Tropics, and the Utopian Origins of Economic Growth*. New York: Hill and Wang, 2008.

StrangerHopeful. "Can Cloud Nine Be Built?" *Stack Exchange*. December 30, 2016. https://worldbuilding.stackexchange.com/questions/36667/can-cloud-nine-be-built.

Tucker, Reed. "How Six Scientists Survived 'Living on Mars' for a Year." *New York Post*. November 14, 2020. https://nypost.com/2020/11/14/how-six-scientists-survived-living-on-mars-for-a-year.

Warner, Andy, and Sofie Louise Dam. *This Land Is My Land: A Graphic History of Big Dreams, Micronations, and Other Self-Made States*. San Francisco: Chronicle Books, 2019.

Wolf, Matt, dir. *Spaceship Earth*. 2020.

第2章

Abdel-Motaal, Doaa. *Antarctica: The Battle for the Seventh Continent*. Santa Barbara, CA: Praeger, 2016.

Adewunmi, Bim. "I Claim This Piece of Africa for My Daughter, Princess Emily." *The Guardian*. July 15, 2014. https://www.theguardian.com/lifeandstyle/shortcuts/2014/jul/15/claim-piece-africa-for-daughter-princess-emily-sudan.

Arnold, Carrie. "In Splendid Isolation: The Research Voyages That Prepared Us for the Pandemic." *Nature*. May 14, 2020. https://www.nature.com/articles/d41586-020-01457-8.

Bueno de Mesquita, Bruce, and Alastair Smith. *The Dictator's Handbook: Why Bad Behavior Is Almost Always Good Politics*. New York: PublicAffairs, 2011.（ブルース・ブエノ・デ・メスキータ、アラスター・スミス『独裁者のためのハンドブック』四本健二、浅野宜之訳、亜紀書房）

Heuermann, Christoph. "Held Hostage by Bedouins in Terra Nullius: My Trek to and Escape from Bir Tawil." *Christoph Today*. December 8, 2019. https://christoph.today/sudan-bir-tawil.

Krakauer, Jon. *Into the Wild*. New York: Villard, 1996.（ジョン・クラカワー『荒野へ』佐宗鈴夫訳、集英社）

McHenry, Travis. *The Rise, Fall, and Rebirth of Westarctica*. Self-published, 2017. https://drive.google.com/file/d/1zYn3oMmFpQoSElMVd-ryMvYp3YKegIqq/view.

Secretariat of the Antarctic Treaty. "Key Documents of the Antarctic Treaty System." 2021. Accessed May 2021. https://

www.ats.aq/e/key-documents.html.
———. "The Protocol on Environmental Protection to the Antarctic Treaty." October 4, 1991. Accessed May 2021. https://www.ats.aq/e/protocol.html.

Shenker, Jack. "Welcome to the Land That No Country Wants." *The Guardian*. March 3, 2016. https://www.theguardian.com/world/2016/mar/03/welcome-to-the-land-that-no-country-wants-bir-tawil.

Strauss, Erwin S. 1984. *How to Start Your Own Country: How You Can Profit from the Coming Decline of the Nation State*. Port Townsend, WA: Loompanics Unlimited, 1984.

第3章

Church, George M. *Regenesis: How Synthetic Biology Will Reinvent Nature and Ourselves*. New York: Basic Books, 2012.

Dell'Amore, Christine. "New 'Chicken from Hell' Dinosaur Discovered." *National Geographic*. March 19, 2014. https://www.nationalgeographic.com/news/2014/3/140319-dinosaurs-feathers-animals-science-new-species.

Department of Vertebrate Zoology, National Museum of Natural History. "The Passenger Pigeon." *Smithsonian*. March 2001. Accessed May 2021. https://www.si.edu/spotlight/passenger-pigeon.

Ewing, Jeff. "What If Jurassic World Were Real? 3 Hidden Economic Consequences." *Forbes*. June 22, 2018. https://www.forbes.com/sites/jeffewing/2018/06/22/3-hidden-economic-consequences-of-jurassic-world.

Horner, Jack, and James Gorman. *How to Build a Dinosaur*. New York: Dutton, 2009.（ジャック・ホーナー、ジェームズ・ゴーマン『恐竜再生：ニワトリの卵に眠る、進化を巻き戻す「スイッチ」』柴田裕之訳、日経ナショナルジオグラフィック社）

Kolbert, Elizabeth. *The Sixth Extinction: An Unnatural History*. New York: Henry Holt and Company, 2014.（エリザベス・コルバート『6度目の大絶滅』鍛原多惠子訳、ＮＨＫ出版）

Kornfeldt, Torill. *The Re-Origin of Species: A Second Chance for Extinct Animals*.
Translated by Fiona Graham. Brunswick, Victoria, Australia: Scribe, 2018.（トーリル・コーンフェルト『マンモスの帰還と蘇る絶滅動物たち：人類は遺伝子操作で自然を支配できるのか』中村桂子監修、中村友子訳、エイアンドエフ）

Yeoman, Barry. "Why the Passenger Pigeon Went Extinct." *Audubon*. May– June 2014. https://www.audubon.org/magazine/may-june-2014/why-passenger-pigeon-went-extinct.

第4章

Fleming, James Rodger. *Fixing the Sky: The Checkered History of Weather and Climate Control*. New York: Columbia University Press, 2010.（ジェイムズ・ロジャー・フレミング『気象を操作したいと願った人間の歴史』鬼澤忍訳、紀伊國屋書店）

Goodell, Jeff. *How to Cool the Planet: Geoengineering and the Audacious Quest to Fix Earth's Climate*. New York: Houghton Mifflin Harcourt, 2010.

Morton, Oliver. *The Planet Remade: How Geoengineering Could Change the World*. Princeton, NJ: Princeton University Press, 2017.

Roser, Max, Esteban Ortiz-Ospina, and Hannah Ritchie. "Life Expectancy." Our World in Data. October 2019. Accessed May 2021. https://ourworldindata.org/life-expectancy.

Smith, Wake, and Gernot Wagner. "Stratospheric Aerosol Injection Tactics and Costs in the First 15 Years of Deployment." *Environmental Research Letters* 13, no. 12 (2018). https://doi.org/10.1088/1748-9326/aae98d.

Tamasy, Paul, and Mendelsohn. *Air Bud*. 1997. Directed by Charles Martin Smith. Produced by Robert Vince and William Vince. Starring Buddy the Golden Retriever as "Air Bud."（映画『エア・バディ』チャールズ・マーティン・スミス監督、アーロン・メンデルソーン、ケヴィン・ディシコ、ポール・タマジー脚本、ロバート・ヴィンス、ウィリアム・ヴィンス製作。バディ・ザ・ゴールデン・レトリバーという犬が「エア・バディ」として出演）

United Nations. "Convention on the Prevention

of Marine Pollution by Dumping of Wastes and Other Matter." International Maritime Organization. 1972. Accessed May 2021. https://www.imo.org/en/OurWork/Environment/Pages/London-Convention-Protocol.aspx

———. "Convention on the Prohibition of Military or Any Other Hostile Use of Environmental Modification Techniques." United Nations Treaty Collection. December 1976. Accessed May 2021. https://treaties.un.org/Pages/ViewDetails.aspx?src=TREATY&mtdsg_no=XXVI-1&chapter=26&clang=_en.

———. "Universal Declaration of Human Rights." United Nations. December 1948. Accessed May 2021. https://www.un.org/en/about-us/universal-declaration-of-human-rights.

Victor, David G., M. Granger Morgan, Jay Apt, John Steinbruner, and Katharine Ricke. "The Geoengineering Option: A Last Resort Against Global Warming?" *Foreign Affairs* 88, no. 2 (March/April 2009): 64–76.

Wallace-Wells, David. *The Uninhabitable Earth: Life After Warming*. New York: Tim Duggan Books, 2019. （デイビッド・ウォレス・ウェルズ『地球に住めなくなる日：「気候崩壊」の避けられない真実』藤井留美訳、NHK出版）

第5章

Kaplan, Sarah. "How Earth's Hellish Birth Deprived Us of Silver and Gold." *The Washington Post*. September 27, 2017. https://www.washingtonpost.com/news/speaking-of-science/wp/2017/09/27/how-earths-hellish-birth-deprived-us-of-silver-and-gold.

Köhler, Nicholas. "The Incredible True Story Behind the Toronto Mystery Tunnel." *Maclean's*. March 20, 2015. https://www.macleans.ca/society/elton-mcdonald-and-the-incredible-true-story-behind-the-toronto-mystery-tunnel.

Krugman, Paul. "Three Expensive Milliseconds." *The New York Times*. April 13, 2014. https://www.nytimes.com/2014/04/14/opinion/krugman-three-

expensive-milliseconds.html.

Lewis, Michael. *Flash Boys: A Wall Street Revolt*. New York: W. W. Norton & Company, 2014. （マイケル・ルイス『フラッシュ・ボーイズ：10億分の1秒の男たち』渡会圭子、東江一紀訳、文藝春秋）

Mining Technology. "Top 10 Deep Open-Pit Mines." September 26, 2013. https://www.mining-technology.com/features/feature-top-ten-deepest-open-pit-mines-world.

Osadchiy, A. "Kola Superdeep Borehole." *Science and Life*. November 5, 2002. https://www.nkj.ru/archive/articles/4172.

Piesing, Mark. "The Deepest Hole We Have Ever Dug." *BBC Future*. May 6, 2019. https://www.bbc.com/future/article/20190503-the-deepest-hole-we-have-ever-dug.

Warnica, Richard. "'There Is No Criminal Offense for Digging a Hole': Police Won't Speculate on Mystery Tunnel near Pan Am Site." *National Post*. February 24, 2015. https://nationalpost.com/news/toronto/there-is-no-criminal-offence-for-digging-a-police-refuse-to-speculate-on-mystery-tunnel-near-pan-am-site.

World Gold Council. "How Much Gold Has Been Mined?" *About Gold*. 2020. https://www.gold.org/about-gold/gold-supply/gold-mining/how-much-gold.

第6章

タイムトラベルについて、お勧めできる参考文献を見つけ次第、オンライン版の参考文献を必ず更新します。すぐにというのは難しいですが。

第7章

Ball, James. *The Tangled Web We Weave: Inside the Shadow System That Shapes the Internet*. New York: Melville House, 2020.

Hill, Kashmir. "Goodbye Big Five." *Gizmodo*. Accessed May 2021. https://gizmodo.com/c/goodbye-big-five.

Kolitz, Daniel. "What Would It Take to Shut Down the Entire Internet?" *Gizmodo*. September 30, 2019. https://gizmodo.what-would-it-take-to-shut-down-the-entire-internet-1837984019.

Peters, Jay. "Prolonged AWS Outage Takes

Down a Big Chunk of the Internet." *The Verge*. November 25, 2020. https://www.theverge.com/2020/11/25/21719396/amazon-web-services-aws-outage-down-internet.

Sanchez, Julian. "Trump Is Looking for Fraud in All the Wrong Places." *The Atlantic*. December 12, 2020. https://www.theatlantic.com/ideas/archive/2020/12/trump-looking-fraud-all-wrong-places/617366.

Steinberg, Jospeh. "Massive Internet Security Vulnerability—Here's What You Need to Do." *Forbes*. April 10, 2014. https://www.forbes.com/sites/josephsteinberg/2014/04/10/massive-internet-security-vulnerability-you-are-at-risk-what-you-need-to-do.

Tardaguila, Cristina. "Electronic Ballots Are Effective, Fast and Used All Over the World—So Why Aren't They Used in the U.S.?" *Poynter*. November 4, 2020. https://www.poynter.org/fact-checking/2020/electronic-ballots-are-effective-fast-and-used-all-over-the-world-so-why-arent-used-in-the-u-s.

Zerodium. "Our Exploit Acquisition Program." *Zerodium*. Accessed May 2021. https://zerodium.com/program.html.

Zetter, Kim. *Countdown to Zero Day: Stuxnet and the Launch of the World's First Digital Weapon*. New York: Crown, 2014.

第8章

Achenbaum, W. Andrew. "America as an Aging Society: Myths and Images." *Daedalus* 115, no. 1 (Winter 1986): 13– 30. https://www.jstor.org/stable/20025023.

Bacon, Francis. *The Historie of Life and Death, With Observations Naturall and Experimentall for the Prolonging of Life*. London: I. Okes, for Humphrey Mosley, 1638.

Begley, Sharon. "After Ghoulish Allegations, a Brain-Preservation Company Seeks Redemption." *Stat*. January 30, 2019. https://www.statnews.com/2019/01/30/nectome-brain-preservation-redemption.

Bernstein, Anya. *The Future of Immortality:*

Remaking Life and Death in Contemporary Russia*. Princeton, NJ: Princeton University Press, 2019.

Boyle, Robert. *Some Considerations Touching the Usefulnesse of Experimental Naturall Philosophy, Propos'd in Familiar Discourses to a Friend, by Way of Invitation to the Study of It*. Oxford: Oxford University, 1663.

———. "Tryals Proposed by Mr. Boyle to Dr. Lower, to Be Made by Him, for the Improvement of Transfusing Blood out of One Live Animal into Another." *Philosophical Transactions (1665–1678)* 1 (1666): 385–88. http://www.jstor.org/stable/101547.

Chrisafis, Angelique. "Freezer Failure Ends Couple's Hopes of Life After Death." *The Guardian*. March 16, 2006. https://www.theguardian.com/science/2006/mar/17/france.internationalnews.

Darwin, Mike. "Evaluation of the Condition of Dr. James H. Bedford After 24 Years of Cryonic Suspension." *Cryonics*. August 1991. https://www.alcor.org/library/bedford-condition.

de Longeville, Harcouet. *Long Livers: A Curious History of Such Persons of Both Sexes who have liv'd several Ages, and grown Young again: With the rare Secret of Rejuvenescency of Arnoldus de Villa Nova, and a great many approv'd and invaluable Rules to prolong Life: as also How to prepare the Universal Medicine*. London: J. Holland, 1772.

Friedman, David M. *The Immortalists: Charles Lindbergh, Dr. Alexis Carrel, and Their Daring Quest to Live Forever*. New York: Ecco, 2008.

Haycock, David Boyd. *Mortal Coil: A Short History of Living Longer*. New Haven, CT: Yale University Press, 2009.

Henderson, Felicity. "What Scientists Want: Robert Boyle's To-Do List." *The Royal Society*. August 2010. https://royalsociety.org/blog/2010/08/what-scientists-want-boyle-list.

KrioRus. "Animals—Cryopatients." *KrioRus*. Accessed May 2021. https://kriorus.ru/Zhivotnye-kriopacienty.

———. "List of People Cryopreserved in KrioRus." *KrioRus*. Accessed May 2021. https://kriorus.ru/Krionirovannye-lyudi.

Maxwell-Stuart, P. G. *The Chemical Choir: A History of Alchemy.* London: Bloomsbury Academic, 2012.

McIntyre, Robert. "The Case for Glutaraldehyde: Structural Encoding and Preservation of Long-Term Memories." *Nectome*. Accessed May 2021. https://nectome.com/the-case-for-glutaraldehyde-structural-encoding-and-preservation-of-long-term-memories.

Perry, R. Michael. "Suspension Failures: Lessons from the Early Years." *Cryonics*. February 1992. https://www.alcor.org/library/suspension-failures-lessons-from-the-early-years.

Pontin, Jason. "Is Defeating Aging Only a Dream?" *Technology Review. The SENS Challenge.* July 11, 2006. http://www2.technologyreview.com/sens.

Redwood, Zander. "Living to 1000: An Interview with Aubrey de Grey." *80000 Hours*. April 12, 2012. https://80000hours.org/2012/04/living-to-1000-an-interview-with-aubrey-de-grey.

Roser, Max, Esteban Ortiz-Ospina, and Hannah Ritchie. "Life Expectancy." Our World in Data. October 2019. Accessed May 2021. https://ourworldindata.org/life-expectancy.

SENS Research Foundation. "An Introduction to SENS Research." Accessed May 2021. https://www.sens.org/our-research.

Shaw, Sam. "You're As Cold As Ice." *This American Life*. April 18, 2008. https://www.thisamericanlife.org/354/mistakes-were-made.

Standiford, Les. *Meet You in Hell: Andrew Carnegie, Henry Clay Frick, and the Bitter Partnership That Changed America.* New York: Crown, 2006.

Svyatogor, Alexander. "Biocosmist Poetics." In *Russian Cosmism*, edited by Boris Groys. Cambridge, MA: MIT Press, 2018.

Walter, Chip. *Immortality, Inc.: Renegade Science, Silicon Valley Billions, and the Quest to Live Forever.* Washington, D.C.: National Geographic, 2020. （チップ・ウォ ルター『不老不死ビジネス 神への挑戦：シリコンバレーの静かなる熱狂』関谷冬華訳、日経ナショナルジオグラフィック）

Weiner, Jonathan. *Long for This World: The Strange Science of Immortality*. New York: Ecco, 2011. （ジョナサン・ワイナー『寿命1000年：長命科学の最先端』鍛原多惠子訳、早川書房）

第9章

Benford, Gregory. *Deep Time*. New York: HarperPerennial, 2000.

Blakeslee, Sandra. "Lost on Earth: Wealth of Data Found in Space." *The New York Times*. March 20, 1990. https://www.nytimes.com/1990/03/20/science/lost-on-earth-wealth-of-data-found-in-space.html.

Brannen, Peter. *The Ends of the World: Volcanic Apocalypses, Lethal Oceans, and Our Quest to Understand Earth's Past Mass Extinctions.* New York: Ecco, 2017. （ピーター・ブラネン『第6の大絶滅は起こるのか：生物大絶滅の科学と人類の未来』西田美緒子訳、築地書館）

Brook, Pete. "In Billions of Years, Aliens Will Find These Photos in a Dead Satellite." *Wired*. October 30, 2012. https://www.wired.com/2012/10/the-last-pictures.

Bump, Philip. "How to Put Trump on Mount Rushmore, Something He's Never Even Thought About." *The Washington Post*. July 26, 2017. https://www.washingtonpost.com/news/politics/wp/2017/07/26/how-to-put-trump-on-mount-rushmore-something-hes-never-even-thought-about.

Chiba, Sanae, et al. "Human Footprint in the Abyss: 30 Year Records of Deep-Sea Plastic Debris." *Marine Policy* 96 (2018): 204–8. https://doi.org/10.1016/j.marpol.2018.03.022.

Culp, Justin. "Archeological Inventory at Tranquility Base." *Lunar Legacy Project*. April 8, 2002. Accessed May 2021. http://spacegrant.nmsu.edu/lunarlegacies/artifactlist.html.

Diaz, Jesus. "All the American the Moon Are Now White." *Gizmodo*. July 31, 2012. https://gizmodo.com/all-the-american-flags-on-the-moon-are-now-white-5930450.

Drogin, Marc. *Anathema!: Medieval Scribes and*

the History of Book Curses. Montclair, NJ: Abner Schram, 1983.

Gilbert, Samuel. "The Man Who Helped Design a 10,000-Year Nuclear Waste Site Marker." *Vice*. April 26, 2018. https://www.vice.com/en/article/9kgjze/jon-lomberg-nuclear-waste-marker-v25n1.

Gilbertson, Scott. "The Very First Website Returns to the Web." *Wired*. April 30, 2013. https://www.wired.com/2013/04/the-very-first-website-returns-to-the-web.

Haskoor, Michael. "A Space Jam, Literally: Meet the Creative Director Behind NASA's 'Golden Record,' an Interstellar Mixtape." *Vice*. April 4, 2015. https://www.vice.com/en/article/rgpj5j/the-golden-record-ann-druyan-interview.

Hera, Stephen C., Detlof von Winterfeldt, and Kathleen M. Trauth. "Expert Judgment on Inadvertent Human Intrusion into the Waste Isolation Pilot Plant." Sandia National Laboratories Report SAND90-3063. December 1991.

Holman, E. W., S. Wichmann, C. H. Brown, V. Velupillai, A. Müller, and D. Bakker. "Explorations in Automated Language Classification." *Folia Linguistica* 42 (2008): 3–4. doi:10.1515/flin.2008.331.

Jet Propulsion Laboratory. "The Golden Record." Accessed May 2021. https://voyager.jpl.nasa.gov/golden-record.

Lomberg, Jon. 2007. "A Portrait of Humanity." 2007. Accessed May 2021. https://www.jonlomberg.com/articles/a_portrait_of_humanity.html.

Marchant, Jo. "In Search of Lost Time." *Nature* 444 (2006): 534–38. https://doi.org/10.1038/444534a.

Memorial Museum of Cosmonautics. "Lunar Pennants of the USSR." January 29, 2016. Accessed May 2021. https://kosmo-museum.ru/news/lunnye-vympely-sssr.

NASA News. "Project Lageos." Press Kit, NASA. 1976. https://lageos.gsfc.nasa.gov/docs/1976/NASA_LAGEOS_presskit_e000045273.pdf.

Nurkiyazova, Sevindj. "The English Word That Hasn't Changed in Sound or Meaning in 8,000 Years." *Nautilus*. May 13, 2019.

http://nautil.us/blog/the-english-word-that-hasnt-changed-in-sound-or-meaning-in-8000-years.

Paglen, Trevor. *The Last Pictures*. Berkeley and Los Angeles: University of California Press, 2012.

Parkinson, R. B. *The Rosetta Stone*. London: British Museum Press, 2005.

Radioactive Waste Management Committee. "Preservation of Records, Knowledge and Memory across Generations: A Literature Survey on Markers and Memory Preservation for Deep Geological Repositories, Swiss Nuclear Energy Agency." Nuclear Energy Agency. 2013. https://www.oecd-nea.org/jcms/pl_19357.

Safire, Bill. "In Event Of Moon Disaster." July 18, 1969. https://www.archives.gov/files/presidential-libraries/events/centennials/nixon/images/exhibit/rn100-6-1-2.pdf.

Sagan, Carl. *Cosmos*. New York: Random House, 1980. (カール・セーガン『COSMOS（上・下）』木村繁訳、朝日新聞出版)

Sebeok, Thomas A. "Communication Measures to Bridge Ten Millennia." Technical Report, Research Center for Language and Semiotic Studies. 1984. https://doi.org/10.2172/6705990.

Taliaferro, John. *Great White Fathers: The True Story of Gutzon Borglum and His Obsessive Quest to Create the Mt. Rushmore National Monument*. New York: PublicAffairs, 2004.

The Museum of Modern Art. "The Moon Museum: Various Artists with Andy Warhol, Claes Oldenburg, David Novros, Forrest Myers, Robert Rauschenberg, John Chamberlain." *The MoMA Collection*. Accessed May 2021. https://www.moma.org/collection/works/62272.

Trauth, Kathleen M., Stephen C. Hora, and Robert V. Guzowski. "Expert Judgment on Markers to Deter Inadvertent Human Intrusion into the Waste Isolation Pilot Plant." Sandia National Laboratories Report SAND92-1382. 1993. http://doi.org/10.2172/10117359.

Trosper, Jaime. "Death & Decomposition in Space." *Futurism*. December 18, 2013. https://futurism.com/deathdecomposition-in-space.

Ward, Peter D., and Donald Brownlee. *The Life and Death of Planet Earth: How the New Science of Astrobiology Charts the Ultimate Fate of Our World*. New York: Holt Paperbacks, 2004.

Weisman, Alan. *The World Without Us*. New York: St. Martin's Thomas Dunne Books, 2007. （アラン・ワイズマン『人類が消えた世界』鬼澤忍訳、早川書房）

〔ウェブサイトの最終アクセス日は2023年5月1日〕

訳者あとがき

『ゼロからつくる科学文明』（早川書房）に続く、ライアン・ノースのハウツー本第２弾は『科学でかなえる世界征服』。なんと、世界征服の指南書である。

　スーパーヴィランが登場する漫画の原案作成者として、毎月のように新しい悪巧みを案出するのに頭をひねっているノースである。彼自身スーパーヴィラン並みの頭脳を持っていることは間違いない。しかも、スーパーヴィランに相当共感している。冒頭の「おことわり」には、スーパーヴィランが付け込める、今の科学の弱点を洗い出すのが本書の目的だとあるが、次の「はじめに」を見ると早くも、それはカモフラージュで、スーパーヴィラン道伝授こそ真の目的ではないかと思えてくる。

　同じく面白サイエンス漫画を手がけ、やはり意表を突いたハウツーもの、その名も『ハウ・トゥー』（ハヤカワ文庫）を書いたランドール・マンローとの対談でノースは、スーパーヴィランの魅力について、「既存の体制を打ち破り、よりよい世界を実現する、前例のない大胆な計略を実行するカリスマチックな存在」だから、とにかく痛快だと語る。スーパーヴィランは世界を良くする人でなければならないというのが彼の信条だ。では、やはりより良い世界をもたらすスーパーヒーローよりもスーパーヴィランのほうがなぜ魅力的なのか？　これについては、たとえば地球のコアを人質にするなどの、突拍子もないことをしでかすのはスーパーヴィランだけだからだという。やはり既存の枠にとらわれず、それを壊して、「価値ある目的＝より良い世界」を実現するところが魅力なのだ。

　それにしても、小さなものでも奪い取るのは大変なのに、世界征服など、試みるだけでも可能なのかというマンローの問いに対しては、「大きいことをやる方が簡単な場合がある、前例がないから対抗措置がないという強みがある」と応じている。言われてみればそのとおりだ。

　とはいえ、この物騒な世の中、こんな本が出ていいのか。科学の知識こそ計略の根幹なのに、あまりにロジカルにその根幹をバラしている。ノースも、出版前に友人に相談したところ、「こんな危険な本は出版しちゃだめだ」と言われたとか。「おことわり」では、そういう声に配慮したのかもしれない。しかし、最大の抑止力は各章末の「事業計画概要」の「初期投資」の金額にある。ノース自身、本書の計略をすべて実行する資産のある人は世界に数えるほどしかいないと認める。このところの円安もあり、日本の庶民にはますます縁遠く感じられるし、そもそも、「小悪党の間抜けなプラン」で失敗例が挙がっていたり、ノースが薦める方法にしても、容易に成功しそうには思えないものばかり。やはりマンローの『ホワット・イフ？』（ハヤカワ文庫）の精神で、「もしもこんな計略を実行したらどうなるだろう？」と思い巡らすのが私のような庶民には一番楽しそうだ。空中浮遊ジオデシック・ドームは、お手頃価格で安全性に問題がなければ、使ってみたい気がする。というのは、地震に直撃される可能性が非常に低そうだからだが、さらに、台風などが接近する前、まだ余裕があるうちに影響が及ばない場所まで移動できそうでもある。これは実現すればいいなと思う一方（ノースは、スーパーヴィラン志望者は自分で作れと言っているのだが）、多くの人が利用しだすと空が過密になり、ドームどうしの衝突など、新たな問題が生じて、お上の規制が入りそうだ。いやはや、やはり難しいのか。

　マンローの『ホワット・イフ？』精神は、対談でも発揮されている。2つの証券取引所を直線の地下トンネルで接続し、物理的に誰よりも早く株の情報を入手する本書最大の資金獲得計略について、マンローは、トンネルの中央部が恐ろしい深さになることは誰もが気づくけど、実は両端にも難しさがあると指摘する。両端部では、トンネルがかなりの浅さで地面とほぼ並行になるはずだが、そうするとさまざまな地下施設にぶつかる危険が生じるという。まったくそのとおりだ。マンローが地図で確認したところ、本書の例では、ある大型商業施設の地下倉庫にどんぴしゃぶつかるそうだ。ノースさん、悪魔は細部に宿ることを忘れずに！　マンローの柔ら

か頭ぶりも相変わらずだが。

　ひとつ気になったのが、今世間で騒がれているAIの利用例がないことだ。じつはもうAIを使って原稿も書いているので触れなかったのか？　それとも、AIの普及により仕事を奪われてしまう恐れのある、大手出版社のコミック原案作成者としては、AIの宣伝になりそうなものは書きたくないのだろうか？　などと想像していたところ、2人の対談を聞いていたら、AIを利用する例も語られていた。薬品開発の際、新薬候補の物質の毒性を最小化するという時間がかかる過程を、AIを利用して開発を加速しようという取り組みがあるそうだ。ところが、この2人はさらに、スーパーヴィランなら、逆に毒性を最大化するようにAIに命じることもできるよね、と言っている。やはり、一番あくどいことは本には書いていないのだ！　でも、そうやって開発した毒は、絶対に世界を良くするために使ってくださいよ。きっと、スーパーヴィランの最も重要な真実は、まだ著者の頭のなかだけにあるのだ。しかし、マンローと和気藹々の会話を楽しんでいるあいだに、ちょっと尻尾を出してしまいましたね。ご用心めされよ。

　今回紹介された計略はすべて基本的に単独犯だが、本当に大きなことは、やはりグループでやらねばならないということも本書のなかで白状しているので、次回作への期待も膨らむ。より良い世界を実現するための盤石の計略を楽しみに待とう。

　今回の翻訳でも、編集を担当くださった石川大我氏をはじめ、早川書房の皆様に大変お世話になりました。心から御礼申し上げます。

2023年6月　　　　　　　　　　　　　　　　　　　　　　　　　吉田三知世

科学でかなえる世界征服

2023年7月20日　初版印刷
2023年7月25日　初版発行

著　者　ライアン・ノース
訳　者　吉田三知世
発行者　早川　浩
印刷所　株式会社精興社
製本所　大口製本印刷株式会社
発行所　株式会社　早川書房
郵便番号　101-0046
東京都千代田区神田多町2-2
電話　03-3252-3111
振替　00160-3-47799
https://www.hayakawa-online.co.jp

ゼロからつくる科学文明

——タイムトラベラーのためのサバイバルガイド——

HOW TO INVENT EVERYTHING

ライアン・ノース
吉田三知世訳
46判並製

ご安心ください。
必要なことはすべて書いてあります。

あなたの壊れたタイムマシン「FC3000TM」はいま紀元前二万五千年にいます。もう現代には戻れません。皆のため、あなたが農業を発明しましょう！　言葉、農作物、エンジンから現代アートまで、科学と文明をゼロからつくり直すためのすべてがここにある。